GENERAIS DE DEUS

Os Evangelistas de Cura

Fico feliz em endossar e recomendar o livro *Generais de Deus: Os Evangelistas de Cura*. Conhecer as histórias desses homens e mulheres do passado pode ser algo inspirador, desafiador e informativo para nós, da presente geração.

— *John Partington*
Líder Nacional das Assembleias de Deus da Grã-Bretanha

Nesta mais recente continuação da série *Generais de Deus*, Roberts Liardon foi novamente bem-sucedido. Fruto de uma pesquisa meticulosa, este livro é inspirador, com seus abundantes testemunhos transformadores de vidas. Ele levará você a lugares espirituais onde você nunca esteve antes. Você será abençoado durante a leitura e sua fé será levada a novas e maiores dimensões. Tenho grande respeito pela pessoa e pelo Ministério de Roberts Liardon, um autor de sucesso, sábio mestre de verdades bíblicas e líder espiritual ungido, apaixonado por desenvolver ministros cristãos no mundo inteiro.

— *Rev. Teresa Wairimu Kinyanjui*
Fundadora e Diretora do Ministério Evangélico Internacional Faith

Roberts Liardon é um dos grandes historiadores que pesquisam sobre aqueles que nos precederam na história cristã. Sua mais recente edição, *Generais de Deus: Os Evangelistas de Cura*, é especialmente tocante, além de ser especial para mim devido a meus pais serem mencionados. Eu amo poder indicar esses livros. É muito importante conhecer aqueles que nos precederam para aprendermos com suas vidas surpreendentes.

— *Joan Hunter*
Autora, Fundadora e Presidente dos Ministérios Joan Hunter

Roberts LIARDON

GENERAIS DE DEUS

Os Evangelistas de Cura

1ª Edição

Belo Horizonte

Diretor
Lester Bello

Autor
Roberts Liardon

Título Original
God's generals: the healing evangelists

Tradução
Claudio Chagas / Idiomas & Cia

Revisão
Ana Lacerda, Fernanda Silveira/
Daniele Ferreira/ Idiomas & Cia

Diagramação
Julio Fado

Design capa (adaptação)
Fernando Rezende

Impressão e acabamento
Promove Artes Gráficas

Rua Vera Lúcia Pereira, 122
Goiania - CEP 31.950-060
Belo Horizonte/MG - Brasil
contato@bellopublicacoes.com.br
www.bellopublicacoes.com.br

Primeira edição — Março de 2015
1ª. Reimpressão — Março de 2016

Exceto em caso de indicação em contrário, todas as citações bíblicas foram extraídas da Bíblia Sagrada Nova Versão Internacional (NVI), 2000, Editora Vida. Outras versões utilizadas: ARA (Almeida Revista e Atualizada, SBB).

As fotos do capítulo acerca de George Jeffreys aparecem por cortesia da Elim Pentecostal Church UK, e Desmond Cartwright M. A., historiador oficial. A foto de Bosworth que aparece na capa é usada sob permissão do Flower Pentecostal Heritage Center. A foto de F. F. Bosworth que aparece na Azusa Street Mission pertence ao Flower Pentecostal Heritage Center. A foto de capa é cortesia do Oral Roberts Ministries. Todos os direitos reservados.

Liardon, Roberts
L693 Generais de Deus: os evangelistas de cura / Roberts Liardon; tradução de Claudio Chagas / Idiomas & Cia. - Belo Horizonte: Bello Publicações, 2016.
348p.
Título original: God's generals: the healing evangelists

1. Cura pela fé. 2. Fe cristã. 3. Evangelistas de cura. I. Título.

ISBN: 978-85-8321-017-7

CDD: 234.2 CDU: 230.112

SUMÁRIO

DEDICATÓRIA

Dedico este livro às vidas apaixonadas de Robert e Millicent Spilman, líderes pioneiros do movimento carismático na Inglaterra. Comparo seu ministério ao de Priscila e Áquila, no Novo Testamento, que ajudou pessoas a encontrarem o caminho mais perfeito (ver Atos 18:26).

Robert (Bob) nasceu em Watford, Inglaterra, em 1924. Ele entrou para a Marinha Real devido às exigências da Segunda Guerra Mundial. Após a guerra, Bob, engenheiro mecânico e civil qualificado, foi trabalhar no Ministério das Obras, supervisionando a construção de novas estradas na Nigéria. Lá ele conheceu Millicent.

Quando adolescente, Millicent aceitara Jesus como seu Senhor e Salvador em sua igreja local, em Chadderton, Inglaterra. Em 1948, como enfermeira extremamente qualificada, treinada em doenças tropicais e obstetrícia, Millicent desejou ir para a África como missionária, mas disseram a ela que teria de, primeiramente, frequentar um seminário bíblico durante quatro anos. Impaciente para iniciar o trabalho, Millicent se candidatou e foi nomeada para o cargo de Irmã de Enfermagem em um hospital leprosário próximo a Enugu, Nigéria, onde conheceu Bob. Os dois se casaram em 1953, na Igreja Ridge, em Acra, Gana.

Foi por meio do testemunho firme de Millicent acerca do amor de Deus em sua vida que Bob veio a conhecer Jesus como seu Senhor e

Salvador. Voltando ao Reino Unido, Bob e Millicent estabeleceram uma vida familiar com seus três filhos, enquanto a carreira de Bob disparava. Pouco tempo depois, Bob e Millicent experimentaram o batismo do Espírito Santo, o que influenciou Bob a deixar uma carreira segura na indústria e dar um passo de fé, seguindo a direção do Senhor.

Bob se tornou mais conhecido por seu trabalho com a Associação de Homens de Negócio do Evangelho Pleno Internacional. Em 1975, o Capítulo de Cheshire da ADHONEP* foi formado em sua sala de estar. A partir daí, o movimento cresceu para mais de quatrocentos capítulos em todo o Reino Unido e Irlanda. Bob foi nomeado Diretor Internacional do grupo, mas sempre insistiu em que não poderia ter feito esse trabalho sem o amor e o apoio de Millicent.

Bob e Millicent visitavam frequentemente muitos países com regimes opressores, incluindo viagens por trás da Cortina de Ferro, sempre levando o Evangelho por meio da Palavra falada e impressa, incentivando os que amavam o Senhor e levando muitos mais a Ele. Juntos, eles impactaram milhares de vidas, sem nunca terem buscado a autopromoção.

Homem de fala mansa, mas erudito, Bob viu a necessidade de os cristãos terem acesso a livros cheios do Espírito. Ele abriu uma editora, a *Faith Builders*, e se tornou o primeiro a importar esses livros para o Reino Unido e a Europa. Hoje existem milhares de crentes com vidas cheias do Espírito devido à sua influência e seu ministério.

Bob foi para o céu em janeiro de 1999. Ele deixou sua esposa, Millicent, seus três filhos e cinco netos, todos eles totalmente comprometidos com o Senhor e seguidores do plano de Deus para suas vidas.

Um verdadeiro cavalheiro se foi, deixando muitas saudades.

Obrigado pelo exemplo que vocês dois deram como um casal cristão. Obrigado por atravessarem tempos difíceis e não desistirem. Somos melhores porque vocês foram fiéis ao chamado de Deus em suas vidas.

— ROBERTS LIARDON
Londres, Inglaterra
Janeiro de 2011

---

* Fundada em 1952 pelo empresário Demos Shakarian, norte-americano descendente de armênios, a Adhonep foi criada para fortalecer valores através da sinergia entre empresários e autoridades que compartilham experiências de sucesso. A associação conta com vários grupos em todo o mundo, chamados de "Capítulos". Todos eles, com suas próprias diretorias compostas de empresários, realizam jantares, encontros, reuniões, almoços e cafés da manhã promovendo o Evangelho entre empresários de sua região. (N. do T.)

PREFÁCIO

Eu não estava preparado para aprender tanto e ser tão abençoado e motivado ao ler *Generais de Deus: Os Evangelistas de Cura*, de Roberts Liardon. Não tenho dúvida de que você também receberá o mesmo que eu. O título *Generais de Deus* é bastante adequado para falar das pessoas específicas que Roberts escolheu descrever em seu livro. Embora esses "generais" sejam, em grande parte, do setor Pentecostal e carismático da igreja cristã, eles impactaram incontáveis milhões de pessoas de todas as posições teológicas e eclesiásticas. Apesar de eu ter sido criado em uma tradição diferente, sou profundamente abençoado por homens como os descritos neste volume. Inclusive, alguns anos antes de ir para o céu, Oral Roberts escreveu prefácios para dois de meus livros e gentilmente recebeu minha esposa Louise e eu em sua casa.

Alguns leitores podem não saber que o nome de Roberts Liardon foi inspirado em Oral Roberts, um dos generais deste livro. Os pais de Roberts Liardon foram membros fundadores da Universidade de Oral Roberts. Ele foi o primeiro filho a nascer entre esse grupo de fundadores! O próprio Oral quis ajudar a dar um nome ao bebê, e todos eles sugeriram o nome de Kenneth Roberts Liardon.

Roberts é o reitor do Instituto Bíblico Internacional de Londres. Esse instituto faz parte do ministério do Kensington Temple, do qual meu amigo Colin Dye é o pastor presidente.

O Sr. Liardon fez um trabalho notável em sua pesquisa. Ele descobriu detalhes que permaneceram ocultos até agora. O mais impressionante é que ele não encobriu fatos que nem sempre mostram as pessoas mencionadas sob uma boa ótica. Elogia quando devido, mas nos lembra de que até mesmo grandes homens são, na melhor das hipóteses, homens.

O que mais me incentivou na leitura deste livro é a presença inquestionável das manifestações milagrosas que marcaram a vida desses homens incomuns. Desejei ver milagres em meu próprio ministério. Vi alguns, mas não muitos. De fato, até mesmo alguns desses homens conheceram a decepção de não verem todas as pessoas curadas. No fim, Deus é soberano. Ele disse a Moisés: "*Terei misericórdia de quem eu quiser ter misericórdia, e terei compaixão de quem eu quiser ter compaixão*" (Êxodo 33:19). Essa dimensão da teologia cristã muitas vezes falha ao tratar de alguns desses fundamentos e, apenas talvez, poderia tê-los ajudado a ter uma perspectiva mais equilibrada em seus ministérios.

A presença de cura é algo que nenhum de nós pode "desenvolver". Quando ela está presente, como em Lucas 5:17, pessoas são curadas. Quando essa unção se vai, há aqueles que continuam como se nada tivesse acontecido. Seja como for, uma genuína presença de cura acompanhava frequentemente os ministérios dos generais retratados neste livro. Foi emocionante para mim ler sobre a vida deles e reconhecer o que Deus é capaz e está disposto a fazer. Minha esperança é que este livro nos faça ajoelhar e nos levar a suplicar a Deus por misericórdia. Quando pedimos por misericórdia, como em Hebreus 4:16, nada temos para dar em troca; por isso, quando Deus a concede, somente Ele recebe toda a glória. Talvez esse seja um dos motivos pelos quais, às vezes, Deus retém a misericórdia; isso nos impede de reivindicar crédito demasiado para nós mesmos.

Recomendo fortemente este livro. Ele é um lembrete de que Deus levantou pessoas no passado e precisamos pedir-lhe para levantar novamente não apenas algumas, mas muitas outras, em um tempo como o de hoje.

— R. T. Kendall

Ministro da Westminster Chapel (1977–2002), Londres, Inglaterra

CAPÍTULO UM

F. F. BOSWORTH

"PIONEIRO DA CURA"

"PIONEIRO DA CURA"

Em uma manhã fria de inverno do ano de 1925, em uma escola de Scranton, Pensilvânia, um grupo de crianças de bochechas rosadas ria alegremente enquanto corriam umas atrás das outras ao redor do alto carvalho. Menininhas riam no balanço ao subirem cada vez mais alto.

De repente, uma das meninas caiu ao chão, chorando enquanto esfregava o peito. Aparentemente, ela havia se machucado, mas embora enxugasse as lágrimas, os adultos que estavam supervisionando as brincadeiras não se preocuparam. Raffaela Serio, de nove anos, continuou a sentir dores perto da lesão "invisível" em seu peito. Seus pais ficaram preocupados e levaram-na a um médico e, depois, a outro. Parecia que a menina tinha apenas contundido a área próxima à mama esquerda, mas a dor foi aumentando e um pequeno caroço se formou, que depois cresceu até o tamanho de uma laranja.

Os pais de Raffaela recorreram a um amigo especialista em pediatria que estudara na Universidade Johns Hopkins. Após vários testes complexos, o médico pronunciou gravemente o diagnóstico: a pequena Raffaela Serio tinha sarcoma, um câncer, na mama esquerda.

Os pais, aflitos, observavam enquanto sua preciosa filha perdia peso rapidamente. O especialista explicou que o câncer estava enraizado tão profundamente que impossibilitava uma cirurgia, acrescentando que pouco poderia fazer para minimizar a dor da menina. Havia também uma ferida aberta que purgava, mas como não se sabia muito acerca do câncer na época, o médico receitou uma pomada marrom especial para ser aplicada diariamente na área afetada, que depois deveria ser envolvida com curativos limpos. Embora tentassem ser esperançosos, os médicos de Raffaela viam pouca chance de recuperação.

Após meses de tratamento ineficaz e muita preocupação, os pais da menina convidaram o médico para ir à sua casa em uma tarde de domingo e jantar com eles. Enquanto conversavam calmamente à mesa, o médico olhava com olhos tristes para a garotinha doente que ele tinha sido incapaz de ajudar. Virando-se para a mãe da menina, ele fez uma declaração incomum para um médico:

— Há um homem fazendo algumas reuniões especiais em uma grande tenda em Scranton. Ele ora e as pessoas ficam curadas.

— Doutor, francamente! O senhor deve estar brincando! — respondeu o casal.

—Não, não estou brincando. É sério. Uma paciente que tratei tinha um grande bócio e foi curada. Ela disse que o Evangelista F. F. Bosworth orou e ela foi curada instantaneamente.

A Sra. Serio olhou com espanto para o médico, que continuou:

— Por que vocês não levam a querida Raffaela até lá? Eles podem ser capazes de ajudá-la também.[1]

Os pais de Raffaela Serio dirigiram até Scranton naquela mesma noite para ouvir F. F. Bosworth pregar um sermão acerca da salvação em Cristo e da cura divina. Eles compraram o livro *Cristo, Aquele que Cura*, de Bosworth, que se tornaria um clássico cristão sobre o poder de Cristo para curar. Durante a semana seguinte, os Serio leram vários trechos do livro em voz alta para Raffaela, para que todos os três conseguissem compreender a promessa bíblica de cura em Cristo.

Agora com uma fé muito maior, a família voltou à cruzada no domingo seguinte. Durante o momento de oração por cura, F. F. Bosworth foi em direção à menina, que estava na plataforma, e fez uma linda oração clamando pelo poder de cura de Deus. Ele orou para que Deus a curasse e a usasse como um monumento vivo para Seu louvor e Sua glória.[2]

Quando voltaram para casa, mais tarde naquela noite, a Sra. Serio deixou a pomada pronta para o tratamento diário de Raffaela, que olhou para a mãe com espanto. "Ora, mamãe, onde está a sua fé? Você não ouviu o homem dizer que Jesus me curou? Não preciso mais dos curativos. Eu estou curada." Nem o grande caroço nem o inchaço desde sua axila até a clavícula tinham desaparecido, mas a menina tinha começado a ver a si mesma pelos olhos da fé.

A Sra. Serio dormiu pouco aquela noite, virando-se na cama e preocupando-se com sua doce menina. Mas, como ela mesma relatou depois, "chegou a manhã e, com ela, uma novidade de vida para a nossa querida! Ela dera um passo para a vida de fé com Jesus e Ele a encontrara. Oh! Que alegria e que glória!"[3] O sol da manhã revelou que todo o inchaço, da clavícula até a axila, desaparecera! Cinco dias depois, o caroço tinha o tamanho de uma noz; pouco tempo depois, ele desapareceu completamente!

"Louvado seja o nosso maravilhoso e precioso Jesus!" — foi a exclamação alegre da mãe naquele verão de 1925, em Scranton.[4] Sua filhinha fora milagrosamente curada porque um homem de Deus foi fiel em pregar a salvação completa no sacrifício de Cristo: salvação para a mente, o corpo e o espírito. E Deus foi fiel em cumprir Sua Palavra.

Um dos Primeiros Generais Pentecostais

F. F. Bosworth foi um evangelista de vanguarda, pioneiro na transmissão de mensagens cristãs pelo rádio; um dos evangelistas de cura de maior sucesso da década de 1920 e o homem que criou uma ponte para os avivalistas de cura das décadas de 1940 e 1950. Des-

F. F. Bosworth

de o dia em que visitou a Rua Azusa, Fred Bosworth se transformou em um marco do movimento pentecostal moderno.

Em seus primeiros avivamentos, Bosworth teve contato com outros líderes pentecostais, como John Alexander Dowie, Maria Woodworth-Etter, Charles F. Parham, John G. Lake, Paul Rader e E. W. Kenyon. Anos mais tarde, na década de 1950, com seu vasto conhecimento das Escrituras e sua ampla experiência como evangelista de cura, ele se tornou mentor de homens como Jack Coe, o ainda jovem Oral Roberts, Ern Baxter, e muitos integrantes do grupo *Voice of Healing* (Voz de Cura), de James Gordon Lindsay. Ele construiu uma relação de discipulado especialmente estreita com William Branham e T. L. Osborne. Baxter viajou com esses homens para a África do Sul e pode também ter participado de reuniões em parceria com Branham, nos Estados Unidos.

F. F. Bosworth foi um homem de grande integridade e honra. Ele não era tomado por sentimentalismos no ministério de cura, mas olhava firmemente para Deus a fim de cumprir Sua Palavra. Por essa razão, ele nunca quis que as pessoas afirmassem terem sido curadas devido a reações emocionais. Bosworth registrou fielmente os nomes e endereços das pessoas curadas por meio de seu ministério. Para ele, elas eram as "testemunhas", a prova viva de que o Espírito de Deus estava operando entre Seu povo para curar. Bosworth também gostava de receber as confirmações dos médicos acerca das curas.

Como resultado, durante seus anos de ministério, Bosworth acumulou mais de duzentos e cinquenta mil cartas e testemunhos de pessoas que haviam sido tocadas por suas mensagens. Vários desses testemunhos serão compartilhados nestas páginas ao olharmos para um dos verdadeiros generais de Deus, que liderou alguns avivamentos de cura surpreendentes no início do século 20. Contudo,

Bosworth sempre afirmou que seu foco principal era o evangelismo e, só depois, a cura.

Um Garoto na Linha de Frente

Quando a Guerra Civil finalmente terminou após quatro longos anos, os Estados Unidos eram uma nação ferida. O governo federal decidiu criar uma nova visão nacional de mudança e expansão para incentivar os cidadãos a olharem adiante, para além dos anos de guerra, em direção a um futuro de esperança e promessas. As pessoas foram atraídas a se mudarem para o oeste e estabelecerem novos territórios. Com a Lei de Terras de 1862, que forneceu aos colonos terras federais baratas, e com a expansão das ferrovias, famílias se mudavam aos milhares para o centro-oeste do país.

Burton Bosworth servira na guerra como soldado da União. Ele e sua esposa Amelia se dirigiram para Nebraska, onde poderiam comprar terras por um preço barato. O casal comprou uma pequena fazenda em Utica, onde iniciaram uma família.

Em um gélido dia de inverno, 17 de janeiro de 1877, Amelia Bosworth deu à luz seu segundo filho, Fred Francis. Os Bosworth ficaram gratos por ter outro homem para ajudar a construir sua fazenda. O fato lhes teria trazido alegria muito maior se soubessem que esse filho também tocaria mais de um milhão de pessoas com o amor e o poder de Jesus Cristo.

Fred era um menino com uma determinação inabalável. Era esforçado, e definiu algumas metas grandiosas que, de fato, conseguira alcançar.

Com apenas nove anos, o menino acompanhou seu pai a uma reunião da Guerra Civil em Fort Kearney, Nebraska, para assistir à banda marcial e às cerimônias militares. Amante da música desde cedo, Fred ficou hipnotizado pela música que fluía do palco decorado. Enquanto a multidão aplaudia e cantava canções patrióticas, ele avançou para ver os tocadores de trompete. Fascinado pelo instrumento, o menino estava determinado a ter o próprio trompete e a aprender a tocá-lo. Fred tinha um amor pela música no fundo de sua alma.

Sendo filho de fazendeiro, estava habituado a usar os recursos à sua volta. Por exemplo, quando seu tio lhe deu o leitãozinho de uma ninhada de porcos, ele engordou o porco e vendeu-o no mercado local. Com esse dinheiro, o garoto trabalhador comprou uma vaca, criou-a, engordou-a e trocou-a, juntamente com seu filhote, por um trompete novinho. Agora que possuía seu sonhado instrumento, ele precisava de dinheiro para as aulas. Determinado, Fred se debruçou sobre o livro de instruções básicas do velho órgão que ficava na sala da casa, e foi assim que ele aprendeu a ler música e a tocar notas.

Fred comprou o livro mais avançado de músicas para trompete que conseguira encontrar. Enquanto trabalhava na loja de rações do pai, praticava durante horas quando havia pouco movimento. Estudou as notas, aprendeu os valores musicais e praticou diligentemente. Cedo em sua vida ele demonstrou a perseverança que o levaria a passar por momentos difíceis — até mesmo perseguições — nos anos vindouros.

Em pouco tempo, Fred era um músico com habilidade suficiente para tocar em uma banda da cidade. Quando sua família se mudou para University Place, ele fez um teste e ganhou um lugar na Banda do Estado de Nebraska. Algum dia, o grande talento musical desse jovem chegaria a embelezar o palco na cidade de Nova York.

Aos dezesseis anos, Fred Bosworth desejava ardentemente poder se sustentar sozinho. Além de sua aptidão natural para a música, era um vendedor natural. Ele encontrou um "agente" que queria contratá-lo para vender uma variedade de produtos, incluindo cimento para as indústrias de construção. Fred e seu irmão mais velho percorreram de trem todo o estado de Nebraska, frequentemente saltando em vagões abertos para andar de graça, enquanto tentavam fazer dinheiro como mascates. Em uma dessas aventuras, a vida de Fred foi transformada para sempre.

Transformado para Sempre!

Muitas das viagens de vendas do jovem Fred o levaram a Omaha. Em uma delas, ele parou para visitar a senhorita Maude Greene, alguns anos mais velha do que ele. Ela o convidou para acompanhá-la em uma cruzada de avivamento na Primeira Igreja Metodista naquela semana. Nas duas primeiras noites, Fred ouviu educadamente os louvores e a pregação, depois acompanhou a senhorita Maude à casa e voltou ao hotel. Na terceira noite, porém, o Espírito Santo começou a agir em seu coração.

Com a presença de Deus fluindo em seu interior, Fred decidiu dizer sim a Deus.

Pela primeira vez, Fred realmente *ouviu* a mensagem da salvação e compreendeu o sacrifício que Jesus fizera por ele na cruz, 1900 anos antes. Seu coração estava agitado em seu íntimo. Percebendo que algo estava acontecendo, Maude incentivou Fred a ir até o altar quando o pregador chamasse.

Relutante no início, mas depois com passo mais firme, Fred Bosworth se aproximou daquele pequeno altar metodista. Ajoelhado ali, ele soube que precisava decidir naquela mesma noite se tomaria uma decisão por Cristo ou se daria as costas a Ele.

Com a presença de Deus fluindo em seu interior, Fred decidiu dizer sim a Deus. Imediatamente, seu coração se encheu de alegria a ponto de transbordar e começou a sair de seus lábios uma risada santa. “Uma alegria tão grande encheu seu coração, que ele riu de contentamento até se sentir envergonhado, porque mal conseguia parar.”[5] Agora, Fred tinha outra decisão a tomar. Grande parte de seu sucesso nas vendas tinha como base métodos desonestos e meias-verdades. Ele precisava interromper sua vida de vendedor e ir para casa. Mas o que ele faria com sua vida em Cristo agora?

Nos dois anos seguintes, o rapaz teve tantos empregos diferentes que foi difícil manter a contagem. Ele trabalhou em um moinho, depois como balconista em um supermercado. Foi funcionário de uma loja de departamentos, açougueiro no mercado de carnes, funcionário de manutenção da ferrovia e pintor de casas. Aprendeu mais acerca de seu relacionamento com o Senhor durante esse tempo, mas também lutou contra uma alma ansiosa.

Uma Evangelista de Cura

A carreira de Fred não era sua única luta. Sua saúde estava se deteriorando rapidamente. Oito anos antes, quando os Bosworth moravam em University Place, um jovem foi ferido e o médico local precisou operá-lo. Não havia adultos suficientes disponíveis, então o jovem Fred ajudou o médico durante a cirurgia. A sala de cirurgia foi mantida muito quente e, ao final, Fred saiu em uma gélida noite de Nebraska. Como resultado, desenvolveu uma tosse intensa que enfraqueceu seus pulmões e resultou em uma doença pulmonar crônica que se manifestava como uma tosse seca e rouca.

Agora, aos dezenove anos, a tosse piorara e se tornava doloroso respirar. Depois de passar várias semanas acamado, Fred finalmente foi diagnosticado com tuberculose — a "doença mortal" do fim do século 19 e início do século 20. E o veredicto do médico foi desesperador. Ele predisse que Fred tinha pouco tempo de vida.[6]

O que ele deveria fazer agora? Um ano antes, seus pais haviam se mudado para Fitzgerald, Georgia, para um novo começo. Enfrentando a morte aos dezenove anos, Fred Bosworth decidiu viajar de trem até a Georgia para ver seus pais uma última vez. Estava gravemente enfermo durante a longa e agonizante viagem e imaginava se conseguiria chegar lá vivo. Quando finalmente chegou a Fitzgerald, Fred tropeçou para fora do trem, caindo nos braços amorosos de sua mãe. Ela cuidou dele ao longo de várias semanas, até ele finalmente ser capaz de sair de casa por curtos períodos de tempo.

Em sua primeira saída, Fred foi a outro avivamento metodista para que pudesse ser encorajado pela Palavra de Deus. A senhorita Mattie Perry, uma evangelista de cura, estava ministrando uma série de ensinamentos sobre como desenvolver uma caminhada mais profunda com Deus. Fred tossiu durante todo o culto e ela olhou para ele com atenção várias vezes. Ao fim do sermão, Fred foi à frente para orar por mais de Deus em sua vida.

A senhorita Mattie caminhou diretamente em direção a Fred, olhou-o nos olhos e lhe disse que Deus ainda tinha trabalho para ele fazer, e que ele era jovem demais para morrer. Então a senhorita Mattie impôs as mãos sobre Fred e orou para que ele fosse totalmente liberto da tuberculose. A partir daquele exato momento, Fred começou a ficar curado e, depois de poucos dias, a tosse desaparecera totalmente. A consulta a um médico confirmou que seus pulmões estavam totalmente restaurados. Fred Bosworth se alegrou intensamente com sua cura, mas, na época, ele ainda não compreendia totalmente que havia sido curado para levar a verdade da mensagem do evangelho de Deus a milhares de pessoas, tanto crentes como não crentes.

"Deus, Eu Ainda Preciso de um Plano"

A saúde de Fred se normalizou rapidamente. Ele ainda não sabia como deveria servir a Deus, então se estabeleceu na Georgia com sua família e encontrou trabalho, primeiramente como assistente do chefe dos correios em Fitzgerald. A seguir, foi eleito escrivão da cidade. Depois de algum tempo, foi trabalhar como banqueiro. Aos vinte e três anos, Fred conheceu e se casou com uma jovem chamada Estella Hayde. Ele a levou ao Senhor logo após se conhecerem, e Estella também se dedicou a encontrar uma maneira de servir a Jesus.

O Trio Musical Bosworth

Fred e sua esposa frequentavam a igreja fielmente, mas uma ansiedade sutil continuou a atormentar a alma dele. Para diminuir sua inquietação, Fred voltou a tocar o trompete que ele amava, o que foi possível devido ao vigor renovado de seus pulmões. Em pouco tempo, ele estava tocando e dirigindo a Georgia Empire State Band, apresentando-se em eventos comunitários de fim de semana em todo o estado da Georgia, e esperando que Deus lhe mostrasse o próximo passo.

Deus é fiel à Sua Palavra. Ele tinha um plano para F. F. Bosworth, cuja vida estava prestes a fazer uma curva brusca em direção a Deus. Pela providência divina, Fred e Estella haviam recebido um exemplar da revista *Leaves of Healing* [Folhas de Cura]. Escrita pelo evangelista escocês John Alexander Dowie, ela proclamava o poder de cura de Jesus Cristo operando na Terra nos dias atuais. Também descrevia uma comunidade cristã que Dowie estabelecera em Zion City, Illinois.

O casal conversou com grande entusiasmo sobre mudar para uma nova cidade. Fred já sabia, por experiência própria, que Jesus Cristo ainda curava. Agora, ele estava ansioso pela oportunidade de aprender com alguém que cria na mesma coisa e por servir ao Senhor nessa nova cidade. Assim que chegaram a Zion City, Fred encontrou um emprego como contador em uma loja local. Em cada culto na igreja da comunidade ele tocava alegremente seu trompete para o Senhor.

A Zion City Band não era muito talentosa. John Alexander Dowie rapidamente reconheceu a extensão do talento musical de Fred Bosworth e, quando perguntou a Fred se gostaria de assumir o cargo remunerado de diretor da banda, Fred aproveitou a chance. No passado, Fred havia tocado com bandas seculares e ficou empolgado por ter a oportunidade de tocar a música que ele muito amava enquanto exaltava o nome de Jesus.

De acordo com um dos primeiros biógrafos de Bosworth, "rapidamente, a Zion City Band se transformou de um grupo musical amador dissonante em uma das maiores e melhores organizações musicais em todos os Estados Unidos".[7] A reputação de Fred como músico se espalhou com igual rapidez. Poucos meses depois, a banda de quarenta e sete membros recebeu um grande reconhecimento, como resultado de tocar nos cultos evangelísticos de Dowie, chegando a tocar no Madison Square Garden, em Nova York!

Bosworth dirigiu vinte concertos consecutivos, dois por dia, durante dez dias. Em Nova York, os críticos inicialmente viram a banda cristã do centro-oeste com cinismo e previram um desastre cultural, mas não estavam preparados para o talento musical de Bosworth e seu serviço dedicado a Deus. Após a primeira apresentação, a imprensa elogiou, dizendo: "O concerto... foi aguardado com apreensão, mas antes de os músicos presentes no palco terminarem os quatro primeiros compassos da primeira abertura, toda a audiência sabia que estava ouvindo música verdadeira produzida por mestres da arte."[8] F. F. Bosworth tinha apenas vinte e seis anos na época dessa vitória musical.

O Poder de Limpeza do Espírito Santo

Mas em Zion City nem tudo estava indo tão bem. A partir de 1903, John Alexander Dowie se tornou cada vez mais autocrático em seu papel de líder da cidade. Ele se autoproclamou profeta, "Elias, o Restaurador", e passou a usar vestes de sacerdote do Antigo Testamento. Problemas financeiros e pessoais o rodeavam.

Ao mesmo tempo, uma moradora de Zion City, a Sra. Waldron, participou de uma cruzada do ministério de Charles F. Parham e recebeu o batismo no Espírito Santo com a evidência de línguas. Quando ela trouxe a notícia emocionante a Zion City, John Alexander Dowie estava determinado a manter o "movimento das línguas" fora de sua comunidade. Porém, Bosworth e o evangelista John G. Lake, que também morava em Zion City na época, tinham fome da presença do Espírito Santo em suas vidas. Alguns anos depois, quando Parham foi a Zion City pregar acerca do batismo no Espírito Santo, os Bosworth o acolheram em sua casa para realizar reuniões. Pouco depois, Fred Bosworth e John G. Lake receberam o batismo no Espírito Santo. Juntos, eles foram à Rua Azusa, na Califórnia, para vivenciar o avivamento do Espírito Santo ali e buscar junto ao reverendo William J. Seymour respostas às suas perguntas referentes a essa "nova" obra de Deus.[9] Após receber o batismo no Espírito Santo, Bosworth rememorou seus primeiros dias

F. F. e Estella Bosworth posam para um retrato da família em Zion, com Vivian e Vernon

de mudanças de um emprego para outro, e disse: "Eu gostaria que, naquela época, alguém tivesse me falado sobre ser batizado no Espírito Santo. Fiquei muito tempo à deriva sem saber qual era o lugar certo para mim."[10]

O lugar certo para Fred Bosworth se tornou claro para ele quase imediatamente. Durante os anos em que viveu em Zion City, ele falou de seu medo de que Deus o chamasse para pregar o evangelho. Porém, após receber o batismo no Espírito Santo, ele ficou com medo de que Deus *não* o chamasse para pregar. Aos vinte e nove anos, sua vida havia sido radicalmente transformada. Ele começou a pesquisar sobre o Espírito Santo na Bíblia, em passagens como Mateus 3:11: "Eu os batizo com água para arrependimento. Mas depois de mim vem alguém mais poderoso do que eu, tanto que não sou digno nem de levar as suas sandálias. Ele os batizará com o Espírito Santo e com fogo"; e Atos 19:2: "'Vocês receberam o Espírito Santo quando creram?' Eles responderam: 'Não, nem sequer ouvimos que existe o Espírito Santo'." Jesus prometera que o Espírito Santo viria e que Ele seria Aquele que batizaria os discípulos no Espírito.

Bosworth também leu alguns dos escritos de A. J. Gordon, que falou ousada e vigorosamente sobre a prova bíblica do batismo no Espírito Santo como uma experiência posterior e separada, decorrente da salvação. "É como pecadores que aceitamos Cristo; mas é como filhos que aceitamos o Espírito Santo", escreveu Gordon ao expor acerca do batismo no Espírito Santo. "Precisamos negar o nosso consentimento à exegese inconsistente que tornaria o batismo nas águas dos tempos apostólicos rigidamente vinculativo, mas relegaria o batismo no Espírito a uma dispensação passada."[11]

Bosworth admirava a sabedoria de usar a lógica bíblica e a Palavra para defender a boa nova do evangelho pleno. Isso se tornaria um marco para ele em futuros debates sobre o poder de cura de Deus na Terra nos tempos modernos.

Líderes do Avivamento da Rua Azusa (em sentido horário, a partir do canto superior esquerdo): Irmão Allen, F. F. Bosworth, Tom Hezmalhalch, John G. Lake e William Seymour

Compromissado Diante da Morte

Deixando Zion City, Fred e Estella Bosworth decidiram que dependeriam totalmente da provisão do Senhor. Fred abandonou novamente seu emprego secular e sua música para pregar o evangelho onde quer que eles fossem convidados. No início dessa nova vida de fé, os Bosworth tiveram de contar diariamente com a provisão do Senhor. Eles agora tinham uma filha pequena, Vivian, e oravam a Deus para receberem o suprimento de cada refeição, frequentemente esperando pelo milagre até o último minuto. Houve um tempo em que comiam trigo cozido nas três refeições do dia. Isso os sustentou durante aquele período, mas, depois, eles nunca mais tiveram trigo cozido em sua mesa.

Quando a comida acabava, Fred Bosworth enfiava a cabeça na caixa de pão vazia e gritava "Glória!" a plenos pulmões. Então, Estella e a pequena Vivian faziam o mesmo. Deus sempre proveu!

A pequena família Bosworth viajou para South Bend, em Indiana; Austin e Waco, no Texas; Conway, na Carolina do Sul; e Fitzgerald, em Georgia, antes de, finalmente, se estabelecer em

Dallas, Texas. Era 1909 e o movimento pentecostal estava ganhando impulso em toda a nação, com o mover do Espírito Santo. Em Dallas, Fred iniciou uma igreja afiliada à Aliança Cristã e Missionária. Eles realizavam reuniões em tendas em toda a região, às vezes quatro reuniões em um mesmo dia, apresentando as pessoas ao poder de Deus por meio do Seu Santo Espírito.

Animado por ver outras pessoas conhecendo o Senhor, Fred estava sempre aberto a novas oportunidades de pregar. Em uma noite quente de verão, ainda em 1909, um amigo lhe contou sobre uma reunião de acampamento em Hearne, Texas, a alguns quilômetros de Dallas, onde o Espírito de Deus estava se movendo em uma congregação de negros. As tensões raciais eram intensas no Texas naqueles tempos, razão pela qual as reuniões de avivamento feitas em tendas eram segregadas. As pessoas brancas não queriam se aproximar de um "altar negro". Assim, Fred foi convidado para aquele movimento a fim de que os participantes brancos também pudessem receber o batismo do Espírito Santo por intermédio de um pregador branco.

Animado por ver outras pessoas conhecendo o Senhor, Fred estava sempre aberto a novas oportunidades de pregar.

Bosworth tomou um trem para Hearne e, ao chegar, seguiu a música para encontrar o local onde a tenda estava instalada. O entusiasmo por Jesus enchia o ar, e as pessoas brancas que estavam ouvindo nos arredores convidaram Bosworth para pregar-lhes sobre o poder de Deus. De pé sobre uma plataforma entre os dois grupos segregados, Fred falou uma breve mensagem sobre o amor de Cristo e o poder de Seu Espírito para transformar vidas.

"Por favor, fique em minha casa esta noite para que você possa continuar a mensagem amanhã", convidou-o um dos outros pastores brancos. Bosworth aceitou a oportunidade e eles se dirigiram à casa do homem. De repente, uma multidão de homens brancos furiosos, carregando bastões e varas, correu atrás deles.

Eles cuspiam e gritavam com Bosworth, acusando-o de vir pregar à congregação negra. Ele explicou que a congregação branca o convidara, mas os homens enraivecidos ainda o ameaçaram e lhe ordenaram deixar a cidade imediatamente.

Tomados de um ódio que só pode vir de Satanás, esses homens cumpririam suas promessas e Bosworth sabia disso. Ele concordou em sair e caminhou rapidamente até a estação de trem, para voltar a Dallas. De pé na estação escura, no silêncio da noite texana, Bosworth foi subitamente confrontado com uma multidão ainda maior de homens bêbados, que amaldiçoavam em voz alta enquanto cambaleavam em direção à estação de trem.

A multidão enfurecida caiu sobre Bosworth e o derrubou no chão. Eles o ameaçaram, dizendo que ele nunca sairia de lá vivo, e bateram em suas costas com remos de barco e varas, até sua pele se rasgar e sangrar. Vários golpes de taco de beisebol em seu braço esquerdo resultaram em uma fratura de punho, deixando sua mão dolorosamente pendurada. Em tudo isso, Fred Bosworth não provocou uma briga. Ele se entregou à proteção do Senhor e nada fez para se defender.

O espancamento terminou tão repentinamente quanto havia começado. A multidão, cansada daquele esporte, exigiu que ele deixasse a cidade imediatamente, em vez de esperar pelo próximo trem. Sangrando e com o punho latejando de dor, Bosworth pegou sua mala com a outra mão e começou a caminhar em direção a Dallas. Uma tentativa de parar um trem no caminho se mostrou fútil, então ele continuou a pé. Dois dias depois, chegou em casa e desmaiou na frente de sua mulher assustada. Foi necessário um mês de repouso para se recuperar, mas Bosworth estava empolgado por ter sido capaz de andar todos aqueles quilômetros em um glorioso estado de profunda intercessão. Ele era grato por estar vivo e poder pregar a Palavra de Deus. Não muito tempo depois, Fred e Estella ouviram um relato de que os dois líderes daquelas multidões haviam encontrado, separadamente, uma morte prematura.

A seguir, está a carta que Bosworth escreveu à sua mãe pouco depois do espancamento:

Ficamos muito contentes por receber sua carta esta manhã, bem como as de Bert e Bertha. Eu as responderei de uma só vez, para poupá-los da desnecessária preocupação a meu respeito. Quando lhes escrevi de Calvert, no caminho de Hearne, Texas, voltando para casa, comecei a redigir uma carta contando-lhes tudo acerca do ataque da multidão enfurecida. Depois, pensando em como isso poderia preocupá-los, rasguei a primeira carta e lhes escrevi outra, não mencionando o espancamento que sofri.

Fiz isso apenas para poupá-los de se preocuparem. Nunca vi o relato em qualquer jornal, então não sei o que foi dito sobre isso, e gostaria que vocês me enviassem uma cópia de alguma notícia. Ouvi anteontem que estava em um dos jornais daqui, fui até a sede do jornal, procurei algo sobre os arquivos, mas não consegui encontrar nada.

No Acampamento Pentecostal do Estado, realizado todos os anos por negros em Hearne, o povo construiu uma cobertura de palha (continuando a partir do final de sua tenda) para acomodar as pessoas brancas de Hearne que queriam participar da reunião. Esse evangelho pleno nunca fora pregado aos brancos daquele local e, além de lotar a tenda coberta, automóveis, carroças e muitas pessoas brancas em pé cercavam a tenda para escutar a pregação e os testemunhos dos negros. Muitos dos cidadãos brancos ficaram profundamente interessados no ensinamento. Contudo, como não queriam buscar o batismo em um altar negro, pediram que os líderes negros encontrassem algum professor pentecostal branco para vir ajudá-los a serem batizados. E assim, para acomodar esses cidadãos brancos, fui enviado e, é claro, fui à reunião na tenda. No sábado à noite, preguei para duas grandes plateias, uma branca e uma negra. Deus me deu liberdade e bênçãos incomuns no ensino e na explicação das verdades defendidas por esse movimento, e os dois públicos receberam a verdade com enorme entusiasmo.

Eu estava cansado e pensei que não pregaria naquela noite, mas as pessoas queriam a minha pregação, então Deus me ungiu para aquilo. Quando eu estava voltando para a hospedagem, acompanhado de outro pregador branco que também havia chegado naquele dia, fomos atacados por vários homens violentos, um dos quais tinha um revólver e estava determinado a nos matar de uma só vez (pois ele e os outros nos amaldiçoavam por termos ido lá para nos igualarmos aos "negros sujos", como eles disseram).

Deus esteve maravilhosamente comigo e, com perfeita frieza, eu disse a eles que estava fazendo a vontade de Deus da melhor maneira que conhecia, estava pronto para morrer e não ofereceria resistência a qualquer coisa que Deus permitisse que eles fizessem (essas não foram as palavras exatas), mas, se eles não se opusessem, eu gostaria de dizer algumas palavras de explicação antes que nos baleassem. De início, eles me recusaram esse privilégio, mas finalmente disseram que eu poderia dizer o que eu quisesse. Então, eu lhes disse que não fora lá com qualquer pensamento ou desejo de nivelá-los a alguém, mas que foram os brancos que quiseram que eu fosse ajudá-los, que eu tinha feito o melhor, que eu sabia e estava disposto a receber qualquer coisa que Deus permitisse.

Com essa explicação, eles decidiram não nos matar, mas insistiram em que deveríamos tomar o próximo trem; por isso, fomos para o depósito, comprei meu bilhete para Dallas e o outro irmão foi ao seu quarto buscar sua mala. Enquanto ele se ausentou e eu estava esperando meu trem, um grupo maior, de cerca de vinte e cinco pessoas, me tirou do depósito, me derrubou e me bateu com pesados bastões de madeira com toda a sua força, amaldiçoando e declarando que eu nunca pregaria novamente quando acabassem comigo. Enquanto eles me batiam com esses bastões pesados (feitos com o remo de um barco), não ofereci resistência, mas me entreguei a Deus e lhe pedi para não deixar que os golpes fraturassem minha coluna. Deus se manteve maravilhosamente em meu favor, e nenhum osso foi quebrado, com exceção de uma leve fratura em meu punho esquerdo. Quando pararam de me bater, ao levantar-me, outros do grupo que não tinham bastões me derrubaram, batendo-me na cabeça com seus punhos. Fui derrubado várias vezes, mas não fiquei inconsciente um só momento, um milagre do cuidado de Deus.

Então, impedido de tomar meu trem, tive de caminhar quatorze quilômetros e meio até Calvert, onde, às duas da tarde do domingo, tomei um trem para casa.

O sofrimento durante o espancamento foi terrível, mas assim que acabou, desviei o olhar dos ferimentos e contusões e olhei para Deus, e Ele tirou todo o sofrimento e colocou em mim Seu poder e Sua força, então carreguei uma mala pesada com meu braço direito ao longo daquele percurso. Nunca tive a menor raiva ou mau sentimento em relação a esses homens que me bateram tão cruelmente, e a caminhada até Calvert no escuro, sob o luar, foi a experiência mais celestial da minha vida, e o Senhor me deu uma maravilhosa intercessão em favor daqueles homens, para que Ele os perdoasse e os preparasse para Sua vinda.

Minha carne foi amassada até os ossos, desde as costas até quase os joelhos, mas, desde o espancamento, não tenho sofrido.

Outros ficaram nervosos, tiveram colapsos e choraram ao ver os ferimentos em minhas costas, mas eu tenho estado absolutamente livre de aflição, medo ou até mesmo cansaço.

Ele tem sido tão precioso para mim que lhe agradeci muitas vezes por ter o privilégio de conhecer um pouco da "comunhão dos Seus sofrimentos". Se essa circunstância foi o resultado de alguma coisa imprudente que eu tenha feito, ou de ter dito qualquer coisa diferente da Sua doce mensagem, eu ficaria muito triste, mas, uma vez que ocorreu por simples obediência em pregar Seu evangelho a toda criatura, isso me deu grande alegria para enfrentar algo que era tão comum entre os cristãos nos primeiros séculos da Igreja.

Sinto ter subido vários degraus na vida cristã.

Deus já usou essa experiência e fez dela uma bênção para outros, e li algumas das cartas mais doces vindas do povo de Deus.

Vocês não precisam se preocupar, nem um pouco, porque agora não estamos pregando para os negros e não o faremos, a menos que Deus nos leve claramente, como o fez quando nos levou a Queen City e a outras regiões de Dallas. Ele colocou Seu selo sobre esse chamado salvando muitos, curando muitos e batizando mais de duzentas e vinte pessoas no Espírito Santo. Foi o trabalho mais profundo e mais rápido de que tive conhecimento. Nós não traçamos os nossos próprios planos, mas esperamos por Ele.

Acabamos de mudar nossa tenda da esquina das ruas Weaskell e States para a esquina de East Side com a avenida Washington, e ontem à noite, que foi a primeira noite no novo local, a tenda estava quase cheia e o número de pessoas foi bom. Orem para que Deus nos dê uma grande reunião ali. Talvez nos mudemos para alguma casa perto da tenda dentro de alguns dias.

Vivian está bem e é uma menina muito doce. Por vezes, Deus lhe dá uma verdadeira compaixão pelas almas, e nesses momentos o Espírito intercede em línguas por meio dela. O irmão Graves [Fred A. Graves] está conosco.

Acabou de chegar o jornal de Z.C. [Zion City, Illinois] contando sobre o espancamento.

O relato não é muito parecido com os fatos. Meu rosto não foi arranhado, mas minha cabeça foi machucada em vários lugares. Não há marcas em meu rosto.

Gostaríamos de ver todos vocês em casa. Estamos todos felizes na vontade de Deus.

Eu preferiria infinitamente ser fiel e ter um pouco de tribulação agora do que não superar e ter de passar pela grande tribulação que virá em breve. Graças a Deus, estou determinado a ver realizado o plano de Deus para minha vida.

Com muito amor a todos vocês, de seu filho devotado.

Fred

Dez Anos de Avivamento

Quando a onda pentecostal se moveu por todo o país, congregações da Assembleia de Deus começaram a surgir. Em 1910, Bosworth estabeleceu a Primeira Igreja Assembleia de Deus em Dallas; as pessoas iam para lá percorrendo quilômetros de distância para ouvi-lo pregar. Desde o início, quem buscava era salvo e batizado no Espírito Santo com a evidência do falar em línguas. Bosworth não tinha qualquer estudo formal em seminário, mas era um homem inteligente que estudava a Bíblia com mais diligência do que demonstrara ao aprender sozinho a tocar o trompete. Deus o colocara no cargo espiritual de evangelista, bem como de mestre, para a edificação do Corpo de Cristo (ver Efésios 4:11-13). Isso ficou evidente a todos os que o ouviam.

Em 1912, Bosworth convidou Maria Woodworth-Etter, a famosa evangelista pentecostal, a conduzir uma série de reuniões em sua igreja. Durante sua permanência de seis meses, o avivamento sacudiu a cidade de Dallas. Dezenas de pessoas foram salvas, enchidas pelo Espírito Santo e curadas sob seu ministério. Bosworth se tornou bastante conhecido entre os pentecostais devido ao sucesso das reuniões de Woodworth-Etter. O avivamento continuou em sua igreja durante vários anos.

O número de igrejas Assembleia de Deus cresceu, e Bosworth foi escolhido para ser delegado no Conselho Geral da denominação durante sua formação. Em abril de 1914, o primeiro Conselho Geral das Assembleias de Deus se reuniu em Hot Springs, Arkansas, para discutir o novo trabalho. Bosworth foi, então, convidado a se tornar um dos dezesseis membros do presbitério executivo. Era o papel do conselho e dos presbíteros definir os dogmas de fé para a nova denominação.

Mesmo enquanto pastoreava sua igreja em Dallas e trabalhava como delegado para as Assembleias de Deus, Fred Bosworth viajou mais de cento e vinte mil quilômetros por todo o sudoeste do país e aproveitou todas as oportunidades de pregar. Se houvesse um único ouvido aberto para o evangelho de Jesus Cristo, Fred estava ansioso por levar-lhe a boa nova! Ele acreditava em uma igreja intercessora que também estendia a mão ao perdido; então, organizou muitas reuniões em tendas em diferentes áreas de Dallas, que ocorriam simultaneamente. O evangelho era pregado noite após noite, e mais e mais pessoas se convertiam a Cristo para a salvação.

De Pastor a Evangelista em Tempo Integral

Quando o avivamento começou a desacelerar em Dallas, o filho de Fred e Estella, Vernon, de quatro anos, ficou doente e morreu repentinamente.

Poucos meses depois da perda, Fred renunciou à liderança da igreja que ele pastoreara e amara. Com base em anos de estudo da Palavra, Bosworth chegara à conclusão de que o falar em línguas não era a única evidência inicial do batismo no Espírito Santo. Os outros membros do comitê de fundação das Assembleias de Deus discordaram dele; eles criam, por unanimidade, que as línguas como evidência inicial do batismo deveria ser um dos dogmas irrefutáveis da denominação. Um ministro da região de Dallas começou a espalhar rumores acerca de Bosworth, acusando-o de heresia junto às igrejas pentecostais.

Tranquilamente e sem protesto, Bosworth entregou seus documentos de ordenação às Assembleias de Deus em julho de 1918. Ele foi convidado a apresentar mais uma vez ao Conselho Geral suas crenças sobre o porquê do falar em línguas não precisar ser a evidência inicial do batismo no Espírito Santo. Bosworth o fez com coração humilde, apresentando suas crenças apaixonadamente. O conselho ouviu, mas ainda votou contrariamente às suas propostas, e eles se separaram.

Com pouco tempo para se recuperar dessas tremendas decepções, Fred enfrentou uma tragédia maior. Estella fora uma ajudadora dedicada durante dezoito anos, mas em seu entusiasmo pelo ministério, ela frequentemente se esforçava além do limite. A saúde de Estella se deteriorava, enquanto ela continuava a ignorar o repouso acamado de que necessitava. No início de 1919, desenvolveu uma tosse, que rapidamente se tornou uma pneumonia e, depois, tuberculose. Apesar das diligentes orações por cura, Estella Bosworth morreu em 16 de novembro de 1919, deixando duas filhas e o marido. Fred vira incontáveis curas como respostas à oração, o que fez a morte de sua esposa parecer uma tragédia ainda maior, mas ele nunca desistiu de sua fé em um Deus vivo e fiel.

Por meio dessas tragédias, Fred Bosworth se tornou um ser humano mais compassivo. Ele era visto como amável, modesto e totalmente dependente do Senhor para tudo. Ao longo dessas provações, sua fé não foi abalada; por isso, Deus lhe deu um poder maior em seu testemunho.

Após encontrar alguém para cuidar de suas filhas, Fred Bosworth voltou seus passos para o evangelismo nacional, atendendo ao chamado para pregar onde quer que pudesse. Voltou à Aliança Cristã e Missionária e pediu a seu irmão mais novo, Burton, para juntar-se ao seu ministério de avivamento como líder de adoração. Eles começaram a viajar para onde quer que fossem convidados, carregando uma ardente paixão por ver os perdidos irem a Cristo. Durante a década de 1920, F. F. Bosworth foi visto pregando a Palavra de Deus com poder, acompanhado por sinais e maravilhas.

Vitórias de Cura em Lima, Ohio

No verão de 1920, Bosworth foi convidado para pregar em um avivamento em Lima, Ohio. O pastor tinha um único pedido — que ele levasse uma mensagem sobre o poder de cura de Jesus Cristo para os dias de hoje. Aceitando a convocação como vontade de Deus, Bosworth passou bastante tempo estudando a Bíblia, tanto o Antigo quanto o Novo Testamentos, para aprender mais acerca da presença de Deus que traz cura.

Deus trouxera Bosworth de volta de sua quase morte provocada pela tuberculose, por meio de Seu poder de cura. Assim, ele sabia que Jesus Cristo curava no presente. "Cura para o que crê" era uma parte da mensagem de salvação — ela estava incluída no preço que Cristo pagara na cruz. Agora, Fred estudava a Palavra em minúcias para encontrar o máximo possível de base bíblica para suas mensagens.

Ele ainda tinha um medo que o incomodava. "Eu disse ao Senhor: 'Mas suponha que eu pregue cura e pessoas venham, mas não sejam curadas?' E o Senhor respondeu: 'Se pessoas não fossem salvas, você não deixaria de pregar o evangelho.'"[12] Com isso, Fred prosseguiu confiantemente a compartilhar a mensagem completa da expiação de Jesus.

As reuniões de Lima ocorreram em uma grande tenda nas noites quentes de agosto de 1920. Na primeira noite, Fred Bosworth subiu ao púlpito e anunciou à plateia empolgada: "Estou convencido de que a cura para o corpo é apenas uma parte do evangelho, assim como a salvação para a alma." Ele lhes garantiu que Cristo desejava fazer por seus corpos "dilacerados pela dor" o que também desejava fazer por suas almas perdidas. Então, ele fez uma proclamação arrojada: "Tragam seus doentes e enfermos — quer eles conheçam Jesus ou não, Deus quer curá-los!"

Fred subiu ao púlpito e anunciou: "Estou convencido de que a cura para o corpo é apenas uma parte do evangelho, assim como a salvação para a alma."

A congregação ficou em polvorosa com o anúncio; muitos planejaram retornar com seus entes queridos e moribundos. Bosworth enfatizou que os salvos — e igualmente os não salvos — deveriam trazer os doentes para serem curados por um Cristo compassivo. Ele lhes deu esperança de que voltariam a ser saudáveis.

Na noite seguinte, centenas de pessoas estavam presentes; na noite após essa, milhares compareceram à reunião na tenda. Em pouco tempo, as reuniões tiveram de ser deslocadas para o Memorial Hall. Algumas pessoas vinham esperando por um milagre; outras vinham prontas para rir do fracasso. Mas todos os presentes viram as mesmas coisas: ouvidos surdos ouviam, olhos cegos viam, aleijados andavam. O Espírito Santo estava se movendo entre as pessoas e não podia ser detido. Médicos vieram e trouxeram seus pacientes mais críticos, e muitos deles foram curados.

Uma mulher sem esperança, Alice Baker, participou de uma das primeiras reuniões de Lima. Ela sofria de câncer da face e seu lábio superior estava tão carcomido que os dentes eram visíveis. Ela mantinha a face coberta com panos para que ninguém visse sua carne destruída. Para acalmar sua dor agonizante e ajudar-lhe a dormir à noite, os médicos haviam recorrido à ministração de pequenas doses de éter. Alice gastara todo o pouco dinheiro que tinha em consultas a especialistas de Nova York e Nova Jersey, mas eles não podiam fazer absolutamente nada por ela. Alice estava tomada pelo desespero.

Quando ouviu falar das reuniões de cura que estavam ocorrendo no Memorial Hall, ela não compreendeu o que estava acontecendo ali, mas decidiu ir e ver se ainda havia alguma esperança. A primeira coisa que ela ouviu vinda do púlpito foi o preço que Jesus Cristo pagara na cruz pelos pecados dela. Com um coração feliz e grato, ela se ajoelhou e o aceitou como seu Salvador. Depois, foi à frente para receber uma oração por cura.

Mais tarde, ela relembra o que ocorreu quando se encontrou com a equipe de Bosworth.

> Após eles orarem por mim, foi como se um chapéu de borracha tivesse sido estendido sobre a minha face, e ele gradualmente escorregou. Em seguida, eu sabia que estava curada. Eu disse a uma senhora para remover as ataduras e Deus abençoou minha alma, então não pude deixar de gritar, e gritei várias vezes. É tão bom não sentir dor... Oh, estou tão feliz o tempo todo. Saí pela rua gritando... Na manhã seguinte após ser curada, fui ao hotel onde eu trabalhava e mostrei a uma senhora que eu estava sem as ataduras e que o Senhor me dera um novo lábio naquela noite, e ela ficou chocada... Muitos vieram de outras cidades para me ver e ouvir sobre minha cura. Fico feliz em falar sobre isso. Meu médico veio ver por si mesmo e tudo que ele disse foi que era maravilhoso.[13]

F. F. Bosworth era um homem simples e desejoso de levar os perdidos a Cristo. Ele acreditava que a cura física estava incluída na expiação e que curas verdadeiras atrairiam multidões para ouvir a mensagem de salvação de Cristo — seu objetivo definitivo. Ele era também um homem muito determinado, por isso procurava confirmação de cada cura ocorrida. Frequentemente, os jornais locais registravam em detalhes os milagres ocorridos naquelas noites de agosto em Lima.

Em um artigo publicado no *National Labor Tribune*, um jornal de Pittsburgh, Pensilvânia — uma cidade próxima —, Bertram Miller escreveu acerca da campanha milagrosa de Bosworth: "Não houve crítica da imprensa pública, nenhum fanatismo ou sentimentalismo carnal em qualquer dos cultos... Muitas denominações e nacionalidades participaram das reuniões, e muitos foram salvos e maravilhosamente curados, posteriormente tentando entender por que nunca haviam ouvido falar do evangelho pleno antes..."[14]

Alguns foram curados instantaneamente, muitos, em seus lares nos dias seguintes. Em um único culto, havia dez médicos presentes, observando as atividades com profundo interesse. Vários deles tiveram seus pacientes terminais curados diante dos próprios olhos.[15]

Os Milagres Vão a Pittsburgh

Após várias semanas de ministração em Lima, a equipe de Bosworth se mudou para Pittsburgh. Muitos dos recém-curados foram com eles, ansiosos por ajudar na obra e orar eles mesmos pelos enfermos. Bosworth nunca acreditou que a cura vinha somente por meio de suas mãos, mas sim por meio da fé na Palavra de Deus que cresceu nos corações daqueles que necessitavam de cura.

Os milagres ocorridos em Pittsburgh superaram os de Lima. Nenhuma igreja era suficientemente grande para acomodar as multidões, de modo que as reuniões foram realizadas no Carnegie Hall, em Oakland, um subúrbio próximo ao centro de Pittsburgh. O *National Labor Tribune* continuou a relatar as surpreendentes reuniões à medida que elas aconteciam.

> Todas as denominações lotam o Hall — católicos, anglicanos, presbiterianos, metodistas, batistas, presbiterianos unidos, metodistas primitivos, metodistas protestantes, nazarenos pentecostais e muitos outros podem ser vistos dentre os que estão no altar buscando ajuda divina. Várias centenas de pessoas em busca de Deus lotam o local diariamente... Médicos, advogados, economistas, comerciantes, profissionais de todos os tipos e importâncias. Cientistas cristãos — incluindo praticantes —, enfermeiros e chefes de hospitais e sanatórios, todos em busca de salvação da alma ou cura física. É uma visão que surpreende os espectadores, aquela multidão buscando seu caminho para Deus... Os resultados são inacreditáveis.[16]

"John Sproul Está Falando!"

John Sproul lutou na Primeira Guerra Mundial como um jovem soldado. Enquanto participava de uma missão especial para garantir o abastecimento das tropas na França, ele e um amigo foram atingidos com gás mostarda. O amigo morreu em um dia ou dois, mas John sobreviveu — por pouco. Ele teve de ser submetido a quatorze cirurgias no hospital francês onde foi internado. Seis cirurgias foram realizadas na garganta e oito nos pulmões. Após as cirurgias, ele perdeu totalmente a capacidade de falar e muitos dos músculos de seu pescoço foram removidos, por isso ele tinha dificuldade de manter a cabeça ereta.[17]

Sproul voltou aos Estados Unidos com dores constantes, hemorragia nos pulmões e crises frequentes de enjoo ou inconsciência súbita. Viajou por todo o país tentando obter ajuda médica, mas seu caso foi declarado sem esperança. Ao voltar para sua cidade natal, Pittsburgh, o prefeito Edward Babcock assumiu a causa do jovem. O país sofria com a falta de assistência médica para veteranos feridos, então o prefeito e parlamentares locais enviaram Sproul a Washington para receber um tratamento médico especial.

Quando voltou de Washington, Sproul informou ao prefeito que seu caso havia sido declarado "incurável" pelos médicos de lá, que lhe deram um certificado de incapacitação total vitalícia. Concederam-lhe uma pensão mensal por invalidez, mas ele ainda encararia um futuro repleto de dor incessante.

Pela providência de Deus, logo após voltar de Washington, Sproul viu um anúncio da campanha do evangelista F. F. Bosworth em Pittsburgh. Ele foi a uma reunião, simplesmente porque sentia não ter nada a perder. Enquanto estava sentado, ouvindo os testemunhos daqueles que haviam entregado o coração a Cristo, o Espírito se moveu em sua alma. Mais tarde, ele exclamou: "Oh, que alegria encheu minha alma quando percebi que o Senhor estava pronto para me salvar. Bem naquele momento, eu disse 'sim' para Deus. Como eu queria ser capaz de falar, de dizer às pessoas que eu sabia estar salvo!"[18]

Quando Bosworth chamou aqueles que desejavam ser curados para irem à frente, John Sproul caminhou até a plataforma com o coração cheio de fé. Após a oração, um irmão cristão exclamou: "Louve ao Senhor!" Sproul pensou que o homem queria dizer que ele deveria louvar ao Senhor com a própria voz. *Que coisa mais louca*, raciocinou John, *esperar que eu louve ao Senhor, quando não posso falar!* Então, ele pensou: *Bem, isso não é fé. Vou tentar, mesmo que ninguém ouça.*[19]

No momento em que ele fez o esforço para louvar ao Senhor, um estranho poder pareceu encher todo o seu corpo. Uma dor o percorreu desde a barriga, passando pela garganta e chegando à cabeça. Ela era insuportável, mas, em um instante, se foi. Com ela passou toda a dor agonizante que John sentira durante quatro anos. Não havia mais dor nos pulmões, não havia mais dor na garganta e nenhum chiado! Com toda a sua voz, ele gritou: "Louvado seja o Senhor! Louvado seja o Senhor!" Logo após o culto, sua família o alertou para ter cuidado com a voz recém-recuperada, mas sua resposta foi: "Eu estava gritando louvores a Deus e sabia que, enquanto louvasse a Ele, nada iria acontecer à minha voz."[20]

John telefonou para seus amigos e sua mãe para contar-lhes a surpreendente notícia, mas ninguém conseguia acreditar que era ele. Quando a notícia chegou aos repórteres dos jornais locais, eles insistiram em encontrar-se com ele; assim também o fez o prefeito Babcock. John Sproul entrou no gabinete do prefeito com a cabeça erguida, sorrindo e falando normalmente. O jornal do dia seguinte chegou às bancas de toda a cidade exibindo a manchete "John Sproul Está Falando!".

A família Sproul se alegrou quando a filha de John, Mary Jane, de três anos, que nunca o ouvira falar, bateu palmas e exclamou: "Papai pode falar! Papai pode falar! Jesus fez o papai falar!"[21]

O Departamento de Assuntos dos Veteranos de Guerra ordenou a John que se apresentasse para testes, após os quais eles o declararam realmente bem. Ele teve de renunciar à sua pensão por deficiência, mas fora curado por Deus e, agora, poderia trabalhar. Durante anos após a cura, ele se correspondeu com F. F. Bosworth, fazendo-o saber o quanto ele tinha saúde perfeita em seu corpo e sua alma!

Cristo, Aquele que Cura

A partir de sua intimidade com a Bíblia acerca da cura divina, Fred escreveu *Cristo, Aquele que Cura*, em 1924. O livro continua a ser uma obra clássica sobre o poder de cura de Cristo, sendo tão relevante para o Corpo de Cristo hoje quanto era na época de sua publicação, quase cem anos atrás.

A pergunta primária a que Bosworth quis responder em seu livro era: "Cristo nos redimiu de nossas doenças quando expiou nossos pecados?"[22] Para ele, a Bíblia respondia com um sonoro "sim"! Ele acreditava que a natureza de cura de Deus era revelada tanto no Antigo quanto no Novo Testamento.

No Antigo Testamento, o livro de Êxodo narra a jornada milagrosa dos israelitas através do mar Vermelho, cujas águas foram partidas por Deus por intermédio de Moisés, enquanto fugiam do cativeiro no Egito. Quando chegaram ao outro lado do mar, esse mesmo Deus de salvação se apresentou pela primeira vez como aquele que os curaria, dizendo: "Eu sou o Senhor que os cura" (Êxodo 15:26). Em Salmos, o rei Davi também reconheceu a natureza de cura da salvação de Deus: "Bendize, ó minha alma, ao Senhor, e não te esqueças de nem um só de seus benefícios. Ele é quem perdoa todas as tuas iniquidades; quem sara todas as tuas enfermidades" (Salmos 103:2-3). Davi percebeu que o perdão dos pecados e a cura do corpo eram benefícios que pertenciam ao povo de Deus.

Talvez a passagem mais decisiva de todas para Bosworth tenha sido Isaías 53:5: "Mas ele foi traspassado pelas nossas transgressões e moído pelas nossas iniquidades; o castigo que nos traz a paz estava sobre ele, e pelas suas pisaduras fomos sarados."

Nessas passagens, o Senhor é revelado como um Salvador completo, que perdoa pecados e cura doenças. Os dois benefícios são oferecidos igualmente a qualquer um que queira recebê-los.

Em *Cristo, Aquele que Cura*, Bosworth escreveu que a natureza de cura de Deus continuou a ser revelada no ministério terreno de Cristo, citando Mateus 4:23: "Jesus foi por toda a Galileia, ensinando nas sinagogas deles, pregando as boas novas do Reino e curando todas as enfermidades e doenças entre o povo." E ainda Mateus 12:15: "Sabendo disso, Jesus retirou-se daquele lugar. Muitos o seguiram, e ele curou todos os doentes que havia entre eles"; e também Lucas 6:19: "E todos procuravam tocar nele, porque dele saía poder que curava todos".

Bosworth estava convencido de que essas passagens revelavam claramente a vontade de Deus referente à cura. Ele declarou: "A fé começa onde a vontade de Deus é conhecida."[23] A Palavra revela que é a vontade de Deus curar, e os crentes podem aceitar Sua vontade pela fé: a fé produzida pelo ouvir a Palavra de Deus (ver Romanos 10:17).

Finalmente, Bosworth destacou que a palavra grega para salvação, *soteria*, implica todo livramento, preservação, cura e sanidade que Cristo prometeu com Sua morte e ressurreição. A plena salvação estava na expiação do sangue de Cristo.

A Fé Cura uma Menininha

Durante a primeira metade da década de 1920, Fred e seu irmão Burton viajaram continuamente por toda a nação. Seu objetivo principal em cada reunião era salvar almas.

Durante uma campanha de sete semanas em Ottawa, no Canadá, os canadenses "conservadores" demonstraram grande entusiasmo pelo Senhor. Doze mil pessoas renderam o coração a Cristo, e dez mil pessoas participaram da reunião de despedida. Os canadenses foram tão gratos pela poderosa mensagem de que Cristo cura a alma e o corpo, que cinco mil deles acompanharam os irmãos Bosworth até o trem. Eles os levantaram e os carregaram em seus ombros durante todo o caminho até a estação ferroviária! Contudo, Fred Bosworth tinha sempre o cuidado de dar a glória a Deus e não tomá-la para si mesmo.

Vários anos haviam se passado desde que Estella Bosworth falecera, e Fred estava perfeitamente contente em permanecer solteiro enquanto servia ao Senhor. Mas ele também desejava a vontade de Deus para sua vida. Aos quarenta e cinco anos, ele conheceu uma jovem chamada Florence Valentine, estudante de pós-graduação em um campus de Nova York da Nyack Bible School. Ao conhecê-la, Bosworth percebeu que ela compartilhava seu desejo de servir a Deus e pregar o evangelho. Os dois oraram para que fosse feita a vontade de Deus e, pouco tempo depois, se casaram sem alarde. Florence trouxe a ele grande alegria e foi uma excelente companheira durante seus trinta e seis anos de casamento.

Com Florence ajudando a disseminar a mensagem de fé no poder de cura de Deus, os irmãos Bosworth continuaram a realizar reuniões de cura ao longo da década de 1920. Depois de ministrarem juntos durante cinco anos, Burton passou a ministrar sozinho, enquanto Fred e Florence conduziam grande parte de seu ministério na região de Chicago. As reuniões de avivamento eram realizadas frequentemente no Gospel Tabernacle de Chicago, e pessoas continuavam a ser milagrosamente curadas.

No dia 28 de março de 1928, uma quarta-feira, o *Chicago Daily News* publicou uma manchete de primeira página que dizia: "Surda há Seis Anos, Curada pela Fé." Ao lado da manchete havia uma grande foto de Fred Bosworth ensinando a uma adolescente sorridente como usar um telefone.

A menina era Ruth Peiper, de dezesseis anos. Sua mãe morrera quando Ruth tinha apenas oito anos, e seu pai não queria dar-lhe um lar. Assim, Ruth fora enviada a um abrigo para meninas carentes. Aos onze anos, ela contraiu difteria e escarlatina. Devido a essas doenças, perdeu a audição nos dois ouvidos. Ela também teve de usar um colete ortopédico e passou a mancar devido a uma forte curvatura da coluna vertebral. Seus médicos não haviam sido capazes de ajudá-la, e sua permanência no abrigo se tornou muito mais longa do que a da maioria das outras meninas de sua idade.

Ruth se tornou uma das meninas favoritas do abrigo, e uma das voluntárias tinha um carinho especial por ela. Essa voluntária insistiu para que Martha Dixon, a diretora do abrigo, levasse Ruth a uma reunião de cura de Bosworth no Chicago Gospel Tabernacle. Pronta a fazer qualquer coisa que pudesse ajudar Ruth, a Sra. Dixon a levou à reunião. Naquela noite, 2 de março de 1928, Ruth Peiper foi totalmente curada!

Ruth entrou correndo na sala da frente do abrigo para contar ao repórter do *Chicago Daily News* mais um pouco de sua história. "Sim, é tudo verdade", disse ela ao atravessar a sala sem mancar. "De repente, algo me aconteceu quando eu estava na plataforma sendo ungida pelo reverendo Bosworth. Foi como um relâmpago e um trovão na minha cabeça. Em seguida, houve um zumbido nos meus ouvidos."

Naquela noite, enquanto voltava para casa no ônibus com a Sra. Dixon, Ruth não podia acreditar em quão alto eram todos os sons ao seu redor. Toda vez que alguém pagava a passagem de ônibus e a campainha tocava, ela pulava. Os sons eram altos, mas também eram maravilhosos! "Está tudo na Bíblia", concluiu Ruth para o repórter. "O que me curou foi apenas crer no que está lá."[24]

O poder de Deus para curar ainda se movia por intermédio do ministério dos Bosworth ao fim da década de 1920.

"Que Tipo de Homem É Esse?"

Sem dúvida, F. F. Bosworth se tornara um dos mais bem-sucedidos evangelistas de cura da década de 1920. Mas, que tipo de homem era ele? Muitos de seus contemporâneos pentecostais eram conhecidos por suas reuniões ruidosas e seus apelos emocionais. Bosworth era diferente. Então, quem era Fred Bosworth? Com profunda humildade e compaixão, Bosworth tinha confiança em Deus, em Sua Palavra e no chamado do Senhor para sua vida. Devido a essas coisas, ele nunca se sentiu ameaçado pelo sucesso de outros ministérios ou se via concorrendo com outros pregadores. Ele se esforçava pela pureza em suas ações e motivações. A integridade de sua vida e de seu ministério trouxe o respeito dos outros — mesmo aqueles que discordavam dele. Ele era um homem de temperamento bem-humorado, que sempre tentava permanecer otimista, não importando as circunstâncias.

Um repórter de Pittsburgh fez alusão a Lucas 8:25 ao escrever: "A simplicidade dos cultos e a deliberada inexistência de qualquer tentativa de jogar com as emoções das grandes multidões que se aglomeram no interior do prédio levam o espectador a naturalmente indagar: 'Que tipo de homem é esse?'"[25]

Eunice N. Perkins, primeira biógrafa de Bosworth, era uma grande admiradora de seu estilo de pregação, e o descreveu assim: "Sem dramatização! Uma lógica clara e frequentemente convincente, pois, embora inculto em um sentido mundano, ele tem uma mente incomumente brilhante, estudou o melhor da literatura cristã e está continuamente sendo ensinado, pelo Espírito, acerca da Palavra de Deus. Além disso, sua naturalidade simples, ou simplicidade natural, é deliciosamente refrescante para todos os que o ouvem, enquanto é ao mesmo tempo mais forte do que a mais surpreendente oratória de púlpito."[26]

Bosworth cria no poder vivo da Bíblia para edificar a fé nos corações daqueles que leem suas páginas ou ouvem sua palavra ser pregada.

Bosworth cria no poder vivo da Bíblia para edificar a fé nos corações daqueles que leem suas páginas ou ouvem sua palavra ser pregada. Por crer tão firmemente no fundamento sólido da Palavra, ele pregava com uma autoridade firme e tranquila, incomum na época.

Quando os Bosworth estavam conduzindo uma cruzada em St. Paul, Minnesota, o reverendo J. D. Williams escreveu um artigo sobre F. F. Bosworth no jornal local. Ele admirou "a grande amplitude de sua mensagem. A pregação era bíblica e séria, e a verdade apresentada englobava todo o Evangelho Quádruplo, isto é, Cristo que salva, que santifica, que cura e que virá como Rei. Uma ênfase especial era dada à Expiação e sua aplicação às necessidades espirituais e físicas".[27] Segundo Williams, os aspectos louváveis do ministério de Bosworth incluíam a minuciosa preparação dos obreiros que estavam prontos para orar por aqueles que iam à frente, bem como a preparação dos corações daqueles que estavam prontos para receber.

Williams prosseguiu:

> As reuniões eram geralmente muito tranquilas, com poucas manifestações de qualquer tipo da plateia... Era evidente... que cada mensagem estava criando raízes profundas nos corações... O evangelista não tentava produzir um efeito ou incitar alguém a tomar decisões precipitadas por meio de apelos emocionais. A total dependência do Espírito Santo para todos os resultados era gratificante. Em resumo, "eles não pregavam eles mesmos, mas Cristo".[28]

Havia uma "alegria santa" que invadia a atmosfera nas reuniões de Bosworth. Como ele mesmo se alegrava com o que fora proporcionado na expiação de Cristo, ele passava essa mesma esperança e alegria ao público. As pessoas que iam aos avivamentos de Bosworth ouviam a boa nova da salvação completa em Cristo!

Fred Bosworth também foi reconhecido como professor talentoso. P. S. Campbell, professor de grego na Universidade McMaster, em Toronto, disse acerca de Bosworth:

> Seus discursos são rigorosamente bíblicos. Ele crê na Palavra de Deus, e seus argumentos são amplamente apoiados por citações das Sagradas Escrituras. Sua linguagem é absolutamente isenta de sensacionalismo e é a culminância da simplicidade. Ele nunca deixa de esclarecer ao público o que está claro para

ele mesmo. Seus sermões mostram que ele possui, em grau acentuado, o dom do ensino. Por essa razão, seus ouvintes são sempre instruídos por sua apresentação da verdade.[29]

Pioneiro do Evangelismo Através do Rádio

À medida que a década de 1920 se aproximava do fim, havia tanta procura pela presença e pelo ministério de Bosworth, mas tão poucos recursos, que ele percebeu que precisava de um novo meio de alcançar as pessoas com o evangelho. Após ministrar com Paul Rader em Chicago durante algum tempo, Bosworth teve a resposta: o rádio. Rader já havia começado um dos primeiros programas cristãos de rádio do país. Os primeiros aparelhos rudimentares começaram a ser vendidos em 1926 e as pessoas correram para comprá-los como uma adição bem-vinda aos seus lares.

O primeiro programa de rádio de F. F. Bosworth se chamava *The Sunshine Hour* (A Hora da Luz do Sol). Todas as manhãs, às nove horas, na emissora WJJD, de Chicago, a canção-tema do programa de Bosworth, "Don't Forget to Pray" (Não Se Esqueça de Orar) enchia as ondas de rádio. Pouco tempo depois, ele estabeleceu a organização sem fins lucrativos *National Radio Revival Missionary Crusaders* [Cruzados Missionários Nacionais do Avivamento Radiofônico] para alcançar as massas com o evangelho de Jesus Cristo.

Os Bosworths se estabeleceram em River Forest, Illinois, nos arredores de Chicago, e Fred gravava seus programas de rádio em um estúdio em sua casa. Em seguida, a mensagem viajava dezesseis quilômetros até Chicago por linha telefônica e era levada ao ar pela estação de rádio. Milhares de pessoas ouviam a mensagem e escreviam a Bosworth pedindo oração por curas ou louvando a Deus por sua salvação. Os relatos de sucesso de vidas tocadas pelo Espírito Santo se derramavam em seu escritório. Ao se aposentar do ministério radiofônico na década de 1940, Bosworth havia recebido mais de duzentas e cinquenta mil cartas de pessoas tocadas ou curadas em decorrência de sua pregação.

Embora a pregação radiofônica diária de Bosworth lhe tenha permitido limitar suas viagens, as reuniões de cura não foram totalmente suspensas. Milhares de pessoas ainda se reuniam para ouvi-lo pregar a Palavra de Deus com poder e serem curadas. Mas na década de 1930, a Grande Depressão tornou muito difícil viajar para longe de casa, por isso a maior parte de seu ministério foi realizada na região de Chicago. Em seus anos de ministério radiofônico, Bosworth talvez tenha alcançado dezenas de milhares de pessoas com a mensagem do evangelho, mas ele era muito reservado no tocante à sua vida pessoal.

Durante esse tempo, Bosworth adotou uma visão controversa denominada Israelismo Britânico, um conceito que ganhou popularidade no início do século 20 e continua a ser aceito por algumas pessoas nos dias atuais. O Israelismo Britânico sustenta que os europeus ocidentais, particularmente os da Grã-Bretanha, são descendentes diretos das dez tribos perdidas de Israel levadas ao cativeiro pelos assírios (ver 2 Reis 17:18). A crença foi mais amplamente defendida na Inglaterra e nos Estados Unidos. Não se sabe quão fortemente Bosworth abraçou essa ideia, mas por causa dela ele se afastou da denominação Aliança Cristã Missionária durante vários anos. Em meados da década de 1940, Bosworth renunciou à sua crença no Israelismo Britânico e foi reintegrado à igreja.

A Aposentadoria Não Estava em Seus Planos

Em 1947, aos setenta e um anos, Fred Bosworth estava pronto para o próximo passo em sua vida. Ele e Florence decidiram que era hora de se aposentarem e irem para Miami, Flórida. Mas o que esse homem dedicado a Deus iria fazer com seus anos restantes?

Contudo, era claro que a aposentadoria não estava no plano do Senhor para ele. William Branham, um evangelista do centro-oeste dos Estados Unidos, estava começando a sair em seu ministério de cura e fora convidado para ir a Miami a fim de conduzir uma campanha de avivamento. Curiosos, Fred e Florence participaram do avivamento e foram movidos pela presença poderosa do Espírito

Santo e pelo número de curas registradas como resultado do ministério de Branham. Bosworth se apresentou ao homem mais jovem e, depois de passarem algum tempo em comunhão, ofereceu-se para viajar com ele e ministrar como parte de sua equipe.

Branham aproveitou a oportunidade para ser orientado por um evangelista mais idoso e sábio, com quarenta anos de experiência no ministério de cura. A partir de 1948, Fred Bosworth viajou com a equipe de Branham e ensinou sobre a fé para salvação e cura divina. Ele falava nas reuniões diurnas, para que Branham tivesse tempo para descansar e ter energia suficiente para conduzir as reuniões maiores de cura, realizadas à noite. Juntou-se a eles no ministério W. Ern Baxter, um jovem evangelista do Canadá, que atuava como gerente das viagens de Branham e também pregava mensagens durante o dia na campanha. Os relatos das reuniões de cura bem-sucedidas de Branham foram escritos por Gordon Lindsay na revista *The Voice of Healing* (A Voz da Cura). Como resultado, a reputação de Branham como pentecostal cresceu rapidamente.

Fred Bosworth ainda era muito perspicaz e bem fundamentado em sua apresentação bíblica da Palavra. Em 1950, Branham foi desafiado a um debate sobre cura divina por W. E. Best, o pastor de uma grande igreja batista em Houston, Texas. Best acreditava que os milagres e a cura divina haviam cessado, e que os evangelistas de cura eram fraudes. Branham recusou o desafio, mas F. F. Bosworth, aos setenta e três anos, o aceitou com entusiasmo. Ele era um apologista hábil e acolheu a oportunidade de disseminar a verdade acerca das promessas de cura de Deus na expiação.

O evento foi coberto com atenção pelos jornais locais. Durante o debate, Bosworth apresentou a evidência bíblica que delineara anos antes em seu livro *Cristo, Aquele que Cura*, inclusive a cura na expiação por Cristo e um dos nomes redentores de Deus, Jeová Rafá. Em seguida, ele apelou às "testemunhas vivas" presentes, pedindo-lhes para ficarem de pé se tivessem sido curadas por Deus. O *Houston Press* relatou: "Quando o reverendo Best apresentava um argumento, o reverendo Bosworth corria para o microfone no palco e, dramaticamente, pedia às pessoas da plateia que haviam sido curadas por meio da fé que ficassem de pé. A cada vez, centenas de pessoas se levantavam. 'Quantos de vocês são batistas?', gritou o reverendo Bosworth. Pelo menos cem se levantaram."[30] Bosworth estava confiante na Palavra de Deus e na prova de que Deus ainda estava ministrando poder de cura ao Seu povo.

Outros Continentes Conquistam o Coração de Bosworth

William Branham também ministrou em outros continentes. Em 25 de novembro de 1951, F. F. Bosworth olhou incrédulo para uma vasta multidão de pessoas no Grayville Race Course, em Durban, África do Sul. A polícia estimou que ali havia setenta e cinco mil pessoas. Em mais de quarenta anos de ministério, Bosworth nunca vira algo parecido com as dezenas de milhares de pessoas que se sentavam ali com o coração aberto para ouvir a Palavra de Deus.

No culto da manhã, Bosworth pregou sobre o desejo do Espírito Santo de curar, e explicou como obter a fé para receber essa cura. Mais tarde, naquele dia, Ern Baxter, de trinta e sete anos, pregou uma mensagem de salvação por meio do sangue de Jesus Cristo. Quando Baxter convidou aqueles que queriam receber a Cristo como Salvador a se levantarem, mais de dez mil pessoas ficaram de pé. Virando-se para Bosworth, Baxter sussurrou admirado: "Eles devem ter me entendido mal. Não pode haver tanta gente querendo se tornar cristã!"[31] Baxter repetiu a mensagem de compromisso com Cristo e as pessoas acenaram com as mãos em sinal de rendição ao Senhor. Horas depois, William Branham trouxe a mensagem, e outros milhares foram salvos e curados pela graça de Deus. Durante os três cultos desse único dia, um número estimado de trinta mil pessoas entregou o coração a Cristo! Bosworth ficou encantado por fazer parte desse mover de Deus.

Naqueles últimos dias de ministério, nada tocou tanto o coração de Fred Bosworth quanto o ministério em outros continentes do qual ele participou. Ele ficou impressionado com o tamanho das multidões e os corações abertos de fé, como ele nunca experimentara nos Estados Unidos. Enquanto viajava com a equipe Branham, eles passaram a realizar campanhas na Alemanha e na Suíça.

Bosworth tinha cerca de setenta e cinco anos nessa época, mas ainda suportava uma grande carga de responsabilidade nesses países estrangeiros, ensinando todas as manhãs e levando a Palavra de Deus para ajudar a edificar a fé daqueles a quem ele ministrava. Ele também permanecia nas reuniões verpertinas, muito tempo após Branham sair exausto, e orava pelos enfermos.

F. F. Bosworth e William Branham na Alemanha, em 1955

Em 1952, Bosworth deixou as campanhas de Branham, mas continuou no campo missionário no estrangeiro durante mais alguns anos, realizando reuniões na África do Sul e em Cuba, e fazendo duas visitas missionárias ao Japão, onde ocorreu sua última reunião.

Louvando ao Ir para Casa

Um dos biógrafos de Bosworth, que escrevia na revista *Herald of Faith*, em 1964, foi Oscar Blomgren Jr., um jovem que conheceu o evangelista de cura quando menino. Aos cinco anos, Oscar estava andando perigosamente no encosto de um banco de parque perto de Lake Forest, Illinois, quando caiu. Ele foi levado às pressas ao hospital, onde uma radiografia revelou que seu cotovelo fora estilhaçado em vários fragmentos. Os médicos estavam preocupados que seu braço ficasse rígido pelo resto da vida.

O pai de Oscar era um cristão fiel e amigo de Bosworth. Ele chamou o evangelista à sua casa para uma oração. Aquele pai não lhe pediu para ir e impor as mãos sobre a criança; apenas para orar por Oscar com fé, ao telefone, em nome de Jesus. No dia seguinte, o menino passou por várias horas de cirurgia no braço. Na manhã seguinte, novas radiografias foram feitas para determinar se a cirurgia fora bem-sucedida. Intrigados, os médicos pediram uma terceira radiografia. Eles chamaram os pais de Oscar à sala de terapia para discutir os resultados. Nenhuma das duas radiografias revelou qualquer sinal de fratura. Era como se nada tivesse acontecido. O cotovelo de Oscar estava totalmente restaurado.

O menininho indisciplinado se pendurava pelos braços em uma barra na sala de terapia no hospital enquanto seus pais e os médicos discutiam sua recuperação milagrosa. Seu gesso foi removido imediatamente. Ao relatar a história, Oscar Jr. acrescentava, sempre com gratidão, que seu braço quebrado jogara com sucesso em muitos jogos de futebol nos anos seguintes!

Na biografia que escreveu sobre Bosworth, Oscar se lembrou daquele homem com grande afeição:

> Fred Bosworth deu a mim, e a dezenas de milhares de pessoas, uma fé inabalável em Deus que levaremos até nosso túmulo. Ele demonstrou, repetidas vezes, que os benefícios reais do Cristianismo não são apenas espirituais, mas também físicos. E, por intermédio dele, Deus deu às mentes questionadoras uma base sólida como a rocha para fundamentar sua fé... Aqueles de nós que tiveram o privilégio de conhecê-lo sempre se lembrarão dele. E mais importante do que isso, a fé que ele nos deu continuará a viver em nossos filhos e netos durante muitos anos.[32]

Em 1958, ao voltar à Florida e para Florence, após sua campanha final no Japão, Bosworth anunciou à família que o Senhor estava prestes a levá-lo para casa. Aos oitenta e um anos não estava doente; ele pedira ao Senhor para lhe permitir viver sua vida sem sucumbir a qualquer doença, então simplesmente acreditava que seu tempo na Terra havia terminado.

Bosworth se retirou para sua cama e todos os seus filhos vieram para lhe dizer adeus, reunindo-se pela primeira vez em mais de dezesseis anos. Seu filho Bob assim escreveu sobre as últimas semanas de vida de seu pai:

> Cerca de três semanas depois de sua volta, estávamos ao redor da cama conversando, rindo e cantando. De repente, papai olhou para cima — ele nunca mais nos viu novamente. Ele viu o que era invisível para nós. Ele começou a cumprimentar e a abraçar pessoas... Ele foi arrebatado. De vez em quando ele voltava e olhava ao seu redor, dizendo: "Oh, é tão bonito!"[33]

Durante várias horas, Fred permaneceu nesse estado, entre dois mundos. Em seguida, adormeceu calmamente. Algum tempo depois, passou do sono para seu lugar eterno em Cristo. Era quinta-feira, 23 de janeiro de 1958. Após cinco décadas honrando e pregando sobre Jesus Cristo, aquele que o redimiu e curou, Bosworth se juntou a Ele no céu. Estima-se que durante sua vida, Bosworth foi fundamental para a conversão de mais de um milhão de pessoas a Cristo. Haveria muitas almas alegres para cumprimentá-lo no céu.

Poucos dias antes de sua morte, diz-se que Bosworth fez a seguinte afirmação: "Tudo pelo que vivi, durante os últimos sessenta anos, foi o Senhor Jesus. E a qualquer minuto, estou esperando que Ele entre pela porta e eu vá com Ele para a eternidade."[34]

CAPÍTULO UM

NOTAS FINAIS

1. Eunice M. Perkins, *Joybringer Bosworth: His Life's Story* (1921), 162.
2. Revista *Exploits of Faith*, 1928, 4.
3. Perkins, *Joybringer Bosworth*, 163.
4. Ibid.
5. Ibid., 25.
6. Ibid., 27.
7. Oscar Blomgren Jr., "Man of God, Fred F. Bosworth". Parte IV: Bosworth Begins His Work, *Herald of Faith* (Junho 1964), 16.
8. Ibid. (Citando Perkins, *Joybringer Bosworth*, 37.)
9. <http://www.healingandrevival.com/BioBosworth.htm>.
10. *Bosworth's Life Story: The Life Story of Evangelist F. F. Bosworth, as Told by Himself in the Alliance Tabernacle, Toronto* (Toronto, Ontario: Alliance Book Room), 3.
11. Perkins, *Joybringer Bosworth*, 53, 55.
12. Bosworth, *Life Story*, 22.
13. Perkins, *Joybringer Bosworth*, 129, 130.
14. Ibid., 89, 90.
15. Ibid., 91.
16. Ibid., 99, 100.
17. Revista *Exploits of Faith*, 1928, 14.
18. Ibid., 15.
19. Ibid.
20. Ibid., 15.
21. Ibid.
22. F. F. Bosworth, *Christ the Healer* (New Kensington, PA: Whitaker House, 2000), 12. (Publicado em português como *Cristo, Aquele que Cura*, São Paulo, Graça Editorial, 2000).
23. Bosworth, *Life Story*, 43.
24. Revista Exploits *of Faith*, 25.
25. Perkins, *Joybringer Bosworth*, 101.
26. Ibid., 94.
27. Ibid., 114.
28. Ibid., 115.
29. Ibid., 169.
30. Roscoe Barnes III, *F. F. Bosworth: The Man Behind "Christ the Healer"* (Newcastle upon Tyne, England: Cambridge Scholars Publishing, 2009), 52.
31. Revista *The Voice of Healing* (África do Sul), mar. 1952.
32. Blomgren Jr., "Man of God", 15.
33. Barnes, *The Man Behind*, 15.
34. Ibid.

★★★★★

Capítulo Dois

GEORGE JEFFREYS

"O Maior Apóstolo Pentecostal da Grã-Bretanha"

"O MAIOR APÓSTOLO PENTECOSTAL DA GRÃ-BRETANHA"

Na Sexta-feira Santa, em abril de 1928, todas as fileiras de poltronas do histórico Royal Albert Hall, em Londres, estavam completamente lotadas, testando a capacidade do anfiteatro, da arena, dos camarotes e do fosso da orquestra. Milhares de pessoas aguardavam com expectativa e rostos radiantes. Elas estavam de pé, regozijando-se, e olhavam com muita atenção a cena abaixo delas.

Em uma área sob a plataforma formava-se uma longa fila de homens e mulheres exuberantes, que não vestiam suas roupas do dia a dia, mas um traje especial. As mulheres vestiam túnicas brancas longas; os homens, camisas e calças brancas. Eles gritavam "Aleluia!" e "Louvado seja o Senhor!" enquanto esperavam sua vez com alegre expectativa. Alguns deles cantavam hinos ou acenavam com entusiasmo para a multidão ao seu redor. Um de cada vez, desciam as escadas até a água cintilante do tanque batismal no centro do salão, cercado por belos arbustos de hortênsia.

Um homem de cabelos escuros vestindo uma túnica preta estava no tanque, com água até a altura da cintura, esperando para saudar cada candidato antes de mergulhá-lo nas águas do batismo.

No tanque de ferro especialmente projetado, uma corrente de água recordava o rio Jordão. À medida que cada candidato vinha à frente, o evangelista George Jeffreys o apresentava e pedia um breve testemunho. A primeira a ser batizada foi Florence Munday, de Southampton, que estivera acamada durante quatorze anos antes de ser curada em nome de Jesus. Um por um, cada indivíduo emergia da água e saía pelo outro lado do palco, cheio do amor de Cristo e do poder de Seu Espírito Santo.

Quase mil candidatos entraram naquelas águas batismais após a senhorita Munday e, pela graça de Deus, Jeffreys e sua equipe batizaram cada um deles.

Dois dias depois, na manhã de Páscoa, as multidões fizeram fila antes do amanhecer para o culto das onze horas. Mais tarde, os jornais viriam a relatar que dez mil pessoas estavam presentes, enchendo o salão com sons de louvor e ação de graças a um Salvador ressurreto. O coral Crusaders Choir, de dois mil integrantes, contendo vocalistas de todas as partes de Londres, ficou nos dois lados da plataforma e cantou canções de alegre louvor ao Senhor. Houve um belo culto de comunhão e a congregação partiu o pão em memória da morte e ressurreição de Cristo.

O culto daquela noite terminou com centenas de pessoas levantando as mãos em sinal de rendição à graça salvadora de Jesus. Outras centenas se levantaram para reconhecer que haviam recebido uma cura. Finalmente, milhares de vozes se elevaram em conjunto para louvar e glorificar a Deus. A reunião foi encerrada com o hino "All Hail the Power of Jesus' Name" (Todos Celebram o Poder do Nome de Jesus), e em seguida os redimidos e transformados se retiraram daquele salão santificado. Durante os onze anos seguintes, Jeffreys encheria o Royal Albert Hall todo fim de semana de Páscoa, louvando a Deus por sua obra entre o povo de Londres.

Um Apóstolo/Evangelista

George Jeffreys começou seu ministério cheio do Espírito na primeira metade do século 20, como evangelista de cura. Milhares de

George Jeffreys

pessoas se entregaram a Cristo como resultado do evangelho de quatro partes que ele pregava: Jesus salva, cura, batiza no Espírito Santo e retornará como Rei.

Jeffreys foi um fruto do Avivamento do País de Gales, movimento que o levou ao Reino de Deus. O Avivamento do País de Gales não apenas foi responsável por sua conversão, mas também influenciou sua visão do Corpo de Cristo — e assim seria pelo restante de sua vida. No conceito do Reino de Deus entendido por Jeffreys, o avivamento não devia ser considerado uma mera esperança para o futuro; ele estava disponível para a Igreja no presente. Jeffreys sabia que Deus se movia em poder para levar as pessoas a se ajoelharem em arrependimento e nova vida, e ele queria ver as chamas desse avivamento inflamarem os corações de homens e mulheres em todo o planeta.

Jeffreys sabia que Deus se movia em poder para levar as pessoas a se ajoelharem em arrependimento e nova vida, e ele queria ver as chamas desse avivamento inflamarem os corações de homens e mulheres em todo o planeta.

Deus estabeleceu Jeffreys no ofício apostólico, de acordo com Efésios 4:11. Esse ofício significa um servo a quem Deus envia com a mensagem do evangelho de Cristo àqueles que vivem em áreas desprovidas da Palavra de Deus. Por meio de sinais, milagres e maravilhas que acompanham seu ensino, eles dão origem a novas igrejas. Jeffreys foi um verdadeiro apóstolo — ele pregou a conversão e edificou igrejas.

Nos dias atuais, conferências com vários palestrantes podem encher vários salões e centros de conferências, mas Jeffreys, com seu manto apostólico da parte do Senhor e o poder do Espírito Santo, encheu sozinho o Royal Albert Hall, o Crystal Palace e o Bingley Hall, dentre outros espaços.

Como tal, George Jeffreys merece ser reconhecido como um dos generais de Deus, usado para dar origem ao movimento pentecostal na Grã-Bretanha, bem como para ajudar a desbravar o caminho para os avivamentos de cura do século 20.

Um Pequeno Começo

No fim do século 19, ser pobre no País de Gales significava, frequentemente, trabalhar nas minas de carvão e sucumbir à doença pulmonar antes dos cinquenta anos de idade. Thomas Jeffreys e sua esposa Kezia viviam em Maesteg, País de Gales, onde Thomas trabalhava arduamente como mineiro de carvão. O casal teve nove filhos e três filhas, e trabalhava duro para ganhar seu sustento na pequena cidade mineira.

Seu sétimo filho, George, nasceu em 28 de fevereiro de 1889. Treze anos antes nascera seu irmão Stephen. Quando George veio ao mundo, Stephen já trabalhava com seu pai nas minas de carvão havia um ano. Stephen continuaria a trabalhar nas minas durante os vinte e três anos seguintes de sua vida, mesmo enquanto pregava o evangelho.

Como muitas mães pobres do País de Gales, Kezia Jeffreys sofrera o desgosto de perder dois filhos pequenos que morreram devido a doenças. Um deles se chamava George — ela deu esse nome ao seu sexto filho, em memória do filho morto em novembro de 1888. O segundo George Jeffreys era pequeno e adoentado, mas Kezia não queria perder outro filho. Ela teve a determinação de nunca deixar que o menino trabalhasse com o pai nas minas de carvão, pois queria uma vida diferente para ele. Após terminar os estudos aos doze anos, como era costumeiro, George trabalhou como porteiro nas minas durante uns poucos anos antes de sua mãe encontrar para ele um emprego de balconista em uma loja.

Todos os domingos, a família frequentava a Igreja Congregacional Independente de Siloh, em Nantyffyllon. Quando garoto, George costumava pensar que, algum dia, poderia tornar-se um pregador daquela igreja. Quando ele tinha apenas seis anos, seu pai morreu de doença pulmonar crônica, aos quarenta e sete anos.

Quando George cresceu, sua fragilidade se tornou mais evidente. Ele teve um problema de fala e uma paralisia facial que começou a se alastrar pelo lado esquerdo do corpo. Isso lhe causou angústia, pois ele temeu nunca ser capaz de pregar o evangelho, e também que a paralisia pudesse encerrar sua vida precocemente.

Um Poderoso Avivamento no País de Gales

Quando George tinha quinze anos, sua vida mudou radicalmente, bem como a de seu irmão Stephen. Evan Roberts, um rapaz cheio do Espírito Santo, começou a pregar em todo o interior do País de Gales, levando um poderoso mover do Espírito Santo aonde quer que fosse.

Desde os treze anos, Roberts clamara por uma visitação de Deus. Durante dez anos ele orara por um avivamento no País de Gales. Então, em 1903, aos vinte e cinco anos, ele começou a orar por um poderoso mover do Espírito Santo. Naquele ano, após ouvir uma mensagem sobre entregar-se totalmente a Deus, ele caiu de joelhos e pediu ao Senhor para tomá-lo e usá-lo para Sua glória. Sentiu a paz e o poder de Deus visitando-o, bem como um desejo ardente de levar o evangelho de Cristo a todo o povo do País de Gales.

Roberts começou a pregar em igrejas e em reuniões ao ar livre a partir de novembro de 1904, e o Espírito Santo era derramado nessas reuniões. Havia choro e quebrantamento, confissão de pecados e arrependimento em todas as reuniões. O Avivamento do País de Gales havia começado. Encontros de avivamento eram realizados onde quer que Roberts fosse levado a ministrar. As multidões iam para ouvi-lo e o Espírito Santo se movia em ondas sobre os corações das pessoas. Cânticos e louvores prosseguiam, às vezes durante horas, seguidos por confissão de pecados e um arrependimento santo. A oração era feita em uníssono e, frequentemente, os membros da congregação interrompiam as orações com uma palavra vinda do Senhor. Essas reuniões continuavam até as primeiras horas da manhã, com o Espírito se movendo nos corações das pessoas, mesmo quando havia pouca ou nenhuma pregação.

Dezenas de milhares de pessoas se dirigiam às reuniões diárias e eram convertidas pelo poder de Deus. O efeito sobre o País de Gales foi enorme. Bares e pubs foram fechados; as vendas de bebidas caíram em setenta e cinco por cento. Capelas foram abertas e o número de membros das igrejas foi crescendo. Centenas de milhares de pessoas se converteram durante o Avivamento do País de Gales.

O avivamento se espalhou como fogo; uma das áreas mais alcançadas foi Maesteg, a cidade natal de George e Stephen Jeffreys. Roberts e seus ajudadores visitaram a região em três ocasiões distintas e levaram mais de cinco mil pessoas ao Reino de Deus.

Em 20 de novembro de 1904, o reverendo Glasnant Jones se apresentou diante da congregação de Siloh e pregou uma mensagem de salvação. Antes dessa data, George e Stephen frequentavam a igreja ocasionalmente. Naquela manhã, eles experimentaram uma conversão dinâmica e foram batizados no Espírito Santo. Imediatamente depois, começaram a servir ao Senhor na igreja, de todas as maneiras possíveis. Para desânimo dos irmãos Jeffreys e de grande parte do País de Gales, o avivamento naquele país durou apenas dois anos, antes de entrar em declínio.

O Avivamento Precisa Continuar

O Avivamento do País de Gales foi enfraquecendo, mas um grupo de rapazes de Maesteg não estava disposto a abrir mão do poder de Deus. Eles não acreditavam que Deus faria nascer um avivamento tão avassalador só para deixá-lo terminar tão rapidamente. Então, formaram um pequeno grupo de oração e se denominaram *Filhos do Avivamento*. De joelhos, eles suplicaram a Deus para enviar Seu poder. Nas décadas seguintes, suas orações seriam respondidas de maneiras que eles jamais imaginariam.

Enquanto o Avivamento do País de Gales perdia força, o Avivamento da Rua Azusa, em Los Angeles, Califórnia, estava avançando a toda velocidade. Além de arrependimento, o Avivamento da Rua Azusa enfatizava a experiência do batismo no Espírito Santo com a evidência do falar em línguas.

Dentro de pouco tempo, a obra do Espírito Santo que começara na Rua Azusa se espalhou pela Europa. O pastor norueguês Thomas Ball Barratt, conhecido como T. B. Barratt, foi para os Estados Unidos em 1905 para arrecadar fundos para sua missão metodista em Oslo. Embora ele tenha permanecido no país durante mais de um ano, a visita foi um fracasso financeiro. Ao preparar-se para voltar à Noruega no outono de 1906, ele ouviu falar sobre o Avivamento da Rua Azusa e leu a primeira edição do jornal impresso pelo movimento, *Fé Apostólica*. Após corresponder-se com eles, Barratt participou de uma pequena reunião em Nova York e foi batizado no Espírito Santo.

Ao voltar para casa em dezembro, ele compartilhou seu testemunho com as pessoas de lá, resultando em um mover do Espírito que despertou grande interesse e alguma oposição. Visitantes chegavam de muitos lugares.

Um deles era um pastor anglicano, Alexander Boddy, de Sunderland, norte da Inglaterra. Em seu retorno para casa, convidou Barratt para realizar reuniões em Sunderland, testemunhando que aquilo que ele observara acontecer na Noruega era maior do que o que ele testemunhara durante o Avivamento do País de Gales.

Barratt chegou no último dia de agosto de 1907 e permaneceu em Sunderland até o início de outubro. Muitas pessoas foram batizadas no Espírito Santo e falaram em línguas, incluindo a esposa de Boddy, Mary, e suas jovens filhas Mary e Jane. Foi durante os últimos dias das reuniões da Barratt que o jornal local teve interesse pelo que estava acontecendo. Em seguida, a notícia se espalhou para os jornais maiores e logo Boddy encontrou sua casa cercada por jornalistas. O próprio Boddy só foi batizado no Espírito em dezembro, após Barratt ter ido embora. No ano seguinte, Boddy organizou a primeira de uma série de conferências pentecostais anuais em Sunderland, que continuaram até 1914 e o início da Primeira Guerra Mundial. Seria nessas reuniões que o caminho de Boddy se cruzaria com o de Jeffreys.

Curado Para Pregar a Palavra de Deus

Algumas das pessoas do País de Gales abraçaram esse ensinamento pentecostal. No início de 1910, George e Stephen Jeffreys começaram a participar de reuniões pentecostais realizadas pelo pastor batista galês William George Hill. Anteriormente, os irmãos haviam se oposto a esse ensinamento, mas, pouco tempo depois, eles aceitaram a base bíblica para ele como uma experiência dos dias atuais, especificamente Mateus 3:11: "Eu os batizo com água para arrependimento. Mas depois de mim vem alguém mais poderoso do que eu, tanto que não sou digno nem de levar as suas sandálias. Ele os batizará com o Espírito Santo e com fogo."

O batismo no Espírito Santo encheu George de um desejo apaixonado de pregar o evangelho. Mas havia um sério impedimento em seu caminho: sua fraqueza e paralisia facial estavam se tornando mais pronunciadas e fariam com que fosse quase impossível pregar.

Em uma manhã de domingo, em 1910, antes do início do culto na igreja, George foi curado pelo poder de Deus. Mais tarde, ele contaria sua experiência à congregação:

> Certo domingo de manhã, estávamos ajoelhados em oração e intercedendo pelos cultos daquele dia. Eram exatamente nove horas quando o poder de Deus veio sobre mim, e eu recebi uma corrente de vida divina tão intensa, que só posso comparar a experiência a receber um choque elétrico. Parecia que minha cabeça fora conectada a uma bateria elétrica muito potente. Todo o meu corpo, da cabeça aos pés, foi vivificado pelo Espírito de Deus, e fiquei curado. A partir daquele dia, nunca tive o menor sintoma do antigo problema. Desde então,

muitas vezes invoquei o poder vivificador do Espírito sobre meu corpo.[35]

A oportunidade de pregar viria em breve para George, mas, para Stephen, era imediata. Embora trabalhasse durante o dia nas minas de carvão, Stephen começou a pregar à noite. Ele era um pastor entusiasmado, que andava para lá e para cá nos corredores, chamando o povo ao arrependimento. E o povo respondia a esse chamado, devido à unção da Palavra de Deus. Stephen queria que George ministrasse com ele, mas George queria frequentar o seminário bíblico antes, para ficar mais bem preparado para aquilo que ele pensava que seria um chamado para o campo missionário no estrangeiro. Kezia Jeffreys havia se casado novamente e concordou em enviar George ao seminário.

No outono de 1912, George entrou para o Seminário Bíblico Thomas Myerscough, em Preston, País de Gales. Ali, pela providência de Deus, ele conheceu vários dos homens com quem iria servir ao longo de sua vida adulta, incluindo William Burton, futuro fundador da Missão Evangelística Congo, e Ernest John Phillips, que serviria como secretário-geral do movimento Elim durante quase quatro décadas.

A Ilha Emerald

No início de 1913, Stephen começou a pregar em uma cruzada evangelística em Swansea, País de Gales, e as reuniões cresceram rapidamente em frequência e tamanho. Necessitando de ajuda urgente, Stephen chamou George em casa, que deixou a escola bíblica para ajudá-lo.

As reuniões continuaram durante sete semanas e lançaram oficialmente os ministérios dos dois irmãos Jeffreys. A partir dali, eles pregaram em outras partes do País de Gales e houve dezenas de conversões. Seu primeiro milagre de cura aconteceu quando Edith M. Carr foi curada de uma enfermidade no pé, que os médicos haviam planejado amputar. Stephen e George foram à casa dela, ungiram-na com óleo, impuseram as mãos sobre ela e oraram. Deus respondeu à oração de fé e curou-a totalmente. Mais tarde, ela deu testemunho do poder de Deus, que a tocara quando os irmãos Jeffreys oraram, dizendo: "Uma grande luz me envolveu e me encheu de grande poder; levantei-me do sofá e fiquei sobre os dois pés; em seguida, caminhei suavemente pela sala com quase nenhuma ajuda."[36] Pessoas vinham de muito longe para ver por si mesmas a mulher que fora curada e para ouvir os irmãos Jeffreys pregar.

Em 1913, Boddy convidou os irmãos Jeffreys a participarem de sua conferência pentecostal anual em Sunderland, mas somente George aceitou. Quase todos os homens no palco eram líderes cristãos quarentões e cinquentões que haviam servido a Deus durante muitos anos. George tinha apenas vinte e quatro anos, mas impressionou tanto ao pregar, que Boddy o convidou a permanecer em Sunderland e continuar pregando, mesmo após o encerramento da convenção. Isso confirmou sua influência crescente no movimento pentecostal da Inglaterra, que havia nascido ao longo de uma sucessão apostólica de Azusa para Barratt, Boddy e, agora, os irmãos Jeffreys. Embora tivesse acreditado que o chamado de Deus para sua vida seria como missionário no estrangeiro, George logo descobriu que seu verdadeiro campo missionário estaria na própria Grã-Bretanha.

Foi nesse momento da vida dos irmãos Jeffreys que os ministérios de Stephen e George seguiram direções distintas. Stephen foi convidado para pastorear uma igreja em Llanelli, no País de Gales, enquanto George passou a ser um pregador itinerante e, posteriormente, fundou o movimento Elim. Nos anos seguintes, os irmãos ministraram juntos pelo ministério em algumas ocasiões, mas o restante deste capítulo se concentrará no ministério de George Jeffreys.

Stephen Jeffreys

O chamado seguinte de Deus para George foi para a Ilha Emerald. William Gillespie, um pastor pentecostal de Belfast, na Irlanda, assistira à Convenção Sunderland e ficara fortemente impressionado com a pregação de George. Ele convidou George para ir a Belfast a fim de conduzir uma série de reuniões. A ida de George à Irlanda foi um momento decisivo para seu ministério. Inicialmente, as coisas se moveram lentamente, mas à medida que ele ministrava por toda a zona rural daquele país, mais convertidos foram acrescentados à igreja e as fogueiras do avivamento foram alimentadas.

Foi na Irlanda que George conheceu Robert Ernest Darragh, líder de louvor que seria seu confidente mais íntimo durante os quarenta anos seguintes. E. J. Phillips se juntou a eles em 1919, com vários outros, incluindo John Carter, irmão de Howard Carter, e E. W. Hare, que fora o líder da União Cristã na Universidade de Cambridge.

Uma Equipe de Irmãos

O Senhor traz pessoas para o Corpo de Cristo para ministrarem juntas pelos Seus propósitos. Em janeiro de 1915, George se reuniu com um grupo de seis jovens em Monaghan, Irlanda, para o que se tornaria uma reunião importante. Registros da reunião revelam que os jovens "se uniram com o propósito de discutir o melhor meio de alcançar a Irlanda com o Evangelho Pleno seguindo uma linha pentecostal".[37] Eles declararam que "George Jeffreys, do sul do País de Gales, que estava presente conosco", estava convidado "a assumir uma obra evangelística permanentemente na Irlanda",[38] e que eles trabalhariam com ele para fornecer o local e o apoio aos seus esforços evangelísticos. Os homens escolheram o nome "Equipe Evangelística Elim" para representar sua iniciativa.

Por que Elim? No Antigo Testamento, Elim era um oásis no deserto, um lugar onde os filhos de Israel encontraram refrigério logo após saírem do Egito a caminho da Terra Prometida (ver Êxodo 15:27). O grupo de oração acreditava que levaria refrigério ao povo da Irlanda por meio da pregação da Palavra de Deus e pelo poder do

George Jeffreys

Espírito Santo. Pouco depois disso, Robert Darragh e Margaret Streight se tornaram um dos primeiros a se juntarem a George Jeffreys e à Equipe Evangelística Elim. Robert estava pronto para trabalhar ao lado de seu amigo e ver vidas transformadas para Jesus Cristo.

A Equipe Evangelística Elim criou sua primeira igreja, a Elim Christ Church, em Belfast, e nomeou George como pastor. Em 1917, tornou-se necessário desenvolver uma organização formal. O grupo havia herdado uma propriedade de um antigo membro da igreja, mas, para receber a renda da venda do imóvel, eles tinham de ser uma organização formalmente instituída. Assim nasceu o Conselho da Aliança Evangélica Quadrangular Elim. Segundo o historiador pentecostal Desmond Cartwright, "foi nesse ponto que aquilo que começara como um simples esforço evangelístico de um pequeno grupo ansioso por ganhar outros para Cristo se tornou uma denominação separada".[39]

No seio da Aliança se formou um grupo menor de homens, que ajudariam Jeffreys diretamente nas reuniões evangelísticas. Eles eram chamados de o Grupo do Avivamento. Esses homens se tornariam os mais firmes apoiadores de Jeffreys ao longo dos dias vindouros de glória e perseguição.

A Inglaterra para Jesus

Em 1921, o grupo Elim decidiu transferir a sede do movimento para o bairro Clapham, em Londres, onde abriu uma igreja que logo cresceu: de algumas poucas pessoas para quinhentos membros. George não queria abandonar sua obra na Irlanda, mas toda a Grã-Bretanha estava aberta diante deles. Em todos os lugares onde era convidado a pregar, ele enfatizava a mensagem do evangelho quádruplo — mais uma vez: Jesus Cristo salva, cura, batiza no Espírito Santo e virá como Rei. Ao longo de vários anos seguintes, as campanhas evangelísticas foram ganhando força de modo lento, mas constante, por todas as Ilhas Britânicas.

Em 1924, o movimento Elim adquiriu uma prensa e fundou uma editora — outro caminho para compartilhar a Palavra de Deus. Eles também instituíram um seminário bíblico para treinar novos obreiros para as igrejas que estavam nascendo após as cruzadas evangelísticas de Jeffreys. Era apenas o início; as coisas estavam começando a florescer.

Naquele mesmo ano, um pequeno grupo de homens da Aliança Pentecostal Elim, incluindo os irmãos Jeffreys e Darragh, viajou aos Estados Unidos e ao Canadá para observar o mover do Espírito Santo nessas nações. Na visita aos Estados Unidos, Jeffreys passou algum tempo no Angelus Temple, em Los Angeles, Califórnia, a casa central de culto da Igreja do Evangelho Quadrangular, com quinhentos lugares, onde conheceu Aimee Semple McPherson, fundadora da denominação. Jeffreys ficou intrigado com seu ministério e com a forma dramática com que ela apresentava o evangelho completo. Depois de conhecê-la, sua autoconfiança como avivalista pareceu aumentar.

Aimee Semple McPherson

No início de 1926, o grupo Elim lançou uma campanha de avivamento na Câmara Municipal de Portsmouth, Inglaterra. Em poucos dias, o salão já não era suficientemente grande para acomodar as multidões. Jeffreys enviou uma carta a E. J. Phillips, secretário-geral da Aliança Evangélica Quadrangular Elim, informando-lhe com entusiasmo: "Este é o melhor momento de minha vida. Almas se rendem continuamente a Cristo, as curas mais surpreendentes e maravilhosas acontecem, e ontem, centenas de pessoas não conseguiram entrar na Câmara Municipal uma hora antes do início."[40]

A campanha seguinte de Jeffreys foi em Liverpool, onde ele alugou o Liverpool Boxing Stadium para realizar as reuniões. Compreendendo a necessidade de publicidade para atrair multidões para essa nova obra, ele pregou de dentro do próprio ringue de boxe.

George Jeffreys e Robert Ernest Darragh no ringue de boxe, em Liverpool

Nos dias que antecederam a Páscoa de 1926, a equipe Elim estava se preparando para uma convenção no Surrey Tabernacle, em Liverpool, quando Jeffreys recebeu um telefonema surpresa de Aimee Semple McPherson. Ela lhe disse que estava na França e queria viajar a Londres para realizar algumas reuniões antes de ministrar na Palestina. A equipe ficou um pouco perplexa, mas convidou-a para participar das reuniões no Surrey Tabernacle. Ela passou alguns dias ministrando em Londres antes de seguir para a Palestina. Planejava juntar-se a Jeffreys para as reuniões da Páscoa, quando voltasse do Oriente Médio.

Aimee Semple McPherson encontra George Jeffreys

A reserva do Surrey Tabernacle foi cancelada e as reuniões foram reprogramadas para o Royal Albert Hall, em Londres, para acomodar as multidões que se esperava que Aimee Semple McPherson atraísse. Ela pregou na noite do domingo de Páscoa e no dia seguinte. A imprensa britânica ficou empolgada com a oportunidade de cobrir as reuniões lideradas por essa conhecida e brilhante pregadora norte-americana. Contudo, os ingleses realmente não se entusiasmaram com ela, talvez em razão de serem pessoas de temperamento reconhecidamente sereno, que não estavam acostumados ao comportamento teatral e exaltado de Aimee.

Um mês depois, Jeffreys se entristeceu ao receber o seguinte telegrama da mãe de Aimee:

> IRMÃ MCPHERSON SE AFOGOU ENQUANTO NADAVA TERÇA-FEIRA. ALMA GLORIFICADA. IRMÃ HAVIA ANUNCIADO SUA CAMPANHA. MUNDO INTEIRO ATENTO AO ANGELUS TEMPLE. EVANGELISTA QUADRANGULAR IMPERATIVO. PRECISO DE VOCÊ AQUI IMEDIATAMENTE NESTA HORA DE CRISE. INFORME DATA MAIS BREVE POSSÍVEL EM QUE VOCÊ PODE PARTIR. MÃE KENNEDY.[41]

Em 18 de maio, Aimee fizera uma viagem curta de um dia com sua secretária para a praia de Ocean Park, em Los Angeles. Pouco após sua chegada, ela desapareceu. As autoridades foram chamadas e procuraram na praia freneticamente, mas não havia qualquer vestígio da famosa evangelista. Mergulhadores iniciaram as buscas, que foram infrutíferas, e presumiu-se que Aimee entrara na água para nadar e se afogara. Seus apoiadores estavam devastados pela dor e vasculharam as praias durante dias, em busca de algum sinal dela.

A resposta de Jeffreys ao telegrama foi hesitante. Ele informou à Sra. Kennedy, mãe de Aimee, que estava em meio a uma campanha em Belfast e não poderia viajar aos Estados Unidos, mas oraria sobre seu pedido. Seus conselheiros mais próximos pediram cautela, devido à natureza da cidade de Hollywood e ao tom dramático do ministério no Angelus Temple. Antes que houvesse tempo para tomadas de decisão, Aimee apareceu no deserto, no dia 23 de junho, nos arredores de uma cidade mexicana próxima à fronteira do Arizona. Ela explicou que fora sequestrada, torturada e mantida refém. As autoridades não sabiam o que concluir de sua história, mas ela voltou a ministrar no Angelus Temple.

Embora Jeffreys nunca tivesse se envolvido diretamente com o ministério de Aimee, ele adotou a designação de "Evangelho Quadrangular", de modo que a Aliança Pentecostal Elim se tornou a Aliança Evangélica Quadrangular Elim.

Fogueiras de Avivamento e Cura

As fogueiras do avivamento brilharam intensamente em 1927. Naquele ano, Jeffreys realizou um recorde de nove cruzadas e viu milhares de pessoas convertidas a Cristo e curadas de modo comovente. Ele e sua equipe se moviam de uma campanha grande e bem-sucedida para a seguinte. Começaram o ano em Glasgow, onde mais de mil e quinhentos foram salvos em um mês.

A campanha mais extraordinária do ano foi em Leeds, em março e abril. Era a terceira campanha de Jeffreys naquela comunidade, e a fé da congregação local crescera — eles agora criam que Deus fazia milagres. Em apenas duas semanas, mais de duas mil pessoas foram salvas e muitas delas experimentaram a mão milagrosa de Deus. Uma demonstração marcante do amor e do poder de Deus foi a cura de James Gregson, um milagre lembrado durante muito tempo pelo povo da Inglaterra.

Em apenas duas semanas, mais de duas mil pessoas foram salvas e muitas delas experimentaram a mão milagrosa de Deus.

James Gregson era "um completo aleijado, cujo único modo de se locomover era rastejando pelo chão, arrastando as pernas tortas".[42]

James era metalúrgico e em um grave acidente no trabalho, deslocou muitos ossos de seu corpo. Os médicos não conseguiram fazer nada pelo seu corpo quebrado e ele ficou aleijado e sem esperança de cura. James não podia sentar-se, pois isso lhe causava uma dor insuportável, então tinha de passar a maior parte do tempo deitado.

Certa noite, ao ler o jornal local, sua esposa veio a saber da campanha Elim e do ministério de George Jeffreys. No sábado seguinte, James foi à reunião. Ele chegou em suas muletas, com as pernas arrastando atrás de si. Naquela noite, o maior milagre de todos aconteceu: ele foi salvo e sua alma foi redimida por toda a eternidade. Radiante com a graça de Deus, ele se arrastou de volta à reunião no dia seguinte. Os auxiliares da campanha o levaram à frente e o deitaram diante da plataforma, onde Jeffreys orou por ele.

Mais tarde, James recordou: "Quando ele impôs as mãos sobre mim, foi como se várias mãos tivessem sido colocadas ao longo de todo o meu corpo e senti cada osso voltando ao lugar. Fui liberto instantaneamente e fiquei totalmente curado."[43] Ao longo das duas semanas seguintes, James ganhou força e quinze quilos de peso! Em pouco tempo, ele foi capaz de retornar ao trabalho de metalúrgico. Na segunda-feira da Páscoa, apenas alguns dias após sua cura, ele deu um testemunho no Royal Albert Hall diante de milhares de pessoas. Na manhã seguinte, o jornal *Morning Post,* de Londres, publicou uma história sobre a reunião, com uma manchete que dizia: "Plateia de Londres Fascinada." Anos mais tarde, James Gregson testemunhou que nunca mais perdera um dia de trabalho após sua cura.

A senhorita Edith Scarth também foi gloriosamente curada durante a campanha em Leeds. Ela sofria de tuberculose da coluna vertebral e tinha de permanecer deitada de costas e ser conduzida em um carrinho especial. Durante anos ela usara um colete com tala, que subia por trás da cabeça e era preso à testa com uma cinta. Na primeira vez em que ouviu falar das reuniões de Jeffreys em Leeds, ela ficou cética, mas, em seguida, em desespero, ela se determinou a ver por si mesma se Deus realmente estava agindo naquele lugar.

Na segunda reunião de que participou, Edith abraçou a mensagem da salvação. Jeffreys chamou aqueles que precisavam de cura para receber oração, mas havia muitos para ele impor as mãos individualmente. Então, pediu que ficassem de pé para uma oração coletiva. Segurando-se na poltrona à sua frente, Edith conseguiu ficar de pé. De repente, o Espírito Santo se moveu em seu corpo.

> O Dirigente Jeffreys orou e algo aconteceu. Senti como se alguém levantasse algo para fora do meu corpo. Todo o meu corpo foi carregado com nova vida e um novo poder. Minha cabeça se encaixou de volta no lugar. Eu estava curada! Minha mãe olhou com espanto. Eu queria cantar, gritar, dançar. Quando cheguei em casa, subi os degraus correndo; eu não tinha calma para andar! Fui curada em 11 de abril de 1927. Meu médico não conseguiu encontrar qualquer vestígio de tuberculose. Minha coluna estava perfeitamente reta e eu estava muito bem![44]

Dezoito meses após ser salva e curada, Edith recebeu o batismo no Espírito Santo, com o poder de testemunhar aos outros acerca da maravilha que Deus fizera por ela. Ela continuou a divulgar: "Quando todos os outros falham, Ele nunca falha!"[45]

Uma Primavera Milagrosa

Mais tarde, na primavera de 1927, a campanha de Jeffreys se mudou para Southampton. No início, as reuniões eram pequenas, mas logo cresceram e registraram numerosas salvações. A senhorita Florence Munday recebeu um milagre excepcional nas reuniões de Southampton. Ela levantou de sua cadeira de rodas em um culto no Wesleyan Central Hall, em maio de 1927. Seu emocionante testemunho aumentou a fé de muitos.

Quatorze anos antes, Florence caíra e machucara o joelho. Uma tuberculose se estabelecera na lesão e, desde então, ela ficou incapaz de ficar de pé ou andar. Além disso, desde a infância, ela sofria de uma doença da pele que lhe exigia cobrir totalmente os braços com bandagens, para proteger a pele rachada que sangrava. Médicos haviam projetado várias formas diferentes de gesso para seu joelho, mas sem sucesso — a cada tentativa ela ainda relatava dor. Eles haviam finalmente decidido que a única solução era amputar a perna, com uma amputação tão completa que um membro artificial estaria fora de questão.

Foi nesse momento que o Senhor interveio. As irmãs de Florence participaram de uma reunião de avivamento de Jeffreys e viram uma mulher receber a cura e levantar-se de sua cadeira de rodas. Logo após esse evento, Ivy, uma das irmãs de Florence, insistiu que ela participasse de uma reunião de Jeffreys. Florence estava nervosa, mas concordou. Em 4 de maio de 1927, sua mãe e sua irmã a levaram a uma reunião em sua "carroça para inválidos". Jeffreys pregou sobre as decepções dos cristãos, assunto que tocou o coração dolorido de Florence. Durante o hino "All Hail the Power of Jesus' Name", Florence sentiu o poder de Deus começar a descer sobre ela.

George Jeffreys batiza Florence Munday no Royal Albert Hall, em Londres, em 1928

Não muito tempo depois, Jeffreys se aproximou de Florence em sua cadeira de rodas. "Há quanto tempo você está deitada nessa velha 'carroça'?", perguntou ele. Florence respondeu: "Quatorze anos. Eu não ando há quatorze anos. O problema é o meu joelho. É uma doença degenerativa." "Você crê que o Senhor pode curá-la?", perguntou ele. "Sim", respondeu Florence. Então, Jeffreys pediu-lhe para voltar na tarde seguinte, para a reunião de cura.

No dia combinado, Jeffreys orou por ela: "Oh, Senhor, faça regredir a doença e destrave essas articulações." Enquanto ele orava, o poder de Deus percorreu o corpo de Florence como uma onda, balançando a cadeira de rodas. Ela sentiu o joelho dobrar dentro da tala.[46] Seu testemunho continua: "Fui ungida com óleo e, enquanto ele orava, meu corpo inteiro vibrava com vida. Eu estava sob o poder de Deus. Minha perna se moveu para cima e para baixo três vezes na tala, e logo fui capaz de me sentar. Toda a dor se fora. Eu estava curada. Eu estava de pé pela primeira vez após quatorze anos! Dei a volta naquele grande edifício três vezes... Jesus, Tu és tudo para mim!"[47]

Ela dormiu durante toda a noite pela primeira vez em muitos anos e, na manhã seguinte, acordou e descobriu que todos os vestígios de sua doença de pele tinham desaparecido. Como mencionei no início deste capítulo, no ano seguinte ela estava entre os mil convertidos que foram batizados no Royal Albert Hall na Páscoa. Nos trinta anos seguintes, Florence serviu como pastora da Elim Church, em Gosport, na Inglaterra, e não se aposentou até os setenta e poucos anos. A campanha em Southampton fora um tremendo sucesso em salvações e curas. O Senhor se movera em misericórdia e grande poder!

O Evangelista: Sinais e Maravilhas o Acompanham

Em maio de 1927, Jeffreys se mudou para Brighton, onde realizou campanhas de avivamento durante dez semanas. A pregação da Palavra continuou a levar novos convertidos a Cristo, sendo acompanhada de sinais e maravilhas. A senhora Algernon Coffin, esposa de um pastor batista, foi milagrosamente curada de câncer e hidropsia.[48] Ela recebera um diagnóstico de câncer dez anos antes, quando lhe disseram que teria apenas alguns meses de vida. Deus poupara sua vida, mas ela continuou a sofrer de dores e tomava os medicamentos mais fortes disponíveis para trazer alívio. Devido ao líquido em seus pulmões, durante dez anos ela não pôde se deitar e dormia em cadeiras elevadas.

A senhora Coffin testemunhou:

> Os médicos me examinavam repetidas vezes e diziam ao meu querido marido que não havia qualquer esperança. Eu estava em total desespero; os médicos haviam feito tudo que podiam e desistiram. Eu ia mesmo morrer. Mas, Deus seja louvado, a limitação do homem é a oportunidade de Deus.
>
> Exatamente nesse momento, Deus enviou Seu amado servo, o dirigente George Jeffreys, a Brighton. Decidi ir à reunião de Cura Divina na tarde de 19 de maio de 1927, no Royal Pavillion. Oraram por mim e senti um estremecimento interior em todo o corpo, então fui imediatamente curada! Toda a minha dor cessou, fui capaz de dormir e não precisei mais de remédios.[49]

Menos de uma semana depois, um médico foi à casa dela para uma consulta domiciliar e ficou atônito quando sua paciente atendeu à porta. "O que aconteceu, senhora Coffin?" perguntou ele, surpreso. "É você mesma?" "Estou curada e muito bem, após o senhor me dizer que não havia esperança. Em meu desamparo e angústia, apelei a Alguém mais elevado, cujo poder não é limitado. Não apelei em vão." A resposta do médico foi: "Não consigo compreender, mas me alegro por você."[50]

O Apóstolo: Eleito para Plantar Igrejas

Durante esses anos de grande avivamento, foi revelado o manto apostólico de George Jeffreys. Ele não somente pregou e conduziu centenas ou mesmo milhares de pessoas em conversões a cada cidade, mas também implantou novas igrejas nos lugares onde pregou. Como um pioneiro do movimento pentecostal, Jeffreys foi enviado pelo Senhor a pregar uma mensagem do evangelho pleno. Os recém-salvos e batizados no Espírito Santo queriam ter comunhão em uma igreja na qual o poder do Espírito Santo era acolhido e abraçado. Jeffreys fazia uma campanha durante várias semanas em uma cidade e sempre encontrava um grupo de crentes que queriam juntar-se ao movimento Elim. Então, ele nomeava um pastor para liderar a nova igreja pentecostal, a Aliança Evangélica Quadrangular Elim alugava ou comprava um edifício onde a nova congregação pudesse se reunir, e a equipe de administração cuidava de todos os demais detalhes.

No ano seguinte, as campanhas continuaram, embora não tantas quanto no ano anterior. Jeffreys visitou Croydon, Reading, Eastbourne, Bath, Exeter e Bradford, acrescentando milhares de convertidos ao Corpo de Cristo. Em 1928, havia 70 igrejas Elim nas Ilhas Britânicas. Em 1930, o número subira para 100 e, em 1933, já eram 153 igrejas.

Em 1933, Jeffreys pregou em cidades como Aberdeen, na qual foram adicionados 400 convertidos. Imediatamente, uma nova igreja foi fundada ali. Mais uma vez, em seu ministério apostólico, Jeffreys estabelecia continuamente novas congregações para estender o Reino de Deus na Terra. "Seu sucesso certamente é o resultado de servir a Deus com os dons ministeriais que ele recebera, especificamente os de apóstolo e evangelista."[51]

Alguns anos mais tarde, em 1936, as igrejas Elim reconheceram o ministério apostólico de Jeffreys e seus vinte e cinco anos de serviço dedicado ao movimento:

> Como apóstolo, você desbravou o caminho para a mensagem do Evangelho Pleno e estabeleceu igrejas nas maiores cidades e vilas das Ilhas Britânicas. Como evangelista, seu ministério foi inequívoco e abençoado por Deus. Por meio de sua proclamação fiel do evangelho, você levou um incontável número de pessoas a Cristo.[52]

As igrejas Elim que Jeffreys implantara eram regidas por um conjunto de regras, que foram revistas para atender às necessidades variáveis da denominação em crescimento. Havia três formas de administração praticadas pelas igrejas Elim: a administração central de Clapham, a administração pessoal de um ministro e a administração local de diáconos. Os ministros da denominação eram supervisionados de perto pela sede em Londres, e todo o trabalho era dividido em distritos, cada qual com um administrador superintendente. À medida que as campanhas se expandiam e as igrejas cresciam, uma sensação de inquietação surgia entre as pessoas no tocante às políticas de administração das igrejas. Contudo, o poder do Espírito Santo continuou a mover-se naquele país.

Em seu ministério apostólico, Jeffreys estabelecia continuamente novas congregações para estender o Reino de Deus na Terra.

Enchendo os Maiores Salões da Inglaterra

No fim da década de 1920 e início da década seguinte, o grande impulso do movimento Elim se refletia nas multidões que se reuniam para as reuniões ministeriais do carismático Jeffreys. Em cada cidade, as reuniões de avivamento precisavam ser mudadas do salão previamente agendado para outro edifício maior, que pudesse acomodar as multidões. Por exemplo, Jeffreys começou sua campanha de 1930, em Birmingham, em uma igreja congregacional da cidade. Depois de cinco dias, a igreja estava lotada e, assim, as reuniões foram transferidas para a Câmara Municipal, depois para o Embassy Skating Rink, que acomodava oito mil pessoas sentadas. Nas semanas finais da campanha, eles se mudaram para o enorme Bingley Hall Exhibition Center, que tinha assentos para quinze mil pessoas! Jeffreys pregou em vinte e seis reuniões nesse salão; o número de convertidos durante toda a campanha foi de dez mil pessoas.

Naquela época, o Grupo do Avivamento consista em R. E. Darragh, líder de louvor; Albert W. Edsor, pianista; e James

McWhirter, organizador da campanha. Esses homens estavam com Jeffreys quase constantemente, prestando-lhe ajuda e apoio. Eles trabalhavam como um grupo coeso e "tomaram a cidade de assalto".[53]

Automóveis com anúncios de Jeffreys no Bingley Hall

Nenhum desses homens era casado, pois todos dedicavam todo o seu tempo e energia a difundir o evangelho de Jesus Cristo. Quando James McWhirter se casou no fim da década de 1930, ele saiu do Grupo do Avivamento e ajudou em atividades que exigiam menos tempo. Cinquenta anos depois do fim da campanha de Birmingham, ainda era possível falar com pessoas que haviam se convertido durante aqueles dias ou cujos pais haviam entregado suas vidas a Cristo em reuniões realizadas por Jeffreys.

Jeffreys alugou o enorme Crystal Palace, em Londres, pela primeira vez em 1930, e as multidões o lotaram. O prédio foi construído para a Grande Exposição de 1851, e foi usado a cada dois anos pelo movimento Elim, até ser consumido por um incêndio, em 1936.

Raios de Cura

Em 1932, Jeffreys escreveu o livro *Healing Rays* (Raios de Cura), um estudo detalhado do poder de cura de Cristo ao longo de toda a história da Igreja cristã. No livro, Jeffreys afirma que, embora o pecado, a doença e a morte componham uma maldição que caiu sobre a terra em decorrência da desobediência de Adão, a obra expiatória e redentora de Jesus Cristo é a resposta para superar a maldição em sua totalidade. Segundo Jeffreys, cura e libertação de doenças podem ser vivenciadas agora, e a libertação final da morte virá quando Cristo voltar em glória.

Em *Healing Rays*, Jeffreys também defendeu claramente a cura divina nos dias atuais, com base na Palavra de Deus e na infinidade de pessoas que testemunharam a cura desde a fundação da Igreja cristã. Ele compartilhou os testemunhos dos primeiros patriarcas da Igreja, que falavam do poder de cura de Deus em operação. Clemente, no século 1º; Irineu, no século 2; e Tertuliano e Orígenes, no século 3 — todos falaram em "discípulos em Seu nome, que ainda fazem milagres... outros ainda curam os doentes impondo suas mãos sobre eles, e eles são sarados".[54]

Para os membros das grandes denominações que desconfiavam de afirmações de cura divina, Jeffreys incluiu uma citação de Martinho Lutero: "Com que frequência aconteceu, e ainda acontece, demônios serem expulsos em nome de Cristo; também, por invocação de Seu nome e de oração, doentes serem curados."[55] John Wesley, o fundador da Igreja Metodista, foi curado de tuberculose e escreveu: "Quando eu tinha vinte e sete anos, comecei a cuspir sangue e isso continuou durante vários anos. Onze anos depois, eu estava no terceiro estágio da destruição; foi da vontade de Deus remover também isso em três meses. Deus operou isso."[56]

Jeffreys incluiu os testemunhos de outros líderes da igreja sobre o efeito da cura divina em seus próprios corpos: George Fox, quacre* e fundador da Sociedade Religiosa dos Amigos, que foi espancado por uma multidão e, em seguida, imediatamente curado de seus ferimentos; Dr. E. Stanley Jones, missionário mundialmente famoso, que experimentou cura divina na Índia e foi, por isso, capaz de continuar sua obra missionária; A. B. Simpson, fundador da

* N. do T: Nome dado aos membros da ordem religiosa fundada por George Fox.

Aliança Cristã e Missionária, que foi totalmente curado de uma doença que o acompanhara por toda a vida quando começou a pregar o evangelho quádruplo de Cristo, incluindo cura; e Andrew Murray, que foi internado em uma casa de saúde, aprendeu sobre a cura divina pela Palavra de Deus e, em seguida, foi totalmente curado. Murray escreveu: "Essa cura concedida à fé tem sido a fonte de rica bênção espiritual para mim. A Igreja possui em Jesus, nosso Divino médico, um inestimável tesouro que ela ainda não sabe desfrutar."[57]

Sempre que as pessoas zombavam da ideia de que o poder de Deus cura nos dias atuais, Jeffreys respondia em sua maneira determinada: "São quase dois mil anos desde que o cânone sagrado das Escrituras foi encerrado, mas a dispensação do Espírito Santo, com seus milagres, sinais e prodígios, continua até hoje."[58] Ele lembrou aos crentes que a mesma mensagem do evangelho que levou homens e mulheres a Cristo no Novo Testamento ainda está convertendo pecadores hoje, e que o mesmo Espírito Santo que os condenou pelo pecado e os curou também está condenando e curando hoje.

Colaboradores em Cristo

Em meados da década de 1930, Jeffreys e E. J. Phillips já ministravam juntos há quase vinte anos. Seu ministério tivera início em 1919, quando Jeffreys pediu a Phillips para unir-se à Equipe Evangelística Elim na Irlanda. Embora Phillips houvesse começado pastoreando uma igreja Elim, sua experiência prévia em negócios foi útil para lidar com as necessidades administrativas da nova denominação.

E. J. Phillips

Jeffreys e Phillips tiveram experiências significantemente diferentes em sua criação. Jeffreys fora criado em relativa pobreza e fizera parte de uma igreja congregacional na qual a congregação tinha representação na liderança. Ele se rendera ao Senhor durante os dias intensos do Avivamento do País de

Gales, quando espontaneidade e liberdade no Espírito Santo haviam sido fundamentais, e foi marcado para sempre pela paixão daquele momento. Para ele, reuniões poderosas guiadas pelo Espírito eram a referência de sucesso na igreja. Ele acreditava que o avivamento estava disponível aos crentes de todos os tempos, porque o Espírito Santo estava sempre se movendo na Terra. Se Jesus era o mesmo ontem, hoje e para sempre (Hebreus 13:8), Seu poder deve estar sempre se movendo para salvar, curar e batizar no Espírito Santo.

Phillips, por outro lado, crescera em uma família com experiência nos negócios. Dentre os parentes de seu pai estava o primeiro prefeito judeu de Londres, além de outros que haviam sido financistas e empresários na Grã-Bretanha e na África do Sul. Seu pai se tornara cristão e criara seu filho na igreja. A vida normal da igreja para Phillips teria sido muito mais calma e mais "comum" do que as reuniões de avivamento, guiadas pelo Espírito e cheias de fogo, que Jeffreys experimentara. Quando recebeu o batismo no Espírito Santo aos dezesseis anos, Phillips acreditou que fosse para capacitá-lo "a viver uma vida totalmente consagrada a Deus".[59]

Jeffreys e Phillips haviam trabalhado em estreita harmonia na liderança do movimento Elim, escrevendo cartas um ao outro diariamente e trocando ideias. Eles não tomavam qualquer decisão acerca das campanhas ou do ministério sem consultar um ao outro. Certamente não concordavam em tudo, mas tinham um relacionamento íntimo construído em anos de confiança. Juntos, eles haviam enfrentado a feroz perseguição contra os primeiros ministros pentecostais da Grã-Bretanha. E, juntos, eles haviam desfrutado o sucesso do ministério. Eles foram, sem dúvida, os dois líderes do movimento Elim.

Uma grande mudança na liderança da Aliança Evangélica Quadrangular Elim ocorreu em 10 de abril de 1934, com a adoção de uma nova legislação eclesiástica. Antes disso, todas as decisões quanto ao movimento haviam sido tomadas por Jeffreys e Phillips. Com a adoção da nova legislação, um Conselho Executivo de nove membros teria autoridade legislativa na denominação. Os nove consistiriam em Jeffreys e Phillips, três pessoas nomeadas por Jeffreys e outros quatro eleitos dentre os membros da denominação. Com essa decisão, Jeffreys abriu mão de seu voto no Conselho de Administração. Essa foi uma decisão da qual ele viria a se arrepender nos anos que se seguiram.

A Cruzada Avivamento Mundial

Em 1934 e 1935, Jeffreys foi convidado a realizar campanhas de avivamento na Suíça e na Palestina, e os eventos foram bem-sucedidos na conversão de milhares de pessoas a Cristo. No ano seguinte, Jeffreys fundou uma organização denominada Cruzada Avivamento Mundial para lidar com as responsabilidades financeiras de seu ministério em outros continentes. Na realidade, ele a usou para administrar as responsabilidades financeiras de todas as suas cruzadas. O propósito da organização era convidar membros internacionais que criam no evangelho quádruplo a apoiar o ministério de Jeffreys por meio de oração e oferta financeira. Jeffreys estaria no controle da organização e nomearia os próprios comissários para administrá-la. Com a ajuda da Cruzada, ele não mais precisaria receber todo o seu apoio financeiro da sede da Elim.

E. J. Phillips, porém, não se agradou da nova situação. Ele sentiu que Jeffreys abrira uma brecha entre ele e o movimento Elim. Uma vez que Jeffreys deixaria de depender da Aliança Evangélica Quadrangular Elim para sua renda ou para o direcionamento das campanhas, Phillips estava certo de que ele estava se movendo em direção a uma divisão e desenvolvendo a Cruzada como uma organização alternativa. Mas Jeffreys insistiu que iria continuar a ser um evangelista e pai espiritual do movimento Elim.

Geralmente, Jeffreys se mantinha afastado de muitas das tarefas administrativas da denominação. Ele sempre estava muito ocupado realizando campanhas de avivamento. Isso começou a mudar em 1936, quando, de repente, ele se envolveu nas finanças da denominação. Na época, Phillips era recém-casado e estava lutando contra a tuberculose, então não estava à frente do escritório.

Jeffreys descobriu que havia hipotecas de todas as igrejas que eles haviam implantado e ficou profundamente preocupado com a situação financeira da denominação. Jeffreys e Phillips tinham visões distintas acerca dessas hipotecas. Jeffreys, proveniente da classe trabalhadora, as via como um fardo de dívidas perigosas; enquanto Phillips, proveniente de uma família de negociantes de classe média, as via como acordos de negócios. Jeffreys compartilhou suas preocupações com todos os membros das congregações Elim por intermédio da *Elim Evangel*, a revista da igreja — um ato que, publicamente, fez Phillips parecer ser um mau administrador. Jeffreys criou o Fundo do Jubileu e pediu aos leitores para contribuírem com dinheiro e ajudarem a aliviar a dívida dos edifícios das igrejas Elim. Após vários meses, as congregações haviam doado apenas uma pequena porcentagem do que Jeffreys esperara arrecadar.

O que Jeffreys não imaginou como consequência de sua preocupação acerca das finanças foi a forte reação de Phillips. Ele sentiu que suas capacidades e seus julgamentos estavam sendo publicamente questionados por Jeffreys. Os bens da igreja valiam mais do que os valores de dívida e, além disso, todos os pagamentos das hipotecas estavam sendo cumpridos; portanto, Phillips estava certo de que eles não estavam em meio a uma crise financeira. Ele sugeriu que Jeffreys se concentrasse em levantar dinheiro em seus esforços evangelísticos e deixasse o trabalho de contabilidade para o pessoal administrativo. Esse argumento acrescentou mais pressão sobre o relacionamento entre os dois.

"Ponha sua Casa em Ordem"

No início de 1937, Jeffreys escreveu várias cartas a Phillips expressando suas preocupações sobre a reforma da administração da igreja no movimento Elim. "Deus falou comigo de maneira inequívoca: 'Ponha sua casa em ordem.'"[60] Essa foi a mesma ordenança que o profeta Isaías levou ao rei Ezequias no Antigo Testamento (ver 2 Reis 20:1). Para Jeffreys, isso significava duas coisas: ele devia continuar seus esforços para saldar as dívidas da denominação; e devia trabalhar diligentemente para reformar a Elim e transformá-la de uma igreja governada por um controle centralizado para uma administração em que pudesse delegar mais poderes às assembleias locais.

Os esforços de Jeffreys para fazer reformas importantes no gerenciamento das igrejas Elim se depararam com a mais dura resistência, primeiramente por parte de Phillips e do Conselho Executivo e, depois, da Conferência Ministerial. Para a maioria dos ministros, o uso de leigos como diáconos para ajudarem a administrar a assembleia local significava uma perda de controle sobre suas igrejas. Os ministros eram designados e pagos pela sede da Elim, o que significava que sua lealdade era para com a denominação, não necessariamente para com as necessidades ou as inclinações espirituais de suas congregações. Jeffreys sentia que essa política excluía muitas pessoas que poderiam ouvir do Senhor, mas não tinham voz na congregação. Outras denominações pentecostais, como as Assembleias de Deus, concediam às igrejas locais um grau muito maior de autonomia.

A maioria dos membros do Conselho Executivo da Elim estava comprometida em manter um governo centralizado da igreja. Como resultado, a Elim Trust Company possuía mais de duzentos edifícios da denominação e tinha uma quantidade enorme de poder financeiro. Tudo era controlado por um pequeno grupo de homens, dos quais Phillips era o chefe.

O desejo de Jeffreys de ver o desenvolvimento do governo local para as igrejas Elim ganhou ainda mais força em 1939, quando ele foi convidado por Lewi Pethrus para palestrar na Conferência Pentecostal Europeia, em Estocolmo, Suécia. Com mais de cinco mil membros, a Filadelfia Church, pastoreada por Pethrus, era a maior igreja pentecostal do mundo naquela época. Além disso, a igreja apoiava uma rede de igrejas menores, e Pethrus concedera a cada assembleia individual a liberdade de administrar a si mesma em nível local, para que os dons individuais dos santos pudessem ser usados. Ele acreditava que a autonomia da igreja local era estabelecida pelo padrão presente no Novo Testamento. “O irmão Pethrus afirmou que as Escrituras não revelam qualquer organização além da assembleia local."[61]

Jeffreys estava determinado a levar essa forma de governo eclesiástico ao movimento Elim na Grã-Bretanha. Mas ele não tinha certeza de como fazer isso, e suas várias tentativas de realizar as mudanças necessárias, bem como suas sugestões acerca de como fazê-lo, acrescentaram tensão à relação entre os dois.

Uma Grave Distração

Talvez as questões referentes à administração da igreja pudessem ter sido resolvidas entre Jeffreys e Phillips se não fosse a existência de outro problema que os dividia profundamente. Durante algum tempo, Jeffreys fora distraído pela doutrina do Israelismo Britânico, a crença de que povos da Europa Ocidental, particularmente da Grã-Bretanha, são descendentes diretos das dez tribos perdidas de Israel. Um dos primeiros livros acerca do assunto, *The Rights of The Kingdom* (Os Direitos do Reino), foi publicado por John Sadler, em 1649. O Israelismo Britânico atingiu o auge de sua popularidade no início do século 20 e foi abraçado por muitos membros da elite intelectual da sociedade europeia.

Jeffreys entrou em contato com alguns desses intelectuais e foi seduzido pela teoria. Ele também foi influenciado por John Leech, um amigo íntimo, antigo membro da Elim e advogado do movimento. Leech se tornou comissário geral da Federação Britânica-Israelita, em julho de 1926, e abriu mão de todas as suas responsabilidades legais em outras áreas para dedicar-se a essa obra. Ele permaneceu um vigoroso defensor da conexão com Israel durante toda a sua vida.

A adesão ao Israelismo Britânico não foi exclusiva de Jeffreys durante a primeira metade do século 20, mas ele foi muito veemente sobre a teoria nas conferências Elim. Phillips, por outro lado, se opunha inflexivelmente à doutrina. Ele a via como uma grave distração que tirava o foco de questões mais importantes, como a evangelização e a edificação do movimento.

Mesmo com fortes convicções pessoais acerca do Israelismo Britânico, Jeffreys insistia em que não forçaria a doutrina à denominação. Um escritor observou: "Claramente, Jeffreys acreditava que o Israelismo Britânico era simplesmente uma crença suplementar, dentre muitas, que não deveria ser proibida."[62] Ainda assim, embora ela possa não ter sido uma doutrina principal para Jeffreys, era uma grande distração. Ele lutou persistentemente pela "liberdade" que os ministros do movimento Elim deveriam ter para acreditar nessa interpretação profética específica do Antigo Testamento. Em várias conferências anuais, ele prometeu não mais falar no assunto, mas tornava a abordá-lo no ano seguinte.

Phillips se manteve em oposição ao Israelismo Britânico e não queria que ele fosse associado ao movimento Elim de maneira alguma. Opondo-se à controversa doutrina, ele acreditava evitar que a denominação tomasse um caminho questionável. Phillips achava Jeffreys obsessivo em seu desejo de estabelecer o Israelismo Britânico como uma questão suplementar no movimento Elim, mas Phillips se tornou igualmente obsessivo em por um fim a todo e qualquer plano de Jeffreys.

No fim, Phillips acreditava que o Israelismo Britânico estava por trás do desejo de Jeffreys de conceder à igreja local o direito de seu autogovernar. Ele temia que Jeffreys usasse sua influência para incitar igrejas individuais a aceitar essa e outras doutrinas estranhas. Todavia, não há prova de que, em algum momento, Jeffreys tivesse tido a intenção de reformar a denominação com o único objetivo de difundir a doutrina do Israelismo Britânico.

"Tendo Começado no Espírito..."

A partir de 1936, Jeffreys apresentou uma nova legislação ao Conselho Executivo da Elim a cada ano, pedindo-lhes para dar mais autoridade aos líderes leigos das igrejas locais. Na Conferência Elim de 1938, ele sugeriu que a Conferência Ministerial incluísse a representação leiga e tivesse mais autoridade do que o Conselho Executivo. Mas os ministros votaram contra essa medida.

Durante os dois anos seguintes, a discordância entre Jeffreys e Phillips se tornou cada vez mais intensa. Os dois homens queriam o apoio do corpo global de crentes do movimento Elim. Lentamente, Phillips ganhara o apoio da Conferência Ministerial porque seu trabalho na sede pagava seus salários e garantia seus papéis nas igrejas locais. Em sua rivalidade por conquistar o coração das pessoas, Jeffreys e Phillips começaram a enviar questionários aos pastores e leigos para avaliar o tipo de governo eclesiástico preferido pela maioria. A essa altura, eles estavam tentando conduzir o rebanho Elim segundo pesquisas de opinião pública, em vez de fazê-lo por meio da orientação do Espírito Santo.

Para agravar ainda mais a situação, Phillips se recusou a permitir que Jeffreys visse os resultados completos dos questionários da igreja. "Nesse momento, o poder de Phillips era total."[63] E Jeffreys chegou à conclusão de que sua influência na denominação que fundara estava se esvaindo.

Como algo iniciado no poder do Espírito Santo poderia ser reduzido a esses atos da carne? Como o apóstolo Paulo advertiu a igreja da Galácia: "Sois assim insensatos que, tendo começado no Espírito, estejais, agora, vos aperfeiçoando na carne?... Aquele, pois, que vos concede o Espírito e que opera milagres entre vós, porventura, o faz pelas obras da lei ou pela pregação da fé?" (Gálatas 3:3,5 ARA).

Para desafiar o controle de Phillips, Jeffreys começou a enviar cartas para igrejas individuais, pedindo apoio. O que veio a seguir foi um período de seis anos de devastadores ataques e contra-ataques entre Jeffreys e Phillips por meio dessa correspondência.

Francamente, esses dois homens eram culpados de imaturidade ao lidarem mal com o conflito de liderança. Eles haviam começado o movimento Elim como jovens que amavam o Senhor e nada mais desejavam do que ver Seu Reino aumentar no mundo. Mas o rápido crescimento da denominação, juntamente com a popularidade, a influência e o poder que vieram com suas posições, teriam afetado qualquer homem. Jeffreys errou em buscar conselho essencialmente com as pessoas do movimento Elim. Como líder apostólico da denominação, ele deveria ter buscado o conselho de seus colegas de outros ministérios acerca de como produzir mudança no governo da igreja, como T. B. Barratt, da Noruega; e Lewi Pethrus, da Suécia. E Phillips, embora fosse um administrador diligente, deveria ter se disposto a ouvir o homem a quem Deus usara para levar tantos ao Reino de Deus e às igrejas Elim. No fim, os dois homens deram lugar à carne e uma oportunidade a Satanás para intensificar o conflito.

"Guerra Espiritual sobre a Europa"

Pode parecer estranho que tão pouco tenha sido escrito acerca do conflito na Elim e sua relação com o estado de guerra na Europa na época. A Bíblia é clara em destacar aos crentes: "Pois a nossa luta não é contra seres humanos, mas contra os poderes e autoridades, contra os dominadores deste mundo de trevas, contra as forças espirituais do mal nas regiões celestiais" (Efésios 6:12).

Assim como Phillips e Jeffreys estavam à beira de uma guerra pelo controle da denominação Elim, um conflito atemorizante estava surgindo na Europa. Ao mesmo tempo em que as forças malignas das trevas, que operavam naquela época por intermédio de Hitler e dos nazistas, começaram a carnificina da Primeira Guerra Mundial, parece claro que espíritos de conflito e desejo de poder também estavam atacando a Igreja de Jesus Cristo.

Uma das situações mais desagradáveis do conflito Elim ocorreu na Conferência de 1939, enquanto Hitler se preparava para invadir a Polônia. Devido às cartas ácidas e aos questionários que haviam circulado, Jeffreys inicialmente se recusou a ir à Conferência e, em vez disso, permaneceu em uma casa a poucos quilômetros do local da reunião. Ele enviava emissários à reunião para dar suas respostas acerca dos assuntos colocados em discussão. Frustrado e irritado com sua falta de cooperação, Phillips usou a ausência de Jeffreys como uma oportunidade para "bater o martelo" e minar o apoio a Jeffreys.

Phillips abriu a Conferência refutando todas as mudanças novamente propostas por Jeffreys para o governo da igreja. Em seguida, ridicularizou a quantidade de mudanças propostas por ele ao governo da igreja Elim ao longo dos anos, incluindo alguns planos equivocados que haviam custado tempo e dinheiro à denominação.[64]

Em seguida, Phillips atacou as propostas referentes ao Israelismo Britânico, argumentando que a única razão pela qual Jeffreys queria fortalecer os governos locais das igrejas era possibilitar que elas ensinassem o Israelismo Britânico, o que contrariava a orientação espiritual da sede. Phillips terminou o discurso atacando as motivações de Jeffreys e afirmando: "O fato é que ele não está lutando por um princípio, ele está lutando por motivos particulares — por cada novo esquema que vem à sua mente."[65] E a conclusão de Phillips foi que George Jeffreys nada mais "teria a dizer sobre o governo [da Elim] do que o rei George VI sobre o governo desta terra".[66] Foi um ataque devastador ao caráter e à capacidade de Jeffreys.[67]

É trágico ver até que ponto chegaram os participantes da conferência, afastando-se de seu desejo cheio do Espírito de estender o evangelho de Jesus Cristo por meio da obra de George Jeffreys, evangelista ungido, e seu compromisso de apoiar sua obra nas Ilhas Britânicas. Que triste dia foi aquele para o mundo cristão!

Surpreendentemente, após terminar seu discurso, Phillips sugeriu que Jeffreys continuasse a ser o "pai espiritual" da denominação. Para chegar a algum tipo de meio-termo, o Conselho Executivo concordou em acrescentar um pequeno número de representantes leigos à Conferência Ministerial e permitir que essa conferência dirigisse a denominação, com o Conselho Executivo assumindo um papel secundário.

A resposta de Jeffreys a tudo isso foi simplesmente que ele iria discutir o assunto com alguns de seus conselheiros leigos. Nesse ponto, terminou todo o discurso educado. Os membros do conselho deram a Jeffreys um ultimato quanto ao prazo para suas decisões e lhe pediram para transferir de volta à Elim Trust Corporation todas as propriedades em que ele ainda detinha como administrador. Em resposta, Jeffreys entrou pessoalmente no local onde estava acontecendo a Conferência e se demitiu formalmente da Aliança Evangélica Quadrangular Elim.

Em 1940, Jeffreys e o Conselho Executivo trabalharam para atingir algum tipo de meio-termo, mas Jeffreys nunca mais voltaria ao movimento Elim. Ele entregou sua demissão final, afirmando que a obra do movimento estava, agora, sobre a responsabilidade do Conselho Executivo.

O Espírito Apostólico

Esse conflito no movimento Elim, que aconteceu há mais de setenta anos, ainda é tema de discussão entre alguns líderes eclesiásticos da Grã-Bretanha nos dias de hoje. É importante considerar o que as Escrituras têm a dizer acerca dos dons ministeriais dados por Deus a George Jeffreys e E. J. Phillips.

Em 1 Coríntios 12:28, o apóstolo Paulo lembrou à igreja de Corinto que é Deus quem dá dons ministeriais à Sua Igreja: "Assim, na igreja, Deus estabeleceu primeiramente apóstolos; em segundo lugar, profetas; em terceiro lugar, mestres; depois os que realizam milagres, os que têm dons de curar, os que têm dom de prestar ajuda, os que têm dons de administração e os que falam diversas línguas." Paulo, que frequentemente afirmava ter sido chamado a ser apóstolo pela vontade de Deus, mais tarde lembrou a Igreja de sua vocação apostólica, dizendo: "As marcas de um apóstolo — sinais, maravilhas e milagres — foram demonstradas entre vocês, com grande perseverança" (2 Coríntios 12:12).

Como testamento do legado duradouro de Jeffreys, toda igreja implantada por ele entre 1925 e 1934 foi bem-sucedida, à exceção de duas.

George Jeffreys fluía na unção do espírito apostólico. Deus o escolhera nos primeiros dias, primeiramente como evangelista, para proclamar a mensagem quádrupla de que Jesus salva, cura, batiza no Espírito Santo e voltará como Rei. Após poucos anos de seu ministério, o manto apostólico se tornou óbvio no ministério de Jeffreys. Além dos sinais e maravilhas mencionados na passagem anterior, ele também teve sucesso em implantar igrejas pentecostais na Aliança Evangélica Quadrangular Elim e na edificação da Igreja de Jesus Cristo, da maneira como ela fora edificada nos dias do Novo Testamento. Como testamento do legado duradouro de Jeffreys, toda igreja implantada por ele entre 1925 e 1934 foi bem-sucedida, à exceção de duas: uma igreja em Leicester foi fechada após alguns dias, porque a congregação não tinha um local adequado para realizar reuniões; e uma igreja em Manchester fechou meses depois, porque uma forte congregação das Assembleias de Deus já existia nas proximidades.

Uma vez revelada, essa vocação apostólica continuou sendo o principal ofício operante em Jeffreys pelo restante de sua vida. Como podemos ver no ministério do apóstolo Paulo, o ofício apostólico é aquele em que todos os cinco dons ministeriais (ver Efésios 4:11) se tornam evidentes de tempos em tempos. Portanto, vemos Jeffreys operando a partir dos diferentes dons ministeriais em diferentes momentos ao longo de todo o seu ministério. Esses dons foram alegremente reconhecidos no discurso comemorativo em homenagem a Jeffreys em 1934.

E. J. Phillips era um administrador habilidoso, que assumiu a tarefa de administrar e consolidar o movimento Elim com muita seriedade.[68] Também foi, durante muitos anos, amigo íntimo e confidente de Jeffreys. Ele até preparava a declaração de rendimentos do amigo todos os anos. Quando Jeffreys ganhou notoriedade e atraiu os holofotes do sucesso, sua estreita amizade se dissolveu em uma luta de poder pela organização que lideravam. O que Phillips não percebeu foi que suas habilidades de administrador lhe foram dadas para servir ao lado de Jeffreys como um ministério de auxílio. O grande volume de trabalho do ministério torna o trabalho de administração e ajuda um serviço vital. Phillips era um trabalhador dedicado à construção do Reino de Deus, sacrificando anos de sua vida ao movimento Elim, e suas habilidades nas áreas de administração e ajuda eram dons de serviço destinados à edificação do Corpo de Cristo. Habilidades administrativas são necessárias para facilitar um mover de Deus quando ele começa, mas nunca deverão ser iguais ou ter proeminência sobre os cinco dons ministeriais descritos em Efésios 4:11. Acredito ter sido aí que ocorreu a divisão em Elim. Administradores agem de acordo com ordem e precisão; líderes apostólicos precisam dar passos de fé e, ocasionalmente, cometerão erros. De certo modo, é inevitável que esses dois temperamentos tivessem encontrado dificuldade para coexistir.

Um escritor observou: "Phillips acreditava que sua tarefa era proteger as igrejas contra a força da personalidade de Jeffreys."[69] O Espírito Santo se movera poderosamente por intermédio de Jeffreys durante décadas. Será que o valor de Jeffreys estava apenas no poder de sua personalidade humana, como Phillips sugeriu? É difícil acreditar que sim. As curas que aconteceram sob o ministério de Jeffreys nunca poderiam ter sido realizadas por simples personalidade ou vontade humana. De fato, teria sido difícil a personalidade de George Jeffreys atrair qualquer atenção especial por si mesma, considerando que ele era conhecido por ser extremamente tímido quando não estava pregando.

O poder do Espírito Santo se movera livremente em Jeffreys na década de 1920. Teria seu poder se transformado em uma força de sua personalidade apenas devido ao seu recém-descoberto desejo de reformar a igreja Elim? Ou haveria Phillips simplesmente deixado de reconhecer o poder de um líder ungido por causa das crescentes responsabilidades administrativas de uma organização tão grande? Talvez nunca saibamos a resposta para essas perguntas intrigantes. Todavia, isso certamente parece ser verdadeiro em se tratando de George Jeffreys e, se ele tivesse deixado seu comprometimento com a doutrina secundária do Israelismo Britânico, submetendo-se ao conselho de alguns de seus pares de outros países, como Barratt e Pethrus, essa trágica dissensão no Corpo de Cristo poderia nunca ter ocorrido.

O Conflito Aumenta

Após a renúncia de Jeffreys, o Conselho Executivo publicou um pequeno parágrafo na revista *Elim Evangel*, dizendo que Jeffreys se demitira do Conselho Executivo e fora liberado do "aspecto burocrático da obra" a fim de ficar livre para conduzir seu ministério espiritual.[70] Todavia, Jeffreys queria que os membros da Aliança Elim soubessem que a separação ocorreu em razão de desentendimentos. Ele escreveu e distribuiu um panfleto intitulado *Porque Deixei o Movimento Elim*. Em resposta, o Conselho Executivo publicou *Uma Réplica*, que anunciava alguns dos pontos de vista conflitantes do Conselho Executivo. Cartas dessa natureza de ambos os lados foram enviadas às igrejas durante os seis anos seguintes, desmoralizando muitos de seus membros.

Jeffreys queria levar ao povo seu apelo pelo governo das igrejas locais, mas já não estava autorizado a falar em qualquer das igrejas Elim. Então, ele montou reuniões em outras igrejas para informar às congregações Elim o seu lado da história.

Um Novo Lar, Um Novo Ministério

No início de 1920, o pastor da Horbury Chapel, de Kensington, convidara Stephen Jeffreys para realizar uma campanha ali. O sucesso foi tanto que os jornais locais se referiram à igreja como a "Betesda do Extremo Ocidente", devido aos milagres que ocorreram. Pouco tempo depois, porém, o pastor de Horbury escreveu contra o pentecostalismo, especialmente o falar em línguas, o que fez Stephen não voltar lá. Em 1930, a congregação de Horbury diminuíra acentuadamente e não caminhava bem. George deu dinheiro para um terceiro comprar a igreja, com medo de que eles não a vendessem para ele. Usando o próprio dinheiro, ele manteve o edifício em uma administração separada, não pertencente ao movimento Elim. Jeffreys e vários outros membros do Grupo do Avivamento foram nomeados administradores do edifício, incluindo Darragh, McWhirter e Robert Tweed.

Após sua saída do movimento Elim, Jeffreys começou uma nova denominação, à qual chamou Bible Pattern Church Fellowship. Ele fez isso por dois motivos: (1) para manter alguns de seus jovens ministros fora da guerra; e (2) para continuar a edificar uma plataforma sobre a qual formular um melhor governo eclesiástico. Entre 1940 e 1941, vinte e cinco dos 161 ministros deixaram o movimento Elim para se unir a Jeffreys. A maioria trouxe consigo suas congregações. No início, algumas dessas congregações permaneceram nos prédios de suas igrejas. Todavia, o Conselho Executivo tomou uma posição forte acerca da propriedade de todos os bens da igreja.

Em uma decisão que, mais tarde, seria vista como extremamente reacionária, um grupo de líderes da Elim, incluindo Phillips, viajou à Portsmouth Elim Church, liderada pelo pastor Robert Mercer, que estava presente na primeira reunião da organização Elim, em 1915. Os líderes da Elim marcharam para a igreja de manhã cedo em um domingo, quando o culto estava começando, e exigiram que o pastor e a congregação saíssem do prédio. Um dos líderes da Elim caminhou até o púlpito e começou a realizar um culto. O pastor Mercer "correu pela nave da igreja, gritando: 'Esses homens vieram perturbar nossa adoração, sigam-me!'",[71] e levou a congregação para fora do prédio.

Qual foi a data dessa decisão incomum de interromper um culto destinado a honrar Jesus Cristo? Era a manhã do domingo 7 de dezembro de 1941, apenas poucas horas antes do bombardeio de Pearl Harbor e do agravamento da guerra em todo o mundo. Certamente, Satanás estava comemorando uma vitória na terra naquele dia. Essa foi outra demonstração clara de quão ridículo todo aquele conflito se tornara e de como a guerra espiritual se convertera em uma força dominante nessa trágica divisão denominacional. Enquanto o mundo inteiro enfrentava a horrível realidade de uma guerra mundial iminente, esses homens de Deus estavam lutando pelo controle de uma denominação de crentes.

Jeffreys e seus apoiadores mais próximos, incluindo Darragh, McWhirter e Edsor, bem como John Leech, mudaram sua sede para o Kensington Temple. Devido a ele e McWhirter ainda serem administradores do edifício, Jeffreys foi capaz de estabelecer ali sua sede e pregar no templo até a sua morte. A denominação Bible Pattern nunca se tornou grande; de fato, há menos de cinco igrejas ligadas à denominação em ação nos dias de hoje.

Em 1956, Jeffreys escreveu um artigo intitulado "Elim — Ontem e Hoje", no qual declarou: "A essência do motivo de minha demissão da Elim foi a recusa da maioria de meus companheiros do Conselho Executivo de me acompanharem no sentido de estabelecer a soberania da igreja local em todas as igrejas da Aliança Evangélica Quadrangular Elim. Em 1940, convoquei uma conferência de ministros e líderes da Elim que compartilhavam a minha convicção. Nesse encontro, foi fundada a Bible Pattern Church Fellowship, com base na soberania da igreja local."[72]

Jeffreys concluiu: "Foi lá atrás, em 1915, que nós, da Elim, cometemos o grande erro que moldou o destino do movimento. Não estabelecemos a soberania bíblica da igreja local na primeira igreja Elim."[73]

Durante seus mais de vinte anos como o líder do movimento Bible Pattern, Jeffreys deixou claro que considerava o Israelismo Britânico uma doutrina não fundamental, totalmente aberta à escolha do indivíduo, e não o foco principal que Phillips temera.

Ainda Pregando a Milhares

De 1933 a 1950, Jeffreys realizou uma série de avivamentos de cura no exterior, especialmente na Suíça e na França. Milhares de pessoas se entregaram a Cristo e muitas foram curadas. Mais uma vez, Jeffreys pregou perante multidões em Genebra e em Paris. Em Nice, na França, ele pregou em um cassino, caminhando entre as mesas de jogo e compartilhando a mensagem da salvação de Cristo.

Um escritor comentou acerca de uma campanha na França: "As duas maiores igrejas de La Chaux-Fonds, na França, estavam abarrotadas, e mais de mil almas foram salvas. Certamente, este deve ser um dos maiores avivamentos já testemunhados nesta adorável terra."[74]

O Dr. Emile Lanz, um dos intérpretes de Jeffreys, escreveu sobre os avivamentos de cura na Europa, dizendo: "Uma poderosa onda de avivamento quadrangular acaba de varrer a Suíça, levando milhares de almas preciosas para o Reino dos céus e trazendo encorajamento e cura física para todos os tipos de doenças e enfermidades a milhares de pessoas."[75]

Jeffreys continuou amigo íntimo do reverendo Lewis Pethrus, da Suécia, e de T. B. Barratt, da Noruega, porque eles eram os líderes dos movimentos pentecostais em seus países, mas também devido a crerem firmemente na soberania da igreja local e em seu apoio contínuo durante a luta de Jeffreys para reformar o movimento Elim.

Em 1960, Jeffreys recebeu um telegrama do pastor A. Hunziker, de Genebra, reconhecendo o papel de Jeffreys na fundação de sua igreja naquele local, 25 anos antes: "Para o nosso 25º aniversário, nossa igreja se recorda e envia-lhe, caro dirigente, nossa gratidão e nosso amor".[76]

Em maio de 1960, os ensinamentos de Jeffreys foram fundamentais para a cura da Sra. Margery Stevens, da Inglaterra, que estava em estado crítico — paralisada, confinada a uma cadeira de rodas e alimentada a cada refeição por seus pais. Os ensinamentos que a família recebera de Jeffreys durante anos haviam fortalecido a fé no coração dela. Certo dia, enquanto orava, ela recebeu uma visão de sua cura. Cinco meses depois, o Senhor fez acontecer exatamente como ela visualizara. Ela deu o testemunho de sua cura a "um público fascinado" no domingo seguinte, na People's Church, em Clapham, Londres, com Jeffreys como ministro presidente.

Servindo ao Senhor Até o Fim

Em uma noite de domingo, 14 de janeiro de 1962, Jeffreys ministrou no Kensington Temple, em Londres, ainda pregando a Palavra com poder. No encerramento do culto, ele fez um apelo apaixonado para que perdidos aceitassem o chamado de Cristo. O culto terminou com uma canção galesa sobre o perdão gratuito de Cristo.

Na terça-feira seguinte, Jeffreys visitou casas de pessoas necessitadas e impôs as mãos sobre os enfermos. Na noite de sexta-feira, 25 de janeiro, ele viajou por toda Londres com Albert Edsor, colando anúncios das reuniões anuais da segunda-feira de Páscoa, que seriam realizadas no Westminster Central Hall. Na manhã seguinte, às nove horas, um amigo entrou no quarto de Jeffreys e descobriu que ele fora para o Senhor. Em 26 de janeiro de 1962, um mês antes de seu aniversário de setenta e três anos, o amado fundador do movimento Elim terminara seu percurso nesta Terra.

Apenas cinco semanas antes, E. J. Phillips e sua esposa Molly haviam feito uma visita a Jeffreys. Foi a primeira vez que eles se falaram após muitos anos. Os dois lados fizeram algumas tentativas de reconciliação. Após a morte de Jeffreys, Phillips escreveu uma homenagem a ele na revista *Elim Evangel*, intitulada "Um Tributo a Um dos Maiores Evangelistas da Grã-Bretanha".

O funeral de Jeffreys foi realizado no dia 1º de fevereiro de 1962, no Kensington Temple. Mais de mil pessoas vieram de toda parte das Ilhas Britânicas para prestar homenagem a esse apóstolo do Senhor. Juntaram-se aos membros da Bible Pattern Church Fellowship os crentes da Elim, das Assembleias de Deus e de outras denominações de todo o país, bem como enviados de igrejas da Suécia, Suíça e França.

A congregação reverente derramou lágrimas enquanto o pastor R. G. Tweed, secretário da Bible Pattern Fellowship, lia a Bíblia, e Albert Edsor, amigo íntimo de Jeffreys, tocava piano para ele uma última vez. Faltou o mais querido colega de Jeffreys no Grupo do Avivamento, R. E. Darragh, que morrera três anos antes, no septuagésimo aniversário de Jeffreys.

Em sua homenagem ao amado dirigente, Edsor compartilhou o seguinte: "Jeffreys era um fiel homem de Deus, um homem destemido e um destacado pescador de vidas para Deus... Ele era, acima de tudo, um notável conquistador de almas e um dos maiores evangelistas do século 20, permanecendo ativo em seu serviço honrado a Deus pelos perdidos e pelos doentes no corpo até o fim."[77]

Após o culto, a congregação foi ao cemitério e "multidões enchiam os degraus; multidões enchiam o pátio; multidões se aglomeravam nas ruas; com muitos carros e táxis contratados para a ocasião".[78] Um participante comentou, nostalgicamente, que foi "o funeral de um príncipe" — este era o apelido usado para Jeffreys pelos mais próximos a ele.[79]

Servindo Juntos Novamente

Depois de Jeffreys se demitir do Elim, E. J. Phillips permaneceu como secretário geral da denominação durante quase trinta anos mais. Todo esse tempo, ele se manteve totalmente comprometido com o trabalho do movimento. Após alguns anos de doença, Phillips morreu em 5 de setembro de 1973, aos setenta e nove anos. Ele havia servido no movimento Elim durante mais de cinquenta anos. Enquanto Phillips se manteve no comando, ninguém tentou desafiar sua autoridade. Ao longo da década de 1950, Phillips serviu em nada menos do que dez das treze comissões formadas para administrar diversos aspectos da denominação. Acreditando ser para o melhor interesse das igrejas Elim, mantivera pessoalmente o controle central.

Por ser um administrador sem os cinco dons ministeriais, a liderança de Phillips foi de manutenção, não sendo marcada pela evangelização agressiva e implantação de igrejas. Permanece a pergunta: quando Phillips assumiu o controle do movimento Elim, isso resultou em uma igreja estável ou estagnada? David Neil Hudson observa, em sua tese acerca da cisão do movimento Elim, que "em 1973, o Elim não havia se alterado essencialmente desde 1940".[80] Durante seu tempo como pastor sênior do Kensington Temple, Wynne Lewis fez uma observação referente ao conflito em Elim: "Eles expulsaram o espírito apostólico e tomaram a mão morta do espírito administrativo para liderar a denominação."[81]

Em 1984, o Comitê Consultivo de nove membros da Bible Pattern Church Fellowship se uniu à Aliança Evangélica Quadrangular Elim. Vinte e dois anos após a morte de Jeffreys e onze anos após a de Phillips, as duas denominações pentecostais se uniram mais uma vez para servir ao Senhor. Muitas das coisas que George Jeffreys pregara fazem parte, agora, das igrejas Elim.

Hoje, o movimento Elim continua a crescer e florescer, com quinhentos e cinquenta igrejas no Reino Unido, e sua obra se estende para mais de quarenta nações de todo o mundo.

Hoje, o movimento Elim continua a crescer e florescer, com quinhentos e cinquenta igrejas no Reino Unido, e sua obra se estende para mais de quarenta nações de todo o mundo.

A Unção Apostólica no Kensington Temple

George Jeffreys deixou um legado para o Corpo de Cristo. Ele se moveu em um dinâmico ministério apostólico por toda a Grã-Bretanha, e grande parte de seu manto apostólico agora está sobre o Kensington Temple, em Notting Hill, na parte oeste de Londres. Nos anos seguintes à morte de Jeffreys, o Kensington Temple ficou vazio, sem congregação para chamá-lo de lar. A Elim Trust Corporation comprara os direitos de propriedade de um administrador remanescente, mas não havia ninguém para ocupar o púlpito.

Em 1965, o Conselho Executivo da Elim pediu a Eldin Corsie, um pastor da Elim, para levar sua pequena congregação de cinquenta membros para o impressionante Kensington Temple a fim de iniciar uma nova obra. Os pais de Corsie haviam se convertido, anos antes, na campanha de Jeffreys em Birmingham. Depois que o prédio há muito tempo negligenciado foi totalmente limpo, os cultos começaram com fervor. No decorrer de um ano, a congregação cresceu consideravelmente. Corsie e seus voluntários começaram a limpar o porão para a expansão, e o que eles descobriram inflamou em seu íntimo uma paixão pelos milagres durante vários anos: armazenadas sob o chão da igreja principal estavam numerosas muletas, cadeiras de rodas e próteses de pernas que haviam sido descartadas após curas milagrosas nas reuniões de avivamento ali realizadas. A fé nas coisas milagrosas e a certeza do poder de Deus percorreram o espírito do pastor. Ao longo dos quinze anos seguintes, Corsie edificou uma igreja na qual a liberdade do Espírito era bem-vinda, juntamente com o ministério profético e a adoração avivalista.

O Kensington Temple continuou a crescer em seus esforços evangelísticos e resultados milagrosos sob o ministério do pastor sênior Wynne Lewis, de 1980 até 1991. Visionário e organizador habilidoso, mas também sensível ao Espírito Santo, Lewis aproveitou a oportunidade de ministrar aos estrangeiros estabelecidos em Londres. Por meio de seu evangelismo, o Kensington Temple se tornou um tremendo centro transcultural para crentes em Cristo, crescendo de quinhentos para cinco mil membros. Ao permitir que as culturas individuais se reunissem em comunidades eclesiásticas separadas e pregassem o evangelho em seus idiomas nativos, a congregação de Kensington promoveu um trabalho que floresceu. Conduzido pelo Espírito, Lewis convocava reuniões de cura nos cultos da igreja e as pessoas eram curadas.

Na década de 1980, um jovem pastor, Colin Dye, se uniu ao Kensington Temple. Ele fundou um seminário bíblico a fim de treinar homens e mulheres para a obra do ministério e para enviá-los para servir a Deus no mundo todo. Hoje, o International Bible Institute of London (IBIOL) continua a treinar alunos e a enviá-los para as searas de Deus.

De acordo com seu site, "O IBIOL opera sob um manto apostólico e profético, com a tarefa de preparar o povo de Deus para os ministérios de apóstolo, profeta, evangelista, pastor e mestre, e vê-lo cumprir seu propósito e destino como discípulos radicais de Jesus".[82]

Quando Wynne Lewis renunciou, em 1991, para assumir um novo papel de liderança no Elim, Colin Dye se tornou o pastor sênior do Kensington Temple. Sob sua liderança, a congregação cresceu de cinco mil para vinte e cinco mil membros, com mais de dez mil membros envolvidos em grupos de células da igreja.

Hoje, o Kensington Temple valoriza sua história e está seguindo os passos de seu fundador. Embora sempre tenham reverenciado sua história, hoje eles são capazes de discuti-la sem temor. Seu web site fala abertamente acerca do papel de Jeffreys como o fundador do movimento Elim:

> Nós, do Kensington Temple, reconhecemos os fundamentos apostólicos de nosso ministério atual. Mais do que qualquer movimento ou tendência espiritual moderna, nosso futuro é firmado nos alicerces lançados pelo trabalho apostólico de George Jeffreys. Salvação, curas, milagres, obra missionária, implantação de igrejas, ministérios de libertação, avivamento — essa era a visão de George Jeffreys, que lançou os fundamentos do ministério do Kensington Temple e cuja visão nos lançará em direção ao futuro.[83]

O Legado de um Evangelista

No fim de 1961, Reinhard Bonnke, um jovem alemão estudante da Bíblia, estava andando pelas ruas de Clapham, em Londres, com algumas horas de folga antes de sua viagem para casa. Ele estava indo à Alemanha, saindo do Bible College of Wales, em Swansea, onde estava sendo treinado para o ministério. Olhando para as casas ao seu redor, Bonnke reconheceu repentinamente o nome de George Jeffreys em uma placa do lado de fora de uma casa semelhante a um castelo.

Bonnke bateu animadamente na porta e perguntou se poderia ver Jeffreys, que ele sabia ser o maior evangelista inglês desde John Wesley. A empregada estava prestes a dispensar Bonnke quando o próprio Jeffreys veio até a porta e o convidou a entrar. Bonnke sentia ter sido "transportado para a morada de um apóstolo".[84] Eles conversaram durante algum tempo acerca do mundo perdido e da necessidade geral do evangelho de Jesus Cristo; então, Jeffreys estendeu a mão e as impôs sobre a cabeça do jovem. Ele orou por seu ministério e pela capacitação de Deus para o evangelismo. Até hoje, Bonnke acredita que foi nesse momento que ele recebeu sua poderosa unção. "Agora percebo ter sido essa a minha verdadeira ordenação, por Deus, como evangelista."[85]

Na última metade do século 20 e início do século 21, Bonnke provou ser, de fato, um evangelista mundial, especialmente na África, onde suas campanhas de evangelização ao ar livre atraíram multidões que chegaram a um milhão e meio de pessoas,[86] seguidas por sinais e prodígios de um evangelista de cura.

E assim, o manto de George Jeffreys continua em grande atividade por intermédio da unção do Kensington Temple e do ministério do evangelista Reinhard Bonnke, que difunde a poderosa mensagem do evangelho como Jeffreys fazia na primeira metade do século 20.

Albert Edsor, amigo de Jeffreys durante toda a sua vida e integrante do Grupo do Avivamento, disse acerca de Jeffreys após sua morte:

> Até o fim de sua peregrinação terrena, ele esteve engajado na busca dos doentes da alma e na oração pelos doentes do corpo. Somente o tempo revelará a magnitude de sua missão e a extensão de sua poderosa influência para o Reino de Deus, e a história será mais gentil com ele do que seus críticos e contemporâneos, que julgaram mal a ele e ao que ele representava. Com o passar do tempo, *sua estatura espiritual será aumentada*, e a marca de sua integridade e sinceridade *em seu ministério — dado por Deus e honrado por Deus — será mais valorizada.*[87]

E é assim que George Jeffreys é lembrado hoje.

CAPÍTULO DOIS

NOTAS FINAIS

35. George Jeffreys, *Healing Rays* (London: Elim Publishing Company, 1932), 56.
36. Desmond Cartwright, *The Great Evangelists: The Remarkable Lives of George and Stephen Jeffreys* (Hants, England: Marshall Pickering, 1986), 33.
37. Elim Evangelistic Minute Book. Ver Albert Edsor, *George Jeffreys: Man of God* (London: Ludgate Press, 1964), 23. O Minute Book original é agora mantido no Donald Gee Centre, no Mattersey Hall College and Graduate School, Doncaster, Inglaterra.
38. Ibid.
39. Cartwright, *The Great Evangelists*, 47.
40. Ibid., 76.
41. Ibid., 82.
42. Jeffreys, *Healing Rays*, 180.
43. Ibid., 181.
44. Ibid., 203.
45. Ibid., 205.
46. Cartwright, *The Great Evangelists*, 90.
47. Jeffreys, *Healing Rays*, 180.
48. A hidropsia é atualmente conhecida como *edema*.
49. Jeffreys, 188.
50. Ibid., 189.
51. David Neil Hudson, "A Schism and Its Aftermath: An Historical Analysis of Denominational Discerption in the Elim Pentecostal Church, 1939–1940" (Ph.D. diss., King's College, 1999), 98.
52. Albert W. Edsor, *George Jeffreys Man of God* (Londres: Ludgate Press Limited, 1964), 95.
53. Hudson, "A Schism and Its Aftermath", 131.
54. Jeffreys, *Healing Rays*, 116.
55. Ibid., 121.
56. Ibid., 126.
57. Ibid., 134.
58. Ibid., 111.
59. Hudson, "A Schism and Its Aftermath", 71.
60. Ibid., 249.
61. Edsor, *Man of God*, 81.
62. Hudson, "A Schism and Its Aftermath", 186.
63. Ibid., 259.
64. Ibid., 267.
65. Ibid.
66. Ibid., 268.
67. Ibid.

68. Ibid., 138.
69. Ibid., 97.
70. Cartwright, *The Great Evangelists*, 155.
71. Hudson, “A Schism and Its Aftermath”, 305.
72. Edsor, *Man of God*, 83.
73. Ibid.
74. Cartwright, *The Great Evangelists*, 128.
75. Edsor, *Man of God*, 46.
76. Ibid., 48.
77. Ibid., 140.
78. Ibid., 142.
79. Ibid.
80. Hudson, “A Schism and Its Aftermath”, 150.
81. Ibid.
82. <http://www.kt.org/ibiol/>.
83. <http://www.kt.org/apostolicfoundation/>.
84. Reinhard Bonnke, “My Jubilee — 50 Years of Evangelism”, 10 de novembro de 2009, <http://uk.cfan.org/article.aspx?id=10655&page=2>.
85. Ibid.
86. <http://us.cfan.org/Reinhard-Bonnke-Biography.aspx>.
87. Edsor, *Man of God*, 144.

★★★★★

Capítulo Três

LESTER SUMRALL

"Correndo com uma Visão Celestial"

"CORRENDO COM UMA VISÃO CELESTIAL"

Na manhã de seu aniversário de 17 anos, Lester Sumrall estava morrendo. Após meses acamado com tuberculose, seu fim estava próximo. Todos concordavam que sua vida estava terminando. A tosse que torturava seus pulmões estava fora de controle. Seu travesseiro, salpicado do sangue dos espasmos sofridos durante toda a longa noite, era testemunha de sua vida despedaçada.

Esse dia fatídico, 15 de fevereiro de 1930, foi um dia sofrido. O jovem extremamente magro, pesando quarenta e dois quilos, começou a tossir pedaços de tecido que o médico declarou fazerem parte de seus pulmões. Balançando a cabeça em sinal de derrota, o médico entrou no quarto de Lester pela última vez.

— Em duas horas, seu garoto estará morto — disse ele com pesar a George e Betty Sumrall. — Esse é o estertor da morte em sua garganta agora, e a coloração azulada no rosto dele significa que ele não está recebendo sangue suficiente no cérebro para que o corpo viva. Ele morrerá esta noite.[88]

O médico deixou a casa dos Sumrall e voltou ao seu consultório para escrever o atestado de óbito de Lester. Ele deixou o momento exato da morte em branco, sabendo que era apenas um detalhe administrativo fácil de preencher. George Sumrall precisaria pegar o atestado de óbito logo no início da manhã, para poder ir comprar uma sepultura para seu filho.

George Sumrall era um homem rude que quase não acreditava em Deus e, definitivamente, não cria no poder da oração. Ele deixou o leito de morte de seu filho com uma mistura de tristeza e raiva. Betty Sumrall era o oposto. Como uma cristã firme no poder de Jesus Cristo para salvar e curar, ela não estava pronta para desistir de seu filho. Ela ficou ao lado da cama de Lester, chorando e orando a Deus para intervir e salvar a vida de seu menino.

À medida que a noite se tornava mais escura, Lester ficava mais amedrontado. Seria o fim de sua vida com apenas dezessete anos de idade? Oh Deus, ele não queria morrer. Deitado na cama com dores, Lester virou o rosto para a parede. De repente, ele piscou os olhos e se viu olhando para uma visão de um caixão suspenso no ar, aberto e inclinado em sua direção. As paredes internas eram forradas com um material branco sedoso, preparado para um corpo do seu exato tamanho. Ele sabia que o caixão era para ele.

Após Lester expressar sua disposição de submeter-se, algo se abriu no interior de seu coração. Ele se converteu a Deus, clamou pelo perdão dos seus pecados e pediu a Jesus Cristo para salvá-lo.

Virando a cabeça para o outro lado com medo, Lester teve outra visão — dessa vez, ele viu uma Bíblia gigantesca. Ela se estendia do teto ao chão com letras enormes em suas páginas. Enquanto olhava assombrado, Lester ouviu Deus falar ao seu coração:

— Esta noite, você escolherá aquele caixão ou aquele livro. Eu quero que você pregue a Minha Palavra, ou esta noite você morrerá.[89]

Lester havia fugido do pensamento de ser um pregador durante toda a sua jovem vida, mas de modo algum ele queria morrer. Então, ele confiou na Palavra de Deus e concordou, dizendo:

— Deus, se a única maneira para eu viver é pregar, então eu pregarei.

Após Lester expressar sua disposição de submeter-se, algo se abriu no interior de seu coração. Ele se converteu a Deus, clamou pelo perdão dos seus pecados e pediu a Jesus Cristo para salvá-lo.

Enquanto sua mãe tinha um sono agitado em uma cadeira próxima ao pé de sua cama, Lester Sumrall se tornou uma nova criatura em Cristo. Ele ainda era um menino cheio de perguntas e questionamentos, mas agora pertencia ao Rei dos reis. Adormeceu um adolescente terminalmente doente e acordou na manhã seguinte totalmente curado!

"Mamãe, por favor, traga-me alguma coisa para comer" — foram as primeiras palavras de Lester na manhã seguinte. Sua mãe não podia acreditar no que ouvia e tentou convencê-lo a não comer. Então, pensando estar lhe dando sua última refeição, a mãe de Sumrall foi e encheu um prato de sobremesa para ele. Ele "limpou" o prato sem nenhum problema e assustou a mãe com sua próxima declaração: "Mamãe, você não precisa mais daquele médico. Estou curado e serei um pregador."[90] Com os olhos cheios de lágrimas e o coração cheio de alegria, a mãe de Lester louvou ao Deus vivo. Os desejos de seu coração haviam sido respondidos. Seu menino foi salvo, milagrosamente curado e chamado a pregar!

O Gigante Missionário de Deus

Para esse menino pobre do sul dos Estados Unidos, que cresceu perto das praias de Pensacola, na Flórida, a dramática convocação para pregar se tornaria um chamado estrondoso que daria a volta ao mundo com a mensagem de Jesus Cristo. O ministério de Lester Sumrall se estenderia durante quase todo o século 20. Ele se tornou um missionário dedicado somente a Jesus e à mensagem da salvação, e suas viagens apaixonadas o levaram a cento e dez países e milhares de cidades, para difundir o evangelho da salvação que transforma vidas por meio de Jesus Cristo.

Ao longo de seus anos de ministério, Lester viu o Senhor se mover de maneiras poderosas e tocar o mundo com o Seu Espírito Santo.

Ele escreveu:

> Estive em cada mover de Deus que se manifestou durante todo o século 20. Cresci sob os efeitos do mover pentecostal de Deus [começando com o avivamento da Rua Azusa]. Após a Segunda Guerra Mundial, vi o movimento Chuva Serôdia... Depois disso, o Avivamento de Cura [com as enormes tendas dos ministérios], do qual fui participante efetivo. Depois, vi o Avivamento Carismático e o movimento Palavra de Fé que se seguiu. Eu o apoiei e me tornei parte desse fluir do Espírito de Deus. Agora, estou pronto para o último derramamento de Deus na face da Terra![91]

Mais do que uma voz para as multidões, Lester Sumrall foi um genuíno pai da fé para muitos jovens pregadores do evangelho — incluindo este autor, quando eu era um jovem pastor. Vi pela primeira vez Lester Sumrall em Tulsa, Oklahoma, em uma das conferências Explosão da Palavra, de Billy Joe Daugherty. Anos mais tarde, finalmente o encontrei pessoalmente, enquanto viajava pela Europa. Nesse encontro, ele disse rispidamente: "Eu tomo o café da manhã às 7h30; você deveria estar lá." Na manhã seguinte, após o café, ele deixou escapar: "Eu moro em South Bend. Você deveria me visitar." Eu realmente não soube se era um convite sério ou apenas uma conversa educada. Seis semanas depois, porém, recebi um telefonema da secretária de Sumrall, que disse: "Ficamos imaginando onde você estava. O Dr. Sumrall havia dito que você faria uma visita." Contei a ela minha impressão de que o Dr. Sumrall só estava sendo educado. Ela respondeu: "O Dr. Sumrall não diz coisas educadas." Assim começou meu relacionamento com esse grande herói da fé. Ele foi meu pai espiritual e mentor durante muitos anos, sempre proferindo palavras corajosas de incentivo e força à medida que eu crescia no serviço ao Senhor. Sua história e sua vida são um exemplo brilhante de liderança cristã, sacrifício e devoção.

As Orações de uma Usina de Força Espiritual

Quando menino, Lester Sumrall era o último garoto da vizinhança que você poderia esperar tornar-se um pregador. Seu pai era um homem rude e batalhador, forte e intempestivo, e Lester queria ser exatamente como ele. Betty Sumrall era uma cristã corajosa que fora salva e batizada com o Espírito Santo muito antes de se casar com seu marido. Ela abandonou o chamado de ser uma missionária para se casar com George Sumrall, marido viúvo de sua irmã, e cuidar de seus quatro filhos. Ela passava seus dias orando para que os filhos aceitassem o desafio e levassem o evangelho aos perdidos.

Lester Sumrall Frank nasceu em 15 de fevereiro de 1913, o sexto filho em um lar que já parecia ter filhos demais. Em mais de uma ocasião, seu pai lhe disse que ele realmente não era desejado. Mesmo assim, seus pais tiveram mais três filhos depois dele.

Apesar da atitude fria de seu pai, Lester desejava ser forte e agressivo, exatamente como ele. Se havia uma briga no pátio da escola, Lester estava no meio dela. Se havia uma necessidade financeira na família, Lester encontrava algo para vender ou alguém para intimidar a fim de conseguir dinheiro. Se havia um filho de pastor que precisava "receber uma lição", Lester ficava feliz por constrangê-lo com todo o desprezo que sentia por pregadores *e* suas famílias. A cada ação imprudente, a mamãe Sumrall orava fielmente a Deus para usar seu filho cabeça-dura para pregar a Sua mensagem de salvação até os confins da terra.

Guerreiros de Oração

Todas as manhãs, ao entrar na sala de estar, Lester encontrava o Grupo de Oração das Senhoras, que se reunia em sua casa todos os dias. Essas mulheres de saias longas, com penteados recatados e sem maquiagem eram brasas da fé. Elas clamavam pelas bênçãos do céu ao orar pelas necessidades da igreja, por suas famílias, seus vizinhos e por todo o mundo. Foi por intermédio de sua fé e orações que Lester Sumrall viu pela primeira vez o poder do Espírito Santo para curar.

Quando menino, Lester teve uma doença chamada pelagra, causada pela deficiência de certas vitaminas. Antes considerada uma espécie de lepra, ela causou lesões que queimavam, primeiramente em sua pele e, depois, em todo o seu sistema digestivo, tornando quase impossível para ele se alimentar. Sua pele era extremamente dolorosa ao toque. O médico declarou que a doença era fatal, mas o Grupo de Oração das Senhoras tinha algo a dizer sobre isso! Depois que elas impuseram as mãos sobre Lester e elevaram seus clamores ao céu diariamente, ele ficou totalmente curado.[92]

Alguns anos mais tarde, a Sra. Sumrall foi diagnosticada com um câncer aberto e hemorrágico na mama. A ajuda dos médicos era muito limitada, e eles não tinham certeza do que fazer, mas nada limitava a mão de Deus. A Sra. Sumrall sabia a resposta — ela era uma "incessante guerreira de oração" e, assim, orou a um Deus poderoso que atende aos clamores de Seus filhos.

Certa noite, enquanto orava, ela teve uma visão de Jesus entrando em seu quarto e tocando-a. Na manhã seguinte, à mesa do café da manhã, ela anunciou: "Jesus entrou em meu quarto ontem à noite e eu estou curada."[93] O pai de Lester grunhiu em desaprovação, mas apenas três dias depois, ela saiu de seu quarto com uma massa de tecido humano em suas bandagens. Lester nunca esqueceu o que aquilo parecia. Havia um centro redondo e ramos que se estendiam a partir dele. Era o tumor canceroso — e estava fora de seu corpo!

A Sra. Sumrall clamou ao Senhor com sua fé sincera, e Ele lhe respondeu com uma tremenda cura. Ela serviu ao Senhor durante mais quarenta e cinco anos antes de se juntar a Ele no céu!

Saindo de Casa com Atitude

A despeito das orações de sua mãe e dos livramentos milagrosos que via à sua volta, Lester se determinou a evitar qualquer contato com Deus. Mesmo frequentando os cultos da igreja com sua mãe, ele compartilhava a opinião de seu pai, de que todos os pregadores eram parasitas que viviam à custa dos outros.

Lester abandonou a escola aos dezesseis anos e passou seus dias pescando e procurando maneiras de ganhar dinheiro fácil. Foi então que a tuberculose o atingiu violentamente. Após meses de tentativas de combater a doença, Lester se aproximava de seu fim prematuro. À beira da morte e da revelação, ele teve as visões do caixão e da enorme Bíblia, fazendo após isso a escolha que mudaria sua vida para sempre. A cura instantânea e total da tuberculose de Lester estabeleceu firmemente sua crença em um Deus que ainda cura hoje.

George Sumrall estava feliz por seu filho ter sido curado, mas não tinha certeza de como isso acontecera. Ele estava animado com a capacidade natural de Lester de se dar bem no mundo dos negócios, por isso presumiu que o jovem iria voltar a ganhar dinheiro para ajudar nas necessidades da família. Contudo, três semanas após sua cura milagrosa, Lester ouviu o Senhor lhe dizer mais uma vez: "Você precisa pregar a Minha Palavra!"

Com determinação, Lester se dirigiu ao seu resoluto pai e explicou que sairia de casa para pregar o evangelho. Ele acreditava que obedecer a Deus era a única coisa que poderia mantê-lo vivo! Furioso, o pai rugiu diante daquela "estupidez", proibindo-o de fazê-lo, e saiu de casa pisando duro. Com lágrimas nos olhos, Lester correu para seu quarto e suplicou ao Senhor por uma resposta que resolvesse esse conflito. Ele deveria obedecer ao seu pai terreno ou seguir o chamado de Deus? O Senhor respondeu à oração de Lester com uma passagem da Bíblia. Aquela seria a primeira de centenas de vezes, ao longo de sua vida, em que o Senhor usaria Sua Palavra direta para dar a Lester Sumrall orientação e direção.

Com determinação, Lester se dirigiu ao seu resoluto pai e explicou que sairia de casa para pregar o evangelho.

A passagem de Isaías 41:10 causou uma impressão permanente no coração de Lester. Ela diz: "Não tema, pois estou com você; não tenha medo, pois sou o seu Deus. Eu o fortalecerei e o ajudarei; eu o segurarei com a minha mão direita vitoriosa." "Tudo bem, Senhor", respondeu Lester. "Se Tu estás comigo, eu estou pronto para ir."[94] Com a garantia clara de Deus, Lester encheu uma pequena sacola com seus pertences e se preparou para sair de casa.

Dar um beijo de despedida em sua mãe chorosa foi difícil, mas ele sabia que tinha de ir. "Você orou durante anos para que eu fosse um pregador. Agora que vou fazer isso, você ainda está chorando", disse-lhe ele.[95] Com firme determinação, Lester fez sua mãe saber que ele não voltaria para casa. Ele iria pregar para Deus e ficaria fora, fazendo a vontade dele, pelo resto de sua vida.

Nada poderia ter preparado aquele rapaz magro, de dezessete anos de idade, para as aventuras que Deus tinha reservadas para ele ao longo dos próximos sessenta e seis anos de sua vida!

Indiferente aos Perdidos

Você se lembra de como Jonas se recusou a ir a Nínive porque não queria que o povo daquela cidade fosse salvo? Embora Lester estivesse saindo de casa pelo chamado de Deus, ele realmente não se importava com as pessoas perdidas do mundo. Ele estava disposto a pregar a Palavra, como ouvira homens de Deus fazerem quando era apenas um menino, mas se as pessoas responderiam ou não ao seu apelo não significava quase nada para ele.

Lester Sumrall como evangelista adolescente

Lester deixou a cidade com apenas uma mala. Ele estava acompanhado por um amigo da igreja, que queria ir com ele por causa da aventura. Esse jovem também ajudaria a ministrar o louvor antes de Lester pregar. *Para onde devemos ir?* — imaginavam eles.

Depois de seu primeiro dia dirigindo pelas estradas rurais do norte da Flórida, eles viram uma velha escola vazia em um campo. Ao procurar nas proximidades alguém que soubesse algo acerca do prédio, Lester encontrou o agricultor que era o proprietário. Ele pediu ao homem para usar a escola para pregar. O agricultor, relutante, procurou em seu macacão sujo e tirou um molho de chaves. Com um sorriso, Lester informou ao homem que ele estaria pregando lá naquela noite e o convidou a ir.

Lester estava determinado a cumprir o chamado de Deus para sua vida. Exatamente oito agricultores chegaram à escola na primeira noite para ouvir o adolescente magro pregar o evangelho. Aqueles homens vieram para se divertir e ridicularizá-lo; eles riram do testemunho de sua cura e pensaram que Lester estava inventando as histórias![96] *O que estou fazendo aqui?* — perguntou Lester a si mesmo.

Surpreendentemente, na segunda noite, quarenta pessoas chegaram cedo à escola e esperaram do lado de fora da porta. Elas queriam ouvir o divertido pregador contador de histórias. Assim, durante várias noites, Lester continuou contando sua história de salvação e cura e, a cada noite, mais pessoas vinham ouvi-lo. Em pouco tempo, elas pararam de rir de sua mensagem e começaram a ouvir o evangelho da salvação apresentado pela Palavra de Deus.

Embora Lester ainda pouco se importasse com as pessoas, elas iam ao altar a cada noite, para receber Jesus Cristo como Senhor e Salvador. Em sua indiferença para com os perdidos, Lester fazia o chamado ao altar e, em seguida, saía pela porta, sem esperar para orar com qualquer pessoa ou até mesmo ver quem fora ao altar para se arrepender. Ele estava pregando para se manter vivo — aquilo tudo era apenas parte de seu acordo com Deus. E, em sua visão, as consequências de sua pregação eram totalmente decisão de Deus.

Após Lester ter concluído seis semanas de cultos de avivamento, os recém-salvos começaram a pedir para serem batizados nas águas. Mais de sessenta pessoas caminharam até o riacho local e foram batizadas pelo "Pequeno Pregador", como elas o chamavam.[97] Recordando-se do que vira outros ministros fazerem no passado,

Lester batizou essas pessoas em nome do Pai, do Filho e do Espírito Santo, e elas começaram a andar em novidade de vida. Ainda assim, para esse pregador com então dezoito anos de idade, era como se ele simplesmente se apresentasse em um palco, separado de alguma maneira da realidade dos corações e vidas que se transformavam à sua volta. Ele apenas observava enquanto Deus cuidava das pessoas que eram atraídas ao evangelho.

Viajando por toda a Flórida, Louisiana e Tennessee, Lester continuou a pregar com zelo extremo em cada igreja que o convidava, mas não sentia compaixão por aqueles que vinham para ouvir. Ele sentia raiva e aversão por essas pessoas, com muito mais frequência do que era simpático e acolhedor para com elas.

A Estrada para o Inferno

Então, certa noite, tudo isso mudou.

Um avivamento em grande escala estava acontecendo em uma pequena escola da região rural do Tennessee, onde Lester estava pregando. O culto começou e louvores alegres estavam sendo entoados ao Senhor, em uma harmonia animada. De repente, a cena à frente de Lester mudou drasticamente. Ele já não estava sentado no salão da escola, nem via mais alguém ou alguma coisa à sua volta.

Lester estava recebendo sua segunda visão de Deus, ainda mais dramática do que a primeira. Era uma visão que ele viria a compartilhar com milhões de pessoas no mundo todo pelo resto de sua vida.

Com os olhos escancarados, Lester viu uma grande estrada tomada pelos povos do mundo. Todas as nações estavam representadas. Ele as viu vestidas com os coloridos trajes nativos respectivos de cada país, caminhando juntos como um conjunto de toda a humanidade: japoneses, chineses, africanos, europeus, norte-americanos e outros, todos caminhavam juntos rapidamente ao longo da estrada. Lester percebeu que estava vendo a rodovia da vida.

Na visão, ele subiu com o Espírito Santo acima da estrada lotada e viajou até o fim dela. O que ele viu em seguida foi assustador e transformou sua vida para sempre. Diante dele havia "um furioso inferno sem fim que parecia um vulcão em erupção. Aquela vasta procissão de pessoas marchava até a borda e, em seguida, caía gritando nas chamas eternas. Ao se aproximarem do poço e virem seu destino, elas lutavam em vão, tentando forçar sua volta contra a marcha implacável daquelas que vinham atrás delas. O grande e caudaloso rio da humanidade as varria para o abismo".[98]

Você É Culpado!

Que cena horripilante! Lester via as massas que gritavam desesperadas, agarrando o ar enquanto tentavam salvar-se de seu destino. Ele via o mundo descendo para o inferno. As palavras de Deus vieram claramente à mente de Lester e o chocaram até o mais profundo de seu ser.

— *Você é responsável pelos que estão perdidos* — o Senhor lhe disse.

— Eu, Senhor? Eu não conheço essas pessoas. Não sou o culpado — respondeu ele apressadamente.[99]

A resposta do Senhor a Lester foi rápida e certeira. E, mais uma vez, foi um versículo da Bíblia, Ezequiel 3:18: "*Quando eu disser a um ímpio que ele vai morrer, e você não o advertir nem lhe falar para dissuadi-lo dos seus maus caminhos para salvar a vida dele, aquele ímpio morrerá por sua iniquidade; mas para mim você será responsável pela morte dele.*"[100]

Declarando sua inocência ao Senhor, Lester olhou para baixo e viu uma imagem de sangue correndo por entre seus dedos em um fluxo contínuo. Deus estava falando sério. Havia milhões de pessoas perdidas por toda a eternidade no mundo todo, e o chamado do Senhor a Lester Sumrall era ir e contar-lhes acerca da verdade surpreendente do amor de Deus.

Tão de repente quanto começara, a visão terminou e Lester estava sentado sozinho na velha e escura escola. Levantando-se e olhando ao redor, ele teve dificuldade para se orientar. Por quanto tempo estivera sentado ali, assistindo à humanidade mergulhar nas chamas do inferno? Todos haviam se retirado em silêncio, cancelando o culto e deixando-o sozinho para comunicar-se com Deus. As pessoas levaram suas lanternas de volta e a única coisa que iluminava a escola naquele momento era a lua.[101]

Caindo de joelhos naquela escola rural, Lester começou a chorar e lamentar, das profundezas de sua alma, por si mesmo e pelas pessoas do mundo. "Pedi perdão por não amar o perdido, o último e o menor deste mundo", declarou ele mais tarde.[102] Ele implorou a Deus para perdoá-lo por seus pecados e por não amar aqueles que estavam perdidos e morrendo à sua volta.

Com a luz do Espírito de Deus queimando em seu coração, esse jovem pregador pediu ao Senhor para revelar-se a ele. Lester passou a noite lutando em oração, agonizando perante o Senhor até o sol da manhã brilhar através das janelas da escola.[103]

Aquela visão fora tão vívida e tão aterrorizante, que Lester a guardou para si durante vários anos. Contudo, ele nunca se esqueceu dela e, daquele dia em diante, proclamou o evangelho de Jesus Cristo a toda alma que quisesse ouvir. Sua congregação passou a ser todo o planeta, e ele procurava oportunidades para pregar aonde quer que fosse.

"Eu Ungi Você"

O Senhor tem muitas maneiras diferentes de falar aos Seus servos. Para Lester Sumrall, como mencionei anteriormente, em momentos de decisão ou dificuldade, Deus respondeu às suas orações colocando versículos bíblicos em seu coração. Em seu quarto, dois anos antes, quando Lester lutara para deixar sua família para pregar, Deus o encorajara com Isaías 41:10: "Não tema, pois estou com você." Quando Lester argumentou que não era culpado pelas almas perdidas que mergulhavam no fogo eterno, Deus o condenara com Ezequiel 3:18.

Agora, Lester se apresentava novamente ao Senhor, imaginando como poderia fazer para viajar ao redor do mundo a fim de alcançar os perdidos. Ele estava sozinho e sem recursos. Mais uma vez, Deus falou por meio da Sua Palavra, dizendo: "Leia João 15:16." Ao encontrar a passagem bíblica, Lester leu: "Vocês não me escolheram, mas eu os escolhi para irem...".[104]

Deus escolhe homens e mulheres para servi-lo como lhe parece adequado. A quem Ele escolhe, Ele unge; a quem Ele unge, Ele separa como alguém consagrado para cumprir os Seus propósitos. Lester não estava trabalhando para qualquer outro ministério ou igreja, mas, mesmo assim, Deus o convocara. Embora não tivesse qualquer educação formal na época, Lester descobriu que "a implantação de igrejas" se tornou uma consequência natural de seu ministério.

À medida que Lester viajava de cidade em cidade, era comum haver tantas pessoas salvas e cheias do Espírito Santo, que elas estabeleciam uma nova igreja para continuar a crescerem juntas no Senhor. Quando a igreja já estava edificada e estabelecida pelos moradores locais, Lester pedia às Assembleias de Deus para enviarem um pastor a fim de liderar o rebanho. Então, ele seguia para a próxima cidade designada por Deus.

Devido ao crescimento do número de pessoas que respondia ao evangelho, Lester ficou satisfeito quando sua irmã mais nova, Leona, se juntou a ele. Sua irmã tinha uma linda voz e liderava o louvor, e também pregava uma poderosa mensagem de salvação. Sua querida mãe fora bem recompensada por suas orações, pois a maioria de seus filhos agora estava servindo ativamente ao Senhor como ministros do evangelho. A oração eficaz e poderosa de Betty Sumrall conseguira muita coisa! (Ver Tiago 5:16).

O jovem pregador viajante

Ouvindo Leona pregar a Palavra de Deus, Lester percebeu que ela possuía um dom de poder que ele não possuía. Embora ele tivesse pregado sobre o batismo no Espírito Santo e o poder de Deus para uma vida renovada, ele próprio nunca os recebera. De alguma maneira, a tradição de esforçar-se no altar não lhe trouxera resultado algum. Enquanto Lester assistia a outros receberem o batismo no Espírito Santo com a evidência do falar em línguas, ele perguntava, angustiado: "*O que há de errado comigo, Pai?*"

Finalmente, certa noite, após um encontro de avivamento, ele clamou a Deus mais uma vez para receber o batismo no Espírito Santo. O Senhor falou ao seu coração e advertiu-o de que não havia uma fórmula para receber Seus dons e bênçãos, que Ele simplesmente encheria Lester com o Espírito Santo como um presente do Seu amor. Naquela noite, em uma sala distante da agitação dos cultos ou do "esforço no altar", Deus gloriosamente batizou Lester Sumrall em Seu Santo Espírito, e ele começou a falar uma nova linguagem celestial.[105]

"Enviarei um Companheiro"

Fazia mais de um ano que Lester recebera a visão aterradora da estrada que levava ao inferno. Nos avivamentos realizados por ele, muitas pessoas haviam sido salvas, curadas e cheias do Espírito Santo. Contudo, por mais que o Senhor estivesse fazendo grandes coisas por meio de sua vida, Lester não poderia sequer imaginar os planos que Deus estava preparando para ele em outra parte do mundo.

Na mesma noite em que Lester teve a visão do inferno, Alfred Howard Carter estava orando do outro lado do Oceano Atlântico. Na época, ele era o presidente da Faculdade Bíblica Hampstead, em Londres, além de superintendente-geral de uma grande denominação britânica e alguém que acreditava fortemente no poder pentecostal de Deus. Enquanto procurava uma nova direção em seu ministério, Carter ficou impressionado com uma palavra profética incomum da parte do Senhor. Ela dizia assim:

> *Encontrei um companheiro para ti. Chamei um obreiro para ficar ao teu lado. Ele ouviu o meu chamado, respondeu e se juntou a ti na obra para a qual te chamei... Ele é chamado e escolhido, e se juntará a ti.*[106]

O Senhor garantiu a Howard que ele reconheceria esse companheiro pelas palavras que ele lhe diria em seu primeiro encontro:

> *Aonde quer que você vá, eu irei. Sobre as altas montanhas, sobre as ondas tempestuosas do mar, nos vales profundos, nas planícies. Eu o socorrerei, o ampararei, o fortalecerei, o ajudarei, e em todo tempo de necessidade, estarei com você. Quando você estiver velho, eu o fortalecerei, o ampararei e o ajudarei. Eu o socorrerei em sua velhice e você será para mim como um pai.*[107]

Essa não foi a primeira vez que Howard Carter recebia uma profecia do Senhor, mas foi certamente a palavra mais intrigante que ele já ouvira. Diante dos professores e alunos da Faculdade Bíblica Hampstead, Howard leu a profecia em voz alta. "Esta é uma profecia", disse-lhes ele. "Se eu for um falso profeta, marquem-me como tal e descartem-me, mas, se isso se realizar, vocês saberão que eu sou um profeta de Deus."[108]

"Coincidências" de Deus

Durante dezoito meses, não aconteceu nada relacionado àquela profecia. Howard Carter estava esperando embarcar para uma longa viagem missionária ao Extremo Oriente quando recebeu um convite inesperado para pregar em Eureka Springs, Arkansas. Ao perguntar ao Senhor, ele ficou surpreso por Deus realmente querer que ele aceitasse o convite para ir aos Estados Unidos.

Ao mesmo tempo, conduzido por uma "coincidência" de Deus, Lester Sumrall ficou impressionado por deixar um avivamento em que ele estava pregando em Oklahoma e dirigir 240 quilômetros até Eureka Springs, para uma conferência bíblica. Sem saber ao certo qual o motivo de o Senhor querer que ele fosse para lá, Lester pediu à sua irmã Leona para arrumar as coisas deles para que pudessem viajar.[109]

No dia da chegada de Lester, Howard Carter palestrou acerca dos nove dons do Espírito Santo de acordo com 1 Coríntios 12:7-10. Lester ficou fascinado com a profundidade da compreensão de Howard dos dons do Espírito — ele estava falando de coisas que Lester nunca antes considerara.

Após a palestra, Lester seguiu o professor até o lado de fora para discutir um pouco mais com ele acerca da passagem bíblica. Para sua própria surpresa, após algumas poucas palavras educadas, Lester Sumrall começou a falar profeticamente a Howard Carter. Ele falou de coisas que jamais considerara, usando uma linguagem que não pertencia ao seu vocabulário do Sul. Sua profecia começou assim: "Aonde quer que você vá, eu irei. Sobre as altas montanhas, sobre as ondas tempestuosas do mar, nos vales profundos, nas planícies..." Continuando, Lester falou as exatas palavras da profecia que Howard Carter recebera dezoito meses antes! Sua declaração terminou com: "... e você será para mim como um pai." Imediatamente após ele haver terminado, Lester pediu desculpas pelas palavras incomuns, especialmente por terem sido ditas a um estranho, e começou a se afastar, balançando a cabeça.[110]

Com um sorriso estupefato, Howard convidou Lester a ir ao seu quarto no hotel para conversar durante alguns minutos. Eles foram acompanhados por Stanley Frodsham, um editor cristão e amigo de Howard. No quarto, Howard abriu seu diário de oração para revelar as palavras proféticas registradas um ano e meio antes, a quase cinco mil quilômetros de distância, do outro lado do Oceano Atlântico.

Boquiaberto, Lester ouviu enquanto Howard o questionou acerca de seu interesse em missões. Quando perguntou a Lester em que país ele estava mais interessado, Lester respondeu: "Todos eles."[111] Lester compartilhou sua visão de dezoito meses antes e o chamado apaixonado sobre sua vida para levar a mensagem do evangelho aos perdidos do mundo todo. Cautelosamente, Howard lhe perguntou: "Você está disposto a viajar comigo?" Quando Lester concordou, Howard respondeu imediatamente: "Então, é você!"[112]

A profecia se comprovara verdadeira. Lester estava mais do que disposto a ir e, assim, eles formaram um vínculo de amizade em Cristo que duraria pelos próximos quarenta e um anos.

Embora eles tenham começado com um plano simples, segundo o qual Lester seria o evangelista e Howard seria o professor, Deus tinha muito mais reservado para eles. O Senhor estabeleceu um tipo de relacionamento "Paulo e Timóteo" entre eles, que beneficiou os dois pessoal e espiritualmente, tanto ao longo dos momentos difíceis quanto dos momentos gloriosos do ministério.

Comece por Baixo

Antes de partir em uma viagem que seria longa e incerta, Lester decidiu fazer uma visita a seus pais em Pensacola. George e Betty Sumrall acolheram seu filho em casa com enorme alegria. Durante os anos de ausência de Lester, seu pai finalmente entregara sua vida a Cristo. Deixando no passado seus anos de raiva e revolta, George Sumrall passou o resto de seus dias pregando a Palavra de Deus a quem quisesse ouvir.

Ao longo das semanas seguintes, uma série de pequenos milagres financeiros acabou levando-o à Califórnia. Infelizmente, Howard fora muito vago acerca de seus planos exatos para a partida. Ao chegar a São Francisco, Lester procurou por alguma mensagem ou carta deixada por Howard na igreja das Assembleias de Deus do local, mas não encontrou nenhum tipo de instrução. Todas as pessoas que o viram antes de embarcar deram a Lester uma resposta diferente acerca de para onde fora o irmão Carter.

Muito preocupado com seu próximo passo, Lester finalmente perguntou ao Senhor o que fazer. O que ele ouviu como resposta foi: "*Comece por baixo.*" Quando Lester perguntou: "O que é a parte de baixo?", a resposta em seu espírito foi: "*Austrália.*" Howard deixara os Estados Unidos sem Lester, com uma fé incrível de que, de algum modo, ele saberia o que fazer e aonde ir para segui-lo. Com uma firme convicção de que Deus o conduzia a cada dia de sua viagem, Lester fez planos para cruzar o vasto Oceano Pacífico

Pronto para zarpar a bordo do R.M.S. Makura em São Francisco, em 1934

a fim de encontrar aquele misterioso homem de Deus em algum lugar do continente "lá de baixo".

Lester Sumrall sempre fora um jovem valente e impetuoso, mas, mesmo assim, embarcar sozinho em uma viagem para o outro lado do mundo trouxe lágrimas aos seus olhos quando ele se acomodou em sua cabine. Era 21 de novembro de 1934 quando Lester embarcou no *R.M.S. Makura* com destino à Austrália. Ele estava aprendendo em primeira mão o que significava ser totalmente obediente ao chamado de Deus.

A Dupla Dinâmica

Quem era Howard Carter e que papel teve esse poderoso homem de Deus no início do ministério de Lester Sumrall? Lester frequentemente chamava de "o auge de sua vida" os anos que passou viajando pelo mundo com o irmão Carter.[113] O amor sincero de um pai tragicamente estivera ausente no relacionamento inicial de Lester com seu pai natural, e o Senhor achou por bem restaurar essa afeição por ele por intermédio de Howard. Na época de seu milagroso encontro em Arkansas, Howard estava com quarenta e poucos anos; Lester, quase vinte.

Howard era um verdadeiro aristocrata britânico, em todos os sentidos da palavra: refinado, erudito e rico. Além disso, era um vibrante homem de Deus, dedicado ao evangelho de Jesus Cristo. Em vez de usar sua riqueza e posição para o lazer, porém, ele dedicou tudo à obra do Reino de Deus. Sua herança foi investida alegremente na Faculdade Bíblica Hampstead, com grande parte do dinheiro sendo usado para financiar o ensino gratuito para estudantes necessitados do ministério.[114]

Durante a Primeira Guerra Mundial, Howard foi preso por algum tempo como opositor consciencioso. Como outros crentes do passado que eram verdadeiras usinas de força, Howard usou seu tempo na prisão para meditar profundamente na Palavra de Deus. Ele desejava compreender o propósito e o lugar dos dons do Espírito Santo em seus dias. Após estudar longamente, ele escreveu um livro importante, *Dons Espirituais — Perguntas e Respostas*, acerca dos nove dons do Espírito Santo. Essa obra se tornou um alicerce para o movimento pentecostal do início do século 20 e ainda é a base para grande parte de nossa compreensão acerca dos dons do Espírito Santo hoje.

Foi a esse humilde e dedicado mestre da Palavra que Deus confiou a formação do coração ministerial de Lester.

"Mistério! Maravilha! Providência!"

"Mistério! Maravilha! Providência! Aqui estava eu a caminho da Austrália para encontrar e viajar ao redor do mundo com um homem que eu encontrara apenas uma vez. Que fato singular!"[115] Esse trecho foi extraído de uma anotação do diário de Lester no primeiro dia no *R.M.S. Makura* rumo à Austrália. Lester estava refletindo com espanto acerca de como o Senhor o levara ao lugar onde ele estava. Embora tivesse apenas doze dólares em seu nome, ele tinha fé para crer que Deus abriria um caminho. O pastor que o levara até o navio atracado expressara preocupação, dizendo: "Lester, você vai morrer de fome." A resposta do jovem fora sugerir que, se isso acontecesse, sua lápide deveria ter a inscrição: "Aqui jaz Lester Sumrall — morto de fome confiando em Jesus."[116]

Nenhuma igreja ou sociedade missionária apoiava ou ajudava Lester e Howard em sua viagem. Todavia, Howard dissera a Lester que eles precisavam viajar por fé e nunca pedir ajuda, ou mesmo mencionar a alguém além do Senhor sobre suas necessidades.[117] Quando o navio deixou o Porto de São Francisco e entrou no vasto Pacífico, Lester resolveu que passaria sua vida inteira aventurando-se para seguir a Cristo. Ele conferiu suas finanças e declarou: "Se Deus pôde alimentar Elias junto ao riacho de Querite, Ele pode suprir as nossas necessidades" (ver 1 Reis 17:2-4).

Quando o navio deixou o Porto de São Francisco e entrou no vasto Pacífico, Lester resolveu que passaria sua vida inteira aventurando-se para seguir a Cristo. Ele conferiu suas finanças e declarou: "Se Deus pôde alimentar Elias junto ao riacho de Querite, Ele pode suprir as nossas necessidades."

O primeiro grande desafio à sua fé na provisão de Deus veio quando o navio entrou no porto de Sydney, na Austrália, sete semanas depois. O governo australiano informou aos passageiros que eles só poderiam desembarcar se tivessem o equivalente a duzentas libras esterlinas para entrar no país. Os australianos queriam turistas, não pedintes!

Duzentas libras! Enquanto eles formavam fila para se apresentar aos agentes alfandegários, um jovem logo à frente de Lester teve sua entrada na Austrália recusada por ter apenas setenta e cinco dólares. Ele deveria ser enviado de volta aos Estados Unidos no próximo navio!

Quando chegou a vez de Lester, o agente alfandegário perguntou-lhe quanto dinheiro ele tinha, e sua resposta vaga foi que não tinha muito. Então, sob a influência do Espírito Santo, Lester respondeu humildemente: "Estou dando a volta ao mundo para pregar o evangelho àqueles que nunca aceitaram Cristo como seu Salvador. Vou a Java, Cingapura, China, Manchúria, Coreia e Japão, e o Senhor proverá."[118]

Enquanto Lester orava em silêncio, os agentes conversaram entre eles e, então, tomaram sua decisão. Eles o deixariam entrar no país. Que regozijo! A mão de Deus estava sobrenaturalmente presente nas circunstâncias! Após o desembarque, foi ao encontro de Lester o pastor do Richmond Temple, que tinha uma muito aguardada carta de Howard Carter para ele.

Lester encontraria Howard ali em Sydney, Austrália, alguns dias depois. Haviam se passado cinco meses desde seu único encontro em Arkansas! No dia 1º de janeiro de 1935, Lester observava enquanto o navio de Howard entrava no porto e atracava. Procurando pelo rosto vagamente familiar, Lester finalmente o encontrou na alfândega. Lester não via a hora de iniciar sua aventura ministerial!

Aventurando-se com Cristo

Lester e Howard montaram uma grande tenda em Brisbane, Austrália, para sua primeira evangelização dos perdidos em suas viagens juntos. Eles a chamavam de "Tabernáculo de Lona". Noite após noite, Lester pregava o evangelho, falando do poder de salvação do sangue de Cristo, e centenas de pessoas iam até o altar para receber salvação para suas almas e cura para seus corpos. Que empolgante maneira de iniciar o novo ministério!

Certa noite, um homem se aproximou do altar com muita dor e muitas perguntas sobre cura sobrenatural. A dor nos quadris e nas costas desse homem vinha confundindo seus médicos havia anos. Quando Lester manifestou o poder de cura de Deus, o homem reagiu com medo e desconforto. "A dor pode parecer ter passado, mas voltará esta noite", foi a resposta do cavalheiro, revelando seu conflito interno entre a fé e o medo. Com convicção, Lester assegurou-lhe que Deus havia operado uma cura completa.

Howard Carter e Lester Sumrall em Sydney, Austrália

Na noite seguinte, o mesmo homem chegou à reunião de avivamento, sorrindo de orelha a orelha. "Pregador, estou curado! Não tive dor em meu corpo desde a noite passada!" — anunciou ele.[119] Em resultado disso e de outros testemunhos de cura, a fé das pessoas crescia a cada dia. Uma moça com uma ferida cancerosa no nariz se aproximou do altar para receber oração; poucos dias depois, a ferida estava totalmente curada.

O tempo parecia passar rapidamente, e a última noite de Lester e Howard na Austrália foi repleta de louvores a Deus por Suas bênçãos sobre o ministério deles naquele local.

A Terra Onde é Sempre Verão

Lester e Howard não viam a hora de levar a boa nova de Jesus às dezenas de seres humanos perdidos em trevas espirituais em seu próximo destino: Java, na Indonésia, a ilha mais densamente povoada do globo.

Lester ficou maravilhado com a beleza daquele paraíso tropical quente e úmido, com flores exuberantes em toda a sua volta. Mas seu deslumbramento não o impediu de perceber imediatamente a aridez espiritual desse jardim paradisíaco. Java era uma ilha onde inúmeras falsas religiões e superstições haviam mantido o povo em escravidão espiritual durante gerações.

Durante semanas, Lester e Howard pregaram acerca do poder de Deus para salvar e curar. Lester pregou a mensagem da salvação aos perdidos, e Howard ensinou os crentes estabelecidos na ilha, levando-os a desenvolverem caminhadas mais profundas com Cristo. Ele orou por muitos para que recebessem o batismo do Espírito Santo e o poder de Deus.

Em uma viagem de turismo a Dieng, uma montanha vulcânica da ilha, eles receberam uma lição espiritual que os acompanharia para sempre. Lester e Howard haviam aceitado o convite de um amigo para visitar uma cratera vulcânica em atividade. Ao atingirem o topo da montanha, eles olharam para o Oceano Índico ao sul e, depois, para o Mar de Java ao norte. Era uma visão de tirar o fôlego.

Ao descerem pela cratera, a beleza foi substituída por grandes fontes de enxofre "vomitando uma nauseabunda nuvem de fumaça, e cerca de uma dúzia de pequenas fontes borbulhando uma substância lamacenta".[120] O chão sob seus pés era quente, porque a atividade vulcânica estava fervilhando logo abaixo da superfície. Querendo mostrar-lhes mais dessa poderosa e perigosa montanha, seu amigo perguntou se eles gostariam de visitar o Vale da Morte, a pouca distância dali.

Eles fizeram uma curva na trilha da montanha e descobriram uma placa gravada com sinistras caveiras e ossos cruzados acima de grandes letras pretas que diziam "VALE DA MORTE". Ao lado dela havia a lápide de um cientista alemão que zombara do aviso e descera até o vale por uma corda, para provar que aquilo era apenas uma superstição dos nativos. Após sua descida, ele foi encontrado morto.

O misterioso Vale da Morte era repleto de folhagens sedutoramente belas, que lembravam um paraíso tropical. Porém, mais uma placa decorava o topo da encosta; era um aviso final de destruição iminente: "PERIGO! PARE!"[121]

É muito semelhante aos "Vales da Morte" da vida, pensou Lester. Embora alguns vales da morte sejam obviamente escuros e tenebrosos, muitos são aparentemente lindos, fascinantes e glamorosos. Eles podem ser repletos das seduções de fama e riqueza — contudo, quando os adoramos e os colocamos acima do Senhor, eles se tornam os nossos próprios vales da morte.[122]

Seja o que for que possa nos seduzir aos vales da morte da vida, há sinais de aviso dados por um Pai amoroso ao longo do caminho. Eles são declarados na Sua Palavra e falados por crentes que compartilham o evangelho com aqueles que os rodeiam. Nunca ignore os sinais de "Perigo! Pare!" ao longo do caminho da vida! Eles podem salvá-lo da estrada de pecado, dor e destruição.

Confrontação Demoníaca

Viajando por uma terra de escuridão espiritual como Java, era inevitável que Lester enfrentasse espíritos demoníacos protestando contra a mensagem de Jesus Cristo. Ainda jovem, ele realmente não estava preparado para essa intensa guerra espiritual.

A Bíblia diz em Atos 10:38: "Jesus... andou por toda parte fazendo o bem e curando todos os oprimidos pelo diabo." Certa noite, em um culto de avivamento em Java, Lester teve seu primeiro encontro com a possessão demoníaca.

Durante o louvor, uma garota de aproximadamente doze anos de idade escorregou do banco da frente, onde estava sentada com sua família, ficou deitada no chão de barriga para baixo e "começou a se contorcer no chão como uma cobra, espumando pela boca".[123] Sua língua entrava e saía da boca como a de uma serpente enquanto ela deslizava para a frente e para trás à frente da igreja. Lester ficou horrorizado com o que viu, mas o pastor javanês continuou com a adoração, como se nada de incomum estivesse acontecendo.

Lester nunca fora um homem tímido. Quando subia ao púlpito para falar, uma justa indignação se levantava em seu espírito. Ele apontou para a jovem, que não entendia inglês, e lhe ordenou: "Volte para o seu lugar!" Imediatamente ela voltou à cadeira e lá ficou, sentada, imóvel como uma estátua, durante todo o sermão.

Enquanto Lester pregava, ele também estava tendo uma conversa particular com o Senhor. Ele pedia a Deus para cuidar do problema da menininha possuída por demônios. Ele não sabia o que fazer com ela. O Senhor lhe respondeu claramente: "Esse é o seu problema. Você cuida dele!"[124] Nunca tendo lidado com as forças ocultas antes, mas sabendo que, em Cristo, ele tinha autoridade, Lester terminou seu sermão. Imediatamente depois, inclinou-se sobre o púlpito, olhou para a jovem sentada rigidamente diante dele e gritou com todas as suas forças: "Agora, saia dela!"[125]

Lester nunca tocou a menina ou teve qualquer conversa com os demônios que lutavam dentro dela. Mas, imediatamente, o Espírito do Senhor desceu sobre ela. Os olhos dela ficaram límpidos e um doce sorriso iluminou seu rosto. Ela não tinha consciência de onde estava ou do que havia acontecido. Quando o pastor javanês lhe explicou que ela acabara de ser liberta de um espírito maligno, ela dançou de alegria.

Como se tivessem recebido um sinal, centenas de pessoas da congregação se levantaram e formaram uma multidão que ia até o altar, confiando no Deus de poder para salvação, cura e libertação.

Durante horas, Lester orou com os que estavam no altar, mas ainda estava abalado com o que havia ocorrido.[126]

Howard Carter estivera ensinando em outra igreja, por isso não estava presente na reunião de Lester. Quando eles se reuniram no quarto de Lester mais tarde naquela noite, Howard assegurou-lhe de que ele havia lidado bem com toda a situação, de acordo com a orientação da Palavra de Deus. Por sua vez, Lester esperava com todo o seu coração que aquilo nunca acontecesse novamente!

Infelizmente para ele, houve outros conflitos demoníacos em Java antes de deixarem o país. Lester comentou depois: "A coisa mais importante que aprendi foi que eu não estava pessoalmente no conflito. Era *Cristo em mim*. E também, não era a *pessoa* quem causava a batalha, mas o *diabo* que estava nela."[127]

Quando Lester e Howard ministraram juntos em Java, os resultados foram poderosos. Milhares de javaneses foram salvos e receberam o batismo do Espírito Santo, por meio da imposição das mãos de Howard. Quando Lester ministrava a eles, muitos eram instantaneamente curados de suas doenças e entregavam seus corações a Cristo. Como Paulo e Timóteo, essa dupla de ministros deixava a marca de Cristo por onde quer que passasse.[128]

O pastor F. Van Abkoude resumiu o sucesso dos três meses de ministério de Lester e Howard em Java dizendo: "Nós oramos a Deus para enviar um mensageiro, e o irmão Carter veio para Java com o irmão Sumrall... Almas foram salvas, curadas e batizadas com o Espírito Santo. O resultado de seu ministério será visto na eternidade."[129]

Muitos Perigos

Lester e Howard passaram algumas semanas pregando e visitando os cristãos em Cingapura e Hong Kong antes de entrarem na China. Durante seu tempo em Hong Kong, os cristãos dali doaram recursos financeiros ao ministério para que seus membros fossem capazes de viajar mais de cinco mil quilômetros pela China continental, ao longo das fronteiras da Birmânia e do Tibete.

Ministrar na China foi extremamente desgastante. O povo chinês não presta atenção durante muito tempo. Frequentemente, após alguns minutos ouvindo o intérprete, grupos de chineses se levantavam no meio da mensagem e saíam, simplesmente terminando seu tempo de atenção. Em outras ocasiões, as pessoas falavam em voz alta sobre um ponto do sermão, enquanto a mensagem ainda estava sendo apresentada.

Viajar pela China em 1934 era uma aventura repleta de perigos. A vida de Lester esteve em risco em mais de uma ocasião. Certa vez, após beber água que não havia sido fervida durante o tempo necessário, ele ficou mortalmente enfermo com disenteria e febre. Quando seu quadro piorou, ele começou a ter hemorragia intestinal e uma febre sempre crescente, agonizando de dor. Mas Lester não era de reclamar, então Howard não fazia ideia da extensão de sua enfermidade.[130]

Na manhã seguinte, quando a caravana começou a se mover, a mula em que Lester montava estava na última posição da fila, e as horas de diarreia e falta de alimento o deixaram fraco, então ele caiu da mula. Rastejando até um arbusto, ele amarrou a corda do animal e, depois, perdeu a consciência. Ninguém de seu grupo percebeu sua ausência. Lester foi abandonado no meio da estrada na China para morrer.

Horas mais tarde, Lester acordou sozinho, mas ficou surpreso ao descobrir que estava totalmente bem! A febre se fora; suas forças estavam retornando. Deus o curara enquanto ele dormia. Lester permaneceu no local até alguém de sua caravana voltar e encontrá-lo. Então, ele continuou a viagem, regozijando-se com a fidelidade de Deus.[131]

Alguns anos mais tarde, enquanto pregava em Mobile, no Alabama, Lester descobriu o que realmente acontecera nos céus naquele dia. O pastor da igreja de Mobile e sua mulher, que também eram amigos de longa data, compartilharam uma história estranha. Eles haviam sido avisados pelo Espírito Santo, certa noite, de que Lester estava morrendo em algum lugar do outro lado do mundo. Eles caíram de joelhos, clamando ao Senhor: "Salva-o. Salva-o. Não o deixes morrer."[132] Mais tarde naquela noite, quando Lester verificou seu diário, ele descobriu que as orações deles em seu favor haviam sido feitas no momento exato em que ele estivera lutando pela vida. Ele compartilhou isso com seus amigos e, mais uma vez, a fidelidade de Deus os fez se ajoelharem em ação de graças!

Bandidos e Brutalidade

Os perigos mortais na China vinham também de fontes externas. Os chineses comunistas estavam causando destruição em toda a nação tentando "convencer" as pessoas a aceitarem sua doutrina comunista — usando táticas brutais. Apenas algumas semanas antes de Lester e Howard chegarem à China, dois jovens missionários, John e Betty Stam, haviam sido martirizados por sua fé. Apenas sua filha recém-nascida sobreviveu ao ataque. Lester e Howard estavam agora viajando em mulas pela mesma região, perto da fronteira do Tibete, indo de aldeia em aldeia para pregar a salvação por intermédio de Cristo.

Viajando em uma caravana de mulas pelas vilas das montanhas do Tibete

Em mais de uma ocasião, o fato de a vida de Lester estar nas mãos de Deus se tornou imediatamente óbvio. Certa vez, sua mula entrou em pânico e fugiu da caravana, deixando Lester perdido a quase três mil quilômetros de distância de Hong Kong, em meio a uma multidão de chineses risonhos, sem intérprete e sem a menor ideia de onde Howard havia ido. Lester fez um apelo desesperado ao Senhor, pedindo orientação e ajuda. Pela graça de Deus, um chinês idoso se aproximou dele, falando palavras incompreensíveis para o jovem missionário. Aquele senhor simplesmente levou a mula na direção oposta e lhe deu um rápido chute no traseiro. Que alívio foi para Lester quando, algumas horas mais tarde, a mula se juntou à caravana cristã.[133]

Decididos a pregar o evangelho aos pobres chineses distantes das grandes cidades e dos ministérios cristãos, Lester e Howard viajaram até mesmo para onde tinham sido advertidos a não irem. Certo dia, eles jantaram em uma pousada onde dois homens haviam acabado de ser assassinados. Seus guarda-costas ficaram tão assustados com o perigo, que abandonaram os dois homens de Deus para terminarem sua jornada sem a proteção deles. Os dois viajaram por cidades que eram meras pilhas de destroços fumegantes depois que soldados chineses as incendiaram. Mas os dias se passavam sem que houvesse confrontos provocados por soldados ou bandidos.

Por fim, certa manhã, quando viajavam por uma região infestada de bandidos, eles foram interceptados por três homens corpulentos e de aparência violenta carregando fuzis. Os homens se aproximaram da pequena caravana e caminharam em silêncio e de maneira ameaçadora por trás deles. Lester e Howard tinham ouvido relatos de que aqueles mesmos ladrões haviam recentemente matado vinte e cinco homens. Após a caravana ter andado com medo durante uma hora, um dos homens fortes finalmente exigiu dinheiro deles. Com a ajuda do intérprete, Howard entendeu o que o homem queria e lhe entregou o dinheiro que tinham. Após dar um grito estridente para outro bandido na montanha seguinte, os ladrões os deixaram sem dizer palavra. Deus mantivera os viajantes missionários em segurança e "em paz em uma terra desesperada, sem governo e dominada por bandidos".[134]

Nações do Extremo Oriente

De acordo com os planos originais de Howard, eles tinham mais três nações do Extremo Oriente para visitar antes de iniciarem sua viagem transcontinental em direção à Europa. Deixando a China e navegando uma curta distância até o Japão, eles encontraram uma nação muito mais civilizada, a julgar pelas aparências. Mas como o Japão era frio e fechado à mensagem do evangelho!

Era 1934, o Japão estava preparando seu poderio militar para invadir a China continental, o que viria a ocorrer três anos depois. Parecia que a civilização ocidental tinha dado ao Japão um evangelho social com escolas, hospitais e orfanatos, o qual eles haviam aceitado avidamente. Mas não havia um lugar em que Lester e Howard pudessem descobrir um impacto genuíno da mensagem de Jesus Cristo sobre os japoneses.[135] Lester se lembrava muito bem dos rostos japoneses em sua visão do inferno, gritando e tentando agarrar-se ao caírem em um poço em chamas. A Igreja não estava conseguindo resgatar aqueles perdidos da destruição eterna.

Seguindo de navio para a Coreia, Lester e Howard encontraram um clima espiritual muito diferente. A nação coreana ainda não fora dividida pelo comunismo e a fé cristã era forte ali. Como resultado, muitos eventos milagrosos ocorreram. Salvações eram abundantes; curas estavam acontecendo quase diariamente.

Um homem com grande dificuldade de locomoção, que não conseguia nem deixar seu quintal, foi totalmente curado. Outro homem se aproximou do altar em uma reunião, chorando devido a uma vida repleta de doenças emocionais e mentais. Quando Lester impôs as mãos sobre ele para orar, uma sensação de bem-estar começou a encher a mente e o coração do homem. Poucos dias depois, ele foi declarado completamente bem e reintegrado ao seu antigo emprego.[136] Centenas de cristãos dedicados foram à frente após a pregação de Howard, para receber o batismo do Espírito Santo.

As curas e os milagres continuaram quando Lester e Howard entraram no país da Manchúria. No dia após sua chegada, Lester percebeu as terríveis doenças que pareciam abundar em todo aquele pobre país. No dia seguinte, ele e Howard anunciaram um culto especial de cura, e muitas pessoas foram à frente para serem curadas de todos os tipos de doenças. Uma mulher se aproximou do altar andando com uma muleta, com uma de suas pernas totalmente deformada. Após a oração, ela foi capaz de dar um salto e deixar a muleta no altar. Ela caminhou pela igreja cada vez mais rapidamente e foi para casa louvando a Deus pelo Seu poder de cura.[137]

Na Manchúria, Lester e Howard ficaram hospedados com o irmão Kvamme, o missionário encarregado da região. O irmão Kvamme estivera bastante doente antes da chegada deles, e só podia comer uma quantidade limitada de alimentos, devido à sua dieta rigorosa. Enquanto interpretava a mensagem durante o primeiro culto deles, o irmão Kvamme sentiu o poder de cura do Senhor tocá-lo e todas as suas dores intestinais desapareceram totalmente.

Embora as bênçãos de Deus fossem maravilhosas de se ver, muitas vezes Lester teve dificuldade para entender a miséria da Manchúria. Na cidade de Harbin, pessoas morriam durante o inverno devido às temperaturas cruelmente frias. Seus corpos nus eram deixados espalhados pela cidade, despojados de suas roupas por outros mendigos. Os corpos eram removidos quando o degelo da primavera atingia a nação.[138] Cada vez que Lester via a depravação e o sofrimento humanos, ele se empenhava mais ainda por alcançar os perdidos com o evangelho de Jesus Cristo.

Do Comunismo à Liberdade

Quando chegou o tempo de iniciarem sua viagem pelo vasto deserto da Sibéria e o leste da Rússia em direção à Europa, Lester e Howard tiveram de solicitar uma permissão especial para atravessar a Rússia como ministros do evangelho. Uma das condições para receberem a permissão era a proibição de compartilhar o evangelho de qualquer maneira durante a viagem. O trem em que eles viajavam estava cheio de policiais com aparência suspeita e cidadãos infelizes. Foi uma longa e fria amostra dos resultados do comunismo naquela parte do mundo.

Finalmente, eles atravessaram a fronteira para a Polônia, mais de um ano após terem deixado a Austrália em direção à costa da Ásia. Que surpreendente ano de vitórias eles tiveram! A mensagem do amor de Cristo na cruz e na tumba vazia fora compartilhada com muitos.

Na Polônia, Lester e Howard encontraram maior sede pelas boas-novas de Jesus Cristo do que haviam visto em qualquer outra nação que visitaram. O governo polonês franzia a testa para a igreja estabelecida, então eles não foram autorizados a realizar uma grande reunião. Mas a cada encontro realizado em uma pequena igreja, as pessoas vinham de longe para ouvi-los. Em uma conferência bíblica, alguns crentes caminharam cerca de cem quilômetros em temperaturas muito frias para ouvir a mensagem de encorajamento e esperança da Palavra. Mais de uma centena deles dormiram no chão da missão naquela noite, sobre uma fina camada de palha. Eles tinham fome da Palavra de Deus renovada e do mover do Espírito Santo, como nos tempos do Pentecostes.[139]

Em todas as cidades da Polônia, Lester observou como muitos judeus estavam vivendo e trabalhando no país — alguns em trabalhos braçais como varredores de rua, outros como proprietários das maiores fábricas da cidade. Eles geralmente se vestiam com roupas ortodoxas e moravam em pequenas comunidades fechadas. Ele jamais poderia ter imaginado o destino terrível que aguardava muitos desses judeus poloneses nos anos seguintes, nas mãos dos nazistas.

Berlim, 1936

No início do inverno de 1936, Lester e Howard cruzaram a fronteira da Polônia e entraram no Terceiro Reich alemão. Eles viajaram diretamente para Berlim, onde estavam bem adiantados os preparativos para os Jogos Olímpicos de Verão. Por toda a parte havia sinais do controle nazista, desde bandeiras decoradas com a suástica até cartazes que diziam "Proibido para Judeus" em vitrines de lojas.

Lester só poderia pregar em certas igrejas designadas pelo governo. Ele fora avisado para não pregar sobre o poder sobrenatural do Espírito Santo na vida dos crentes, ou acerca da aliança de cura divina disponível hoje. Ainda assim, ele e Howard foram abençoados por Deus para serem capazes de compartilhar acerca da vida, da morte e do poder de ressurreição de um Senhor que salva.

A influência nazista cercava os homens como um pesado manto escuro. Agentes da Gestapo participavam de todas as reuniões em que eles pregavam, fazendo anotações em seus caderninhos pretos. Embora as igrejas ainda estivessem abertas a alguma pregação do evangelho, muitos dos pastores cristãos da Alemanha haviam se deixado seduzir por Adolf Hitler. Alguns deles falavam com admiração acerca de suas políticas contra os judeus. Entretanto, não muito tempo após Lester e Howard deixarem a Alemanha, as próprias igrejas em que eles haviam ministrado foram fechadas pelo governo nazista. Muitos dos pastores foram presos e, no fim, enviados para campos de concentração.[140]

Os pastores que não haviam defendido os judeus ou ouvido as lamentações dos católicos passaram a ser perseguidos também. Apesar de terem simpatizado com Hitler, eles logo se viram sofrendo seu ódio por todas as religiões, exceto a adoração de si mesmo e do Terceiro Reich. Dos pastores que conheceu na Alemanha, Lester não soube se algum sobreviveu àquele ódio.

Como muitos outros, aqueles pastores foram enganados pelas políticas de um governo que tentava trazer prosperidade e conveniência ao seu povo pelo preço da destruição de suas almas.

A Etapa Final

Deixando a opressão da Alemanha para trás, a equipe de Lester e Howard se dirigiu ao extremo norte para terminar sua viagem ao redor do mundo para Cristo. Na Noruega, no fim da primavera, os homens tiveram um refrigério em seus corações e espíritos pela profundidade do amor e fervor cristãos entre os irmãos que encontraram. Eles encontraram, no amor de Deus e no poder do Espírito Santo, uma chuva abundante para purificá-los do ódio sinistro do comunismo e do nazismo na Rússia, Polônia e Alemanha. Nessa atmosfera de presença de Deus, o Senhor pôde se mover poderosamente.

Cruzando a fronteira em direção à Suécia, Lester e Howard foram continuamente abençoados pelos fortes cristãos que encontravam. O pastor Lewi Pethrus era o patriarca da igreja pentecostal nos países escandinavos. Durante vinte e cinco anos, ele difundira o evangelho de Jesus e o poder do Espírito Santo em toda a região. Um fogo de avivamento se acendera na igreja durante tantos anos, que decisões por Cristo eram tomadas todas as semanas.

Os homens se deleitaram na doce presença do amor e poder de Cristo demonstrados a eles pelos cristãos suecos. Foi um fim poderoso e adequado para uma jornada gloriosa!

Durante sua viagem missionária de um ano e meio, Lester e Howard viajaram mais de 96.500 quilômetros, boa parte no interior da Ásia; usaram 21 diferentes meios de transporte, desde aviões até mulas; e pregaram, por intermédio de 64 diferentes intérpretes, em 26 diferentes idiomas e dialetos![141]

Durante sua viagem missionária de um ano e meio, Lester e Howard viajaram mais de 96.500 quilômetros, boa parte no interior da Ásia; usaram 21 diferentes meios de transporte, desde aviões até mulas; e pregaram, por intermédio de 64 diferentes intérpretes, em 26 diferentes idiomas e dialetos!

Embora aquela fase específica de sua jornada tivesse chegado ao fim, os homens ainda estavam inflamados por levar o evangelho aos não alcançados do mundo. Após uma rápida viagem de volta a Londres, Lester e Howard voltaram à América. Aos vinte e três anos de idade, Lester já ministrara mais em três anos do que muitos homens a vida inteira. Mas sua incrível obra no Reino de Deus havia apenas começado.

A seguir, ele e Howard se aventuraram na América do Sul, ministrando no Brasil e em outros lugares de todo o continente. Em seguida, voltaram à Europa para visitar a Espanha e a França, antes de finalmente se estabelecerem para um tempo de ensino na Inglaterra.

Wigglesworth: Apóstolo de Fé e Poder

Após suas primeiras viagens juntos, Howard Carter estava com uma grande quantidade de trabalho administrativo para pôr em dia na Faculdade Bíblica Hampstead, e Deus tinha outra convocação divina aguardando por Lester Sumrall.

Líder pentecostal reconhecido em toda a Grã-Bretanha, Howard havia organizado uma conferência de ensino no País de Gales. Ele honrou o jovem Lester com um convite para ser o palestrante principal da noite. Em conformidade com a tradição das conferências pentecostais, Howard escolheu um homem com um ministério de ensino para palestrar na sessão da tarde. Esse homem não era outro senão Smith Wigglesworth, carinhosamente conhecido durante anos como o *Apóstolo da Fé*. Lester ficou sem fala pela emoção de saber que estaria ministrando na mesma plataforma que Smith Wigglesworth.

Para alegria de Lester, Smith Wigglesworth havia lido alguns artigos que ele escrevera para um jornal pentecostal. Wigglesworth ouviu Lester pregar o evangelho naquela noite e, depois, convidou-o a visitá-lo em sua casa em Bradford, Inglaterra.

Que honra empolgante! Apenas uma semana depois, Lester caminhou até a porta da frente de Smith Wigglesworth e entrou em um novo campo de treinamento espiritual na presença de Deus. O Apóstolo da Fé era totalmente entregue ao Reino de Deus e a difundir a Palavra de Deus. Ele tinha pouco tempo ou interesse para os cuidados do mundo, e se concentrava somente em conhecer mais acerca da presença e do poder de Deus. Ele até se recusou a permitir que Lester trouxesse um jornal para dentro de sua casa, declarando que o periódico estava cheio das mentiras de Hitler.[142]

Durante suas visitas, Wigglesworth lia capítulos da Bíblia em voz alta para Lester; em seguida, eles passavam um tempo substancial batendo fortemente nas portas do céu em oração. Quando Smith Wigglesworth orava, a unção do Espírito Santo sempre era forte na sala. Após a oração, Wigglesworth compartilhava testemunhos de seus muitos anos de caminhada com o Senhor. Lester se sentava e ouvia os relatos, impressionado e chorando, enquanto Wigglesworth falava das bênçãos e dos milagres de Deus.

Durante quase dois anos, Lester visitou Wigglesworth regularmente em sua casa. O homem de oitenta anos de idade era capaz de orar durante mais tempo e com mais força do que Lester, apesar de ser mais de cinquenta anos mais velho! Anos depois, Lester falou de Smith Wigglesworth como um homem não convencional que, às vezes, era abrupto em seu relacionamento com os outros, mas tinha um coração cheio do poder do Espírito Santo. Wigglesworth cria em Deus para a saúde divina e falava alegremente acerca de seu ritual matinal, dizendo: "Eu salto da cama! Danço diante do Senhor, pelo menos uns dez ou doze minutos — em alta velocidade. Pulo para cima e para baixo e corro pelo meu quarto dizendo a Deus quão grande Ele é, quão maravilhoso Ele é, como estou feliz por estar unido a Ele e por ser Seu filho."[143]

Transferindo a Unção

A fé de Lester se fortalecia quando ele passava algum tempo com Smith Wigglesworth, e ele ansiava por estar focado unicamente em Deus, exatamente como Wigglesworth. Infelizmente, esse tempo especial não duraria muito. O ano era 1939 e o ataque de Hitler à Tchecoslováquia e à Polônia resultara no irrompimento da Segunda Guerra Mundial. Devido a Lester estar com um visto temporário durante uma época de guerra, o governo britânico o informou de que ele tinha apenas dez dias para deixar a Inglaterra.

Com o coração pesado, Lester se preparou para deixar Howard Carter e Smith Wigglesworth. Ele se despediu primeiramente de Smith Wigglesworth. Lester nunca esqueceu o dia em que ele e esse poderoso *Apóstolo da Fé* se reuniram pela última vez nesta Terra. Sentado na sala da casa de Wigglesworth, Lester falou, entre lágrimas, acerca de sua gratidão. Ele agradeceu a Wigglesworth pelos abençoados momentos de oração na presença de Deus e pela rica herança que ele compartilhara acerca das bênçãos da fé. Ao término da visita, Wigglesworth pediu a Lester para ficar de pé, porque queria abençoá-lo.

Lester descreveu o momento extraordinário do seguinte modo:

> Ele pôs sua mão sobre mim e me puxou para perto dele, e eu deixei minha cabeça ir para mais perto dele. Lágrimas rolavam de seus olhos e corriam pelo seu rosto, e caíam em minha testa e corriam pelo meu rosto.

> Enquanto chorava, ele disse: "Oh, Deus, deixe que toda a fé que está dentro do meu coração esteja no coração dele. Deixe que o conhecimento de Deus que reside em mim também resida nele. Deixe que todos os dons que operam em meu ministério operem na vida dele."[144]

Enquanto os homens estavam ali chorando e orando, Lester sentiu a tremenda unção de Deus fluir de Wigglesworth para o seu próprio espírito. Ele se lembrou rapidamente dos profetas do Antigo Testamento e de como a unção de Elias foi transferida para Eliseu, no livro de 2 Reis (ver 2 Reis 2:9-15). Lester sentiu uma unção especial vinda do Espírito Santo e uma nova autoridade para servir a Deus se moverem em seu íntimo. Smith Wigglesworth transferira sua bênção espiritual para Lester Sumrall — glória a Deus pela grande maneira pela qual Ele usa os Seus valentes para ministrarem em Seu Reino!

Quando Lester se despediu de Howard Carter apenas alguns dias depois, de algum modo ele sabia que o veria novamente e voltariam a ministrar juntos quando a guerra acabasse.

O Chamado da América do Sul

Lester retornou aos Estados Unidos, determinado a continuar viajando pelo mundo com a mensagem do evangelho. Ele não tinha mais Howard Carter como seu companheiro, mas o desejo de ministrar aos perdidos agora ardia ainda mais intensamente em sua alma. Ouvindo falar de uma grande necessidade de ministração da parte de Deus no Alasca, Lester cruzou os Estados Unidos e se dirigiu para a fria e árida fronteira da América. Ele ministrou ali durante vários meses, triste por haver tão poucas igrejas e tantos bares. No Alasca, ele conheceu muitas pessoas de mente independente e endurecidas às boas-novas de Cristo.

Lester também viajou brevemente por várias províncias do Canadá. Pela primeira vez, ele ouviu falar da obra de uma jovem missionária, Louise Layman, que acabara de deixar seu país natal para fazer a obra na América do Sul. Sua curiosidade foi aguçada, mas não tiveram oportunidade de se encontrar.

Quando os Estados Unidos entraram na guerra após o ataque a Pearl Harbor, Lester tentou alistar-se como capelão no exército, mas sem sucesso — não havia vagas. Ele se determinou a, em vez disso, continuar a lutar na guerra espiritual por almas de homens enquanto viajava por todo o México, a América Central e a América do Sul. Evitando muitas das maiores cidades, que estavam tomadas de um sentimento antiamericano, Lester ministrou aos índios pobres das áreas rurais de cada país. Ele os amava com a compaixão de Cristo, e eles respondiam favoravelmente a um evangelho de esperança.

Na América Central, Lester encontrou muita superstição e feitiçaria, resultado de uma mistura de paganismo e catolicismo. Ele pregou o evangelho com poder e viu homens e mulheres libertos e curados de diversas doenças. Fazendo seu caminho pela América do Sul em 1942, Lester se encontrou na ponta da Argentina. Em dois anos, ele viajara das regiões situadas mais ao norte da América do Norte até o extremo sul da América do Sul, levando a luz de Cristo a todas as nações. Agora, Deus tinha um novo caminho para revelar a Lester em sua estrada ministerial.

"Mudou Minha Vida para Sempre"

Aos quase trinta anos de idade, Lester passara os últimos treze anos de sua vida concentrando-se no poder de Deus para salvar os perdidos. O modelo que ele havia seguido em sua vida era Howard Carter, a quem Lester descreveu, dizendo: "Ele não tinha tempo para namoros. Nem eu — até agora!"[145] Exatamente quando Lester estava pensando em permanecer solteiro por toda a vida para se dedicar ao ministério, ele teve um "encontro casual" que mudou sua vida. Em um casamento em Buenos Aires, na Argentina, Lester Sumrall finalmente conheceu Louise Layman, a missionária canadense de quem ele ouvira falar no Canadá e em toda a América do Sul.

Lester frequentemente compartilhava acerca desse dia: "Em um casamento em Buenos Aires, ficamos face a face. Ela sorriu e eu sorri. Aquele encontro transformaria minha vida para sempre."[146] Louise estava tocando piano no casamento e, aparentemente, também ouvira falar muito de Lester. Após aqueles sorrisos e uma apresentação, eles passaram o restante do dia se conhecendo.[147]

Pouco depois disso, eles se encontraram novamente no Natal de 1942, na casa onde Louise estava hospedada na Argentina. Sabendo que Lester estava chegando, Louise colocara um presente-surpresa para ele sob a árvore de Natal na casa de seu pastor. A partir de então, eles começaram a se corresponder enquanto viajavam separadamente e ministravam para o Senhor na América do Sul.

Pouco mais de um ano depois, Lester propôs casamento a Louise por carta. Demorou mais de um mês para ele receber a carta de resposta, que dizia sim! Eles haviam se encontrado somente naqueles dois breves momentos, mas se apaixonaram enquanto compartilhavam por cartas acerca de seus desejos ministeriais. Louise deixou o campo missionário na América do Sul e voltou para casa no Canadá, e eles se casaram na casa dela, em British Columbia, naquele mesmo ano, em setembro de 1944. Os recém-casados, ambos com trinta e dois anos, estavam prontos para incendiar o mundo com as boas-novas de Jesus Cristo!

Uma Lua de Mel de 80 mil Quilômetros

Nada havia de comum nesses recém-casados. Após uma breve lua de mel nas Cataratas do Niágara, no Canadá, Lester e Louise planejaram sua primeira viagem missionária juntos. O restante do mundo ainda estava envolvido nas batalhas da Segunda Guerra Mundial, então os Sumrall voltaram para a América do Sul. Para Lester e Louise, esse tempo foi uma lua de mel prolongada de 80 mil quilômetros, pregando e cantando acerca do Senhor em todo o continente onde eles haviam se conhecido e se apaixonado. Por meio das cruzadas realizadas em seu ministério, eles viram almas ganharem a salvação e serem libertas do oculto, e incontáveis pessoas da América do Sul foram curadas de suas doenças.

Uma oração de cura especialmente importante para Lester aconteceu em Porto Rico. Ali, em condições de vida insalubres, sua jovem esposa contraiu uma forma fatal de malária. O médico norte-americano não tinha esperança de ver Louise levantar de seu leito de enfermidade, e Lester ficou devastado. Sua linda esposa lhe era mais preciosa do que ele imaginava, e ele estava prestes a perdê-la tão cedo em sua vida juntos.[148]

Atirando-se de joelhos em oração, ele lembrou a Deus de Sua aliança de cura com o Seu povo. Então, impôs as mãos sobre Louise e orou por sua divina recuperação da malária. Em poucos dias a febre cedeu, e logo ela estava bem de novo! Como esse milagre aumentou a fé deles na mensagem de cura de Cristo! Eles pregaram com fervor renovado pelo poder de Deus e por Sua bondade para com aqueles que creem.

Alcançando Cidades para Cristo

Pouco tempo após a viagem missionária e de lua de mel que durou um ano, Louise descobriu que estava esperando seu primeiro filho. Embora a obra missionária permanecesse como o desejo de seus corações, os Sumrall decidiram estabelecer-se nos Estados Unidos durante algum tempo. Eles se mudaram para Springfield, Missouri, onde nasceu seu primeiro filho, Frank, em 1946.

Devido à guerra na Europa ter finalmente acabado, Lester fez uma viagem muito bem-vinda de volta à Inglaterra. Ali, ele se reuniu alegremente com Howard Carter e viu pessoalmente a devastação da Inglaterra e da França, que haviam sido bombardeadas. Foi enquanto ministrava na Europa que ele ouviu o Senhor começar a falar-lhe acerca de uma nova obra de ministério.

Lester percebeu que o caminho para alcançar a maioria dos países para Cristo era pregar nas grandes cidades. Em muitos países, 60 por cento da população residia nas principais áreas metropolitanas. O Senhor deu a Lester uma visão clara de como alcançar os países por meio de centros evangelísticos estabelecidos em cidades como Buenos Aires, na Argentina, e Manila, nas Filipinas.

Quando retornou para casa nos Estados Unidos, onde estavam Louise e Frank, ele compartilhou animadamente suas ideias com as juntas de missões de várias denominações, mas nenhuma delas considerou sua visão possível. Elas consideraram o tamanho e o alcance da tarefa demasiadamente grandes e, portanto, não deram seu apoio.

Impossível?! O que é impossível com Deus? Lester ficou surpreso e frustrado com a falta de fé daqueles que não conseguiram captar sua visão. Talvez ainda não fosse a hora de Deus...

Por Que South Bend, Indiana?

Havia no coração de Lester uma paixão por alcançar os perdidos do mundo, mas o chamado do Senhor veio alto e claro de um lugar inesperado. Uma pequena igreja em South Bend, Indiana, orou e creu que Deus chamara Lester Sumrall para pastorear a sua congregação.

O Senhor deu a Lester uma visão clara de como alcançar os países por meio de centros evangelísticos estabelecidos em cidades como Buenos Aires, na Argentina, e Manila, nas Filipinas.

De início, Lester não levou o pedido a sério. Uma pequena igreja em Indiana? E os bilhões de almas perdidas nas cidades do mundo? Mas o Senhor começou a falar no silêncio do coração de Lester, dizendo: "Você nunca entenderá o Meu coração se você não pastorear... Um pastor se envolve com as tristezas da família... E compreende o que significa ser um pastor porque Eu sou um pastor."[149]

Foi uma decisão difícil, mas Lester sabia que tinha de obedecer. Quando chegou à igreja, ele descobriu que o edifício era muito velho e apertado para ser usado. Depois de convencer a congregação a vendê-lo, ele logo escolheu um novo local no centro da cidade. O edifício novo e maior que abrigaria o Calvary Temple foi construído quase sem dívidas, devido às ofertas milagrosas que foram dadas. O Senhor trouxe evangelistas conhecidos, como Oral Roberts, para pregarem na nova igreja. Dentro de poucos meses, a pequena congregação tinha uma média de 2.500 participantes na escola dominical, e todas as pessoas estavam crescendo no conhecimento de Jesus Cristo. Havia salvações e curas regularmente no Calvary Temple, pois Deus se movia entre o Seu povo. A família Sumrall também cresceu lá, com o nascimento de um segundo filho, Stephen.

Em meio a todas essas bênçãos maravilhosas, o chamado para o campo missionário continuava a arder no coração de Lester.

O Clamor do Coração de Deus

Durante uma curta viagem missionária à Ásia em 1950, Lester realizou uma cruzada de três dias em Manila, nas Filipinas. Mesmo já tendo se passado cinco anos desde a Segunda Guerra Mundial, o país ainda estava envolto em um espírito de escuridão.[150] Durante a cruzada, centenas de pessoas responderam à esperança e à alegria encontradas no evangelho de Cristo. Ao deixar a cidade, Lester se desesperou por não haver nenhum pastor para orientar aquelas novas ovelhas em sua ausência.

Para grande alegria de Lester, não muito depois de ele voltar a South Bend, o Senhor o convocou como antes, dizendo: "*Lester, você irá a Manila para Mim?*" Lembrando-se de sua visão do passado, dos perdidos na estrada para o inferno, Lester respondeu entusiasticamente com um "sim".

O Calvary Temple era uma congregação próspera. Com o sucesso de Lester, outro pastor poderia ter sentido certo orgulho em permanecer ali. Mas Lester Sumrall sabia que o chamado de Deus era sempre renovado em sua vida. Era hora de voltar ao campo missionário. Confiantemente, ele se separou de sua congregação em Indiana, confiando que Deus prepararia e nomearia um novo líder para a igreja. O Calvary Temple pertencia ao Senhor, não a Lester Sumrall.

Após vinte e dois dias de viagem a partir de São Francisco, Lester e Louise chegaram a Manila com o pequeno Frank, e Stephen ainda bebê. Desde uma idade precoce, os meninos Sumrall sempre fizeram parte do ministério de Lester, aprendendo e testemunhando com os próprios olhos o poder de Deus para salvar e curar. Deus prometera a Lester e Louise grandes milagres nas Ilhas Filipinas, e Lester não podia esperar para experimentá-los em primeira mão!

Rompendo a Barreira

Imagine a decepção de Louise na primeira vez em que eles caminharam por Tondo, uma das mais sujas áreas de favelas de Manila. O mau cheiro nas imediações do armazém abandonado que serviria como sua nova igreja era tão ruim, que eles não conseguiam ficar no prédio durante mais do que alguns minutos. Tondo era longe demais do centro de Manila para alcançar os milhões que Lester tinha em seu coração. O que o Senhor poderia fazer em um lugar tão destruído para oferecer ao povo filipino a liberdade em Cristo?

Deus chamara um grande homem de oração a Manila. Embora decepcionado com o primeiro prédio da igreja, Lester sabia que sua resposta seria encontrada em fervorosa oração para que o Deus do universo providenciasse um local para eles no centro da cidade. A visão do coração de Lester era construir não apenas uma igreja, mas também um centro evangelístico para levar continuamente a mensagem de salvação a um público cada vez maior.

Após algumas semanas de oração, Lester foi levado pelo Senhor a um terreno bombardeado próximo ao centro da cidade. Ele estivera vago desde o fim da guerra. Cartas enviadas a cristãos dos Estados Unidos foram respondidas com doações que totalizaram vinte mil dólares para comprar a propriedade. Não muito tempo depois, Lester conseguiu comprar um hangar aeronáutico desmontado. Ele queria montá-lo para ser o prédio da igreja na propriedade bombardeada. Há muitas coisas que Deus pode usar para Sua glória quando as pessoas pensam com criatividade e fogem dos padrões "eclesiásticos", como fez Lester Sumrall.

Mordida por demônios

Lester e Louise haviam recebido uma milagrosa provisão para comprar a terra e o hangar aeronáutico, mas meses se arrastaram com a burocracia e a ineficiência das autoridades da cidade, o que impossibilitava a obtenção das licenças de construção necessárias. Então, na mais estranha das circunstâncias, o Senhor escancarou a porta para a cidade de Manila.

O nome de Clarita Villanueva, uma garota de dezoito anos de idade se tornou, de repente, o mais conhecido em toda Manila. Programas de rádio por toda a cidade relataram a história horrível de uma jovem que fora presa por vadiagem. Ela estava trancada na Prisão Bilibid e gritava por acreditar que dois monstros invisíveis a mordiam o dia todo.

Para espanto dos policiais, guardas e médicos da prisão, havia, de fato, marcas de mordida em sua pele, com vergões vermelhos e sangramento, todas as vezes em que ela gritava. Mais de vinte e cinco pessoas, incluindo um capelão católico da prisão, disseram ter visto evidências de que ela havia sido mordida por seres invisíveis.

Entre lágrimas, Clarita descreveu as criaturas, dizendo: "Um alto, com a aparência de mau, escuro e vestido de preto; e o outro, baixo e angelical, com cabelo branco como a neve. Este último foi o que mais mordeu."[151]

Lester estava ouvindo um daqueles programas de rádio quando soube da horrível tortura da menina que gritava ao ser mordida por seres invisíveis. Muito afetado, ele se virou para Louise e gritou: "A menina não está doente e os médicos são impotentes contra tal inimigo. Seu grito é o grito do condenado; essa menina está possuída por demônios."[152]

Lester não conseguiu dormir na noite em que ouviu a transmissão de rádio. Ele orou continuamente para que o Senhor livrasse Clarita daquele tormento. Durante aquele tempo de oração, ele sentiu o Senhor falando ao seu coração: *Se você for à cadeia e orar por ela, eu a libertarei.*[153] Lester estava muito relutante em entrar em uma situação tão caótica. Os médicos, as autoridades da prisão e os repórteres já haviam criado uma matéria noticiosa repleta de sensacionalismo. Contudo, no fim, Lester sabia que obedeceria ao Senhor.

Batalhas Furiosas

Lester não conseguiu obter acesso à prisão e ver Clarita sem a ajuda do governo. Ele foi visitar Leopoldo Coronel, o arquiteto que havia desenhado os planos para a construção do novo prédio da igreja. Devido a Coronel conhecer bem o prefeito de Manila, eles conseguiram marcar uma entrevista com ele. Embora tenha sido necessária alguma persuasão, o prefeito e o médico responsável da prisão deram sua permissão a Lester para visitar Clarita. Com dificuldade, o médico, Dr. Mariano Lara, admitiu a Lester que em todos os seus anos de prática nunca havia acreditado na existência de uma força sobrenatural no mundo. Todavia, ele disse: "Reverendo, eu sou suficientemente humilde para admitir que estou assustado."[154]

Lester levava a Palavra de Deus muito a sério. Ele conhecia as palavras de Jesus em Marcos 9:29, de que alguns demônios só são expulsos com oração e jejum. Desde que ouvira o horrível programa de rádio, ele estivera em oração pela libertação de Clarita. No dia em que foi visitá-la pela primeira vez, ele já estava jejuando há vinte e quatro horas e passara muitas horas sozinho em seu recinto de oração.

Ao entrar na Prisão Bilibid, Lester sabia que estava entrando em uma batalha de proporções épicas a ser travada nos lugares celestiais. Ele se lembrou do confronto entre Elias e os profetas de Baal, em 1 Reis, capítulo dezoito. Assim como naquela batalha espiritual da antiguidade, Lester sabia que os observadores de Manila veriam o poder de Deus se mover e proclamariam que o Senhor a quem ele servia era verdadeiramente Deus! (Ver 1 Reis 18:39).

Quando Lester e o Dr. Lara entraram na prisão naquela manhã, repórteres, médicos e espectadores variados os seguiram até a pequena capela designada para as prisioneiras. O inimigo o provocou, dizendo-lhe que ele estava prestes a fazer papel de bobo. Mas Lester sabia que era hora de libertar aquela jovem de seus atormentadores.

Assim que Lester ficou cara a cara com Clarita, ela começou a amaldiçoá-lo, a Deus e ao sangue de Jesus. Ela disse tudo isso em inglês, embora não falasse o idioma.[155] Os demônios em seu interior diziam a ele todas as coisas obscenas que poderiam pensar em dizer.

"Clarita, eu vim para libertar você desses demônios, em nome de Jesus Cristo, o Filho de Deus", declarou ele. "Não! Não!", gritou ela em resposta. "Eles me matarão!"[156] Ignorando seu medo, Lester gritou aos demônios que saíssem dela, em nome de Jesus. Imediatamente, Clarita gritou, porque os demônios a haviam mordido em resposta à primeira ordem de Lester.

Uma ousadia santa veio sobre ele e, em vez de se encolher com medo, ele se lançou à luta, em nome de Jesus. Enquanto os demônios continuavam a maldizer a Deus, Lester usou as Escrituras para falar acerca da santidade de Deus e de Seu poder sobre eles no precioso nome de Jesus.

Finalmente, Clarita se acalmou e a batalha enfraqueceu. Os espectadores tinham lágrimas nos olhos, acreditando que a libertação fora concluída.[157] Mas Lester sabia que ainda não havia terminado. Ele também sabia que mais oração e jejum seriam necessários antes de a batalha final ser travada.

Libertação Total

Lester estava exausto. Mais um dia de batalha seria necessário para vencer aquela luta. Ele passou o restante do dia em jejum e comunhão com o Senhor, sentindo Sua presença e garantia de que nada havia a temer.[158] Os jornais, talvez interpretando mal sua aparência tensa, declararam que o Pastor Sumrall fora derrotado pelos demônios. No entanto, Lester sabia que a vitória de Deus estava chegando!

A manhã seguinte lhe trouxe boas notícias na Prisão Bilibid. Clarita não fora mais mordida durante a noite. Novamente, havia espectadores na capela; Lester pediu a todos para se ajoelharem e orarem — repórteres, médicos e também funcionários. Eles concordaram humildemente.

Mais uma vez, Lester ordenou que os demônios saíssem, em nome de Jesus e, desta vez, Clarita relaxou completamente. Eles haviam saído. Quando lhe perguntaram, Clarita respondeu que eles haviam saído pela janela. Os repórteres de jornais e funcionários que haviam lotado a sala estavam chorando, espantados com o que o Senhor fizera.

Entretanto, novamente, Satanás tentou dominá-la. Clarita gritou e os demônios pareciam ter reaparecido. Eles declararam que Clarita não lhes pedira para irem embora. Mais uma vez, eles foram ordenados a sair, em nome de Jesus. Então, Lester explicou a Clarita que ela tinha o poder, no sangue de Jesus, de se recusar a conceder-lhes entrada novamente. Naquela noite, quando eles tentaram atormentá-la pela última vez, o guarda lembrou-lhe sobre o poder do sangue de Jesus. Ela ordenou que eles saíssem, e eles foram embora para nunca mais voltar! A vitória fora conquistada!

Clarita deixou a prisão pouco depois disso e foi morar com uma família cristã indicada pelos Sumrall. Um ano mais tarde, ela se mudou de Manila para uma pequena aldeia filipina, casou-se, teve filhos e viveu em paz cristã.

Abrindo Portas que Nenhum Homem Pode Fechar

Deus tinha uma grande obra reservada para Manila, que aconteceu por meio da libertação de uma jovem. O prefeito ficou tão agradecido por esse milagre de Deus, que ofereceu a Lester qualquer ajuda que fosse necessária para sua nova igreja. Em poucas horas, Lester tinha as licenças de construção necessárias para erguer o hangar aeronáutico como seu centro evangelístico — e sem ter de pagar por isso!

A libertação de Clarita Villanueva foi manchete em todos os jornais locais e no rádio. As pessoas de Manila ficaram tão animadas ao ouvir falar do poder de Deus operando na vida de Clarita, que estavam prontas para receber o evangelho de Cristo. Querendo causar um enorme impacto durante esse tempo, Lester fez um pedido incomum. Ele pediu permissão para realizar uma cruzada evangelística de seis semanas nos belos jardins do Parque Roxas, no centro de Manila. O prefeito ficou perplexo, mas aceitou o pedido de Lester.

Durante a cruzada, com a ajuda do evangelista Clifton Erickson, milhares de filipinos foram ouvir a Palavra de Deus. Em uma única noite, cinco mil homens foram à frente para a oração de salvação. Com o passar das semanas, as multidões cresceram até atingir sessenta mil por noite. Além de levar salvação, a mão de Deus se movia com cura em meio ao povo filipino.

O ator de cinema mais popular do país chegou à cruzada em uma cadeira de rodas e recebeu cura. Após a oração em nome de Jesus, ele foi capaz de andar novamente! O povo foi à loucura de tanta alegria e sua fé em Cristo atingiu novas alturas. Um conhecido advogado do fórum central andava com o auxílio de duas muletas havia doze anos. Ele foi curado pelo poder de Deus e caminhou sem ajuda pela primeira vez em anos! Milagre após milagre ocorria enquanto o povo recebia a Palavra de Deus com o coração aberto.

Oral Roberts visitou as Filipinas e realizou um avivamento na igreja de Lester. O presidente das Filipinas, Magsaysay, recebeu

Lester Sumrall (à esquerda) e Oral Roberts (de gravata borboleta preta) se encontram com o presidente das Filipinas, Magsaysay, em 1953

de braços abertos Oral e Lester para uma visita em seu gabinete. Durante o encontro, ele declarou enfaticamente: "Neste país, nós aprendemos que Cristo é a resposta!"[159]

Assim nasceu o Bethel Temple, uma igreja e centro evangelístico no coração de Manila, nas Filipinas. A visão inicial de Lester se cumprira. Ele pastoreou durante dois anos a igreja, que cresceu em número e em força espiritual. À medida que ela crescia, igrejas afiliadas foram iniciadas em outras cidades das Filipinas.[160] A família Sumrall também cresceu — seu terceiro filho, Peter, nasceu em Manila, em 1953.

Tudo corria muito bem, mas, novamente, o chamado de Deus veio ao coração de Lester: *É hora de ir para casa.* Os *Estados Unidos precisam de você. Se você ficar aqui, eles vão adorar a você, não a Mim.*[161]

Milhares de cristãos lotaram o aeroporto de Manila para dar aos Sumrall uma despedida cheia de lágrimas, com muitos chorando inconsolavelmente. Lester prometeu visitá-los todos os anos e cumpriu a promessa até seus oitenta anos.

Assim, mais uma vez, esse peregrino de Deus, entre lágrimas e sorrisos, disse adeus a uma obra que ele dera à luz pelo Espírito Santo e se pôs a caminho da próxima missão de Deus. Em Atos 20:37-38, o apóstolo Paulo deixou Éfeso enquanto os Efésios se penduravam nele, derramando muitas lágrimas. Da mesma maneira, milhares de cristãos lotaram o aeroporto de Manila para dar aos Sumrall uma despedida cheia de lágrimas, com muitos chorando inconsolavelmente. Lester prometeu visitá-los todos os anos e cumpriu a promessa até seus oitenta anos.

Milhões de pessoas que vivem nas Filipinas hoje são salvas devido à libertação de Clarita do poder do inimigo. Aquele único ato abriu as portas ao evangelho muito rapidamente. Depois daquela experiência, Lester frequentemente lembrava aos outros: "Deus pode fazer mais em um minuto do que nós podemos fazer em cinquenta anos!"[162] Vinte anos após Lester deixar Manila, seu sobrinho-neto, David Sumrall, se tornou o pastor do Bethel Temple. Ela ainda é uma igreja próspera nas Filipinas, sob o ministério de David nos dias atuais.

South Bend e Além

Durante os dez anos seguintes, Lester Sumrall dividiu seu tempo de ministério entre seu renovado pastoreio em South Bend, Indiana, e seu inextinguível chamado para ministrar aos perdidos em terras distantes. Em 1956, Lester sentiu um chamado para ir a Israel e se mudou, com sua família, para Jerusalém. Naquele mesmo ano, a Guerra do Sinai foi travada entre Israel e os países árabes. Lester acreditava que sua família estava no centro da vontade de Deus, e eles permaneceram em Jerusalém. O amor de Lester pela Terra Santa levou a outro ministério e, ao longo das três décadas seguintes, ele liderou milhares de cristãos em visitas a Israel por meio de sua viagem anual para a região.

Em 1957, Lester seguiu o chamado de Deus para ir a Hong Kong. Enquanto ele estava longe da igreja de South Bend, Morris Cerullo se tornou o pastor interino para conduzir o rebanho em Indiana.[163] Lester estava animado por voltar a Hong Kong. Fazia mais de vinte anos desde que ele ministrara com Howard Carter naquela próspera cidade. Ele sabia, em seu coração, que aquela era outra cidade que Deus havia escolhido para ser um centro de evangelização. Assim, Lester iniciou o New Life Temple no quarto andar de um prédio de escritórios no centro da cidade. Dezenas de chineses iam aos cultos para ouvir as boas-novas da salvação e cura por meio do sangue de Jesus Cristo.

Havia muito para contar sobre as milhares de pessoas que haviam sido abençoadas pelo ministério de Lester Sumrall. Então, Louise e Lester lançaram a revista *Colheita Mundial* a fim de compartilhar o evangelho por meio da palavra escrita. Lester começara a escrever livros na década de 1930, começando com *Adventuring in Christ* (Aventurando-se em Cristo), acerca de sua viagem ao redor do mundo com Howard Carter. Os Sumrall continuaram a produzir livros, sabendo que fazê-lo era outra maneira de alcançar os perdidos com a mensagem de Deus.

O próximo centro evangelístico a ser construído foi em Brasília, no Brasil. O coração das pessoas poderia ser alcançado a partir desses grandes centros evangelísticos. O evangelismo levava as pessoas a ouvirem a Palavra, e os ensinamentos bíblicos e o poder do Espírito Santo as mantinham em crescimento em Cristo. Ministrando nesses centros, Lester impôs as mãos sobre os enfermos e eles foram curados no poderoso nome de Jesus.

Ministério Encerrado aos Cinquenta?

Havia poucas coisas na vida de que Lester Sumrall gostava mais do que um desafio. Quando voltou aos Estados Unidos após fazer a obra em outro continente, ele não tinha certeza acerca da direção que deveria tomar a seguir. Era a turbulenta década de 1960, mas Lester sabia que o Senhor queria fazer grandes coisas nos Estados Unidos e além, para alcançar outros com a mensagem do evangelho.

Um colega pastor, que não tinha a mesma visão de vitória, cumprimentou Lester com as seguintes palavras: "Sumrall, você tem mais de cinquenta anos e está acabado."[164] Mas Lester não acreditou naquilo. Ele pediu diretamente ao Senhor a Sua opinião acerca do assunto.

O Senhor lembrou a Lester a visão que Ele lhe dera há vários anos, antes de a família Sumrall deixar Manila. Quando voltasse aos Estados Unidos, Lester deveria transmitir a mensagem de Cristo para os norte-americanos por meio da televisão. Embora tivesse pouca ideia de por onde começar, Lester sabia que aquela era a voz de Deus, então começou a se mover. Naquele momento, tudo o que ele possuía era uma pequena casa e quatro hectares de terra em South Bend.

Uma série de milagres proporcionou o empréstimo e outros recursos necessários para a construção de um prédio de evangelismo mundial em sua propriedade. Um pouco apreensivo com a ideia de uma emissora de televisão, Lester começou comprando uma emissora de rádio FM e entrou no ar com o evangelho. Além disso, ele organizou uma nova igreja em South Bend, chamada Bethel Temple. Era uma congregação independente que pregava o evangelho pleno, com cerca de trezentos membros.

A seguir, os Sumrall iniciaram um ministério denominado *World Harvest Homes*, para abrigar crianças órfãs em diferentes partes do mundo. Pouco tempo depois, Lester lançou a faculdade *World Harvest Bible College*, para preparar jovens ministros para a obra missionária em todo o mundo. Em vez de marcar o fim do ministério de Lester, a década de 1960 foi cheia do crescimento do evangelho de Jesus Cristo.

Lester e Louise Sumrall iniciam as obras da WHME-FM, a primeira emissora de rádio 24 horas de South Bend, Indiana

Também durante esses anos, Howard Carter voltou aos Estados Unidos. Ele se aposentou da faculdade bíblica e foi aos Estados Unidos, onde se casou com uma viúva e continuou a viajar, ensinando acerca do poder e do batismo do Espírito Santo. Os Sumrall tiveram o privilégio de visitar e ministrar com Howard Carter e sua esposa até a morte de Carter, em 1971.

Poder Televisivo

Em 1972, Lester participou da Convenção Nacional das Emissoras Religiosas, em Washington, D.C. Enquanto lá estava, um homem se aproximou dele falando acerca da compra de uma emissora de televisão falida de um milhão de watts, em Indiana. Embora Lester ainda se sentisse inadequado, em seu espírito ele ouviu o Senhor dizer um alto e claro "Sim!"[165] Então, assinou o contrato para pagar um milhão de dólares quando a compra da emissora fosse aprovada pela Comissão Federal de Comunicações. Um milhão de dólares — Deus realmente dissera sim?

Logo após dar esse passo de fé e assinar o contrato, Lester começou a receber ofertas de dinheiro de fontes incomuns. Cheques de valores muito superiores a cinquenta mil dólares chegavam para a recém-formada LeSea Broadcasting (*Lester Sumrall Evangelistic Association*), de pessoas que Lester nem conhecia. Quando a Comissão Federal de Comunicações deu sua aprovação final para a compra, todo o dinheiro necessário para a emissora de televisão havia sido levantado.

Embora Pat Robertson houvesse fundado sua *Christian Broadcasting Network* dez anos antes, Lester Sumrall era frequentemente citado como o "pai" da televisão cristã. Ele foi a primeira pessoa aprovada pela Comissão Federal a ter uma transmissão televisiva cristã em regime de 24 horas por dia, 7 dias por semana.

Em 1972 nasceu em Indianápolis a World Harvest Missionary Broadcasting

No dia 3 de novembro de 1972, a *World Harvest Missionary Broadcasting* introduziu sua primeira programação evangélica para a família. Tratava-se de um programa de entrevistas com participação de espectadores por telefone, inicialmente denominado Today with Lester Sumrall (Hoje com Lester Sumrall), mas depois renomeado para World Harvest (Colheita Mundial), que vai ao ar até os dias de hoje. A WHMB-TV, canal 40, está no ar há mais de trinta e cinco anos, pregando o evangelho de Cristo no centro-oeste dos Estados Unidos.

Alcançando o Mundo Todo

Nada mais importante havia para Lester Sumrall do que pregar aos perdidos em lugares que nunca haviam ouvido o nome de Jesus. Durante anos, Lester seguiu o chamado para ganhar um milhão de almas para Cristo. Com o crescimento da tecnologia de transmissão em todo o mundo, sua visão foi ampliada. No fundo de seu coração, Lester acreditava que não devia ganhar apenas um milhão de almas, mas *um milhão de almas por dia* para Jesus Cristo. Suas transmissões de rádio e televisão alcançavam milhões, mas como alcançar os bilhões da China, do Japão e da Indonésia?

No fundo do seu coração, Lester acreditava que não devia ganhar apenas um milhão de almas, mas *um milhão de almas por dia* para Jesus Cristo.

Convencido de estar vivendo nos últimos dias, Lester sabia que Deus queria que ele alcançasse *nações inteiras* para Cristo. Lester não poderia alcançar os bilhões de perdidos do outro lado do mundo com suas emissoras de televisão ou de rádio dos Estados Unidos, mas poderia alcançar muitos deles por meio da rádio de ondas curtas!

A maioria das pessoas da China possui rádios de ondas curtas. Quando se inscreveu no governo dos Estados Unidos para transmitir para a China, Lester recebeu uma licença para doze milhões e meio de watts; a emissora foi montada em uma ilha no meio do Oceano Pacífico e conseguia alcançar mais de três bilhões de pessoas do Extremo Oriente.[166] Com a eventual adição de outras quatro emissoras de ondas curtas, a *LeSea Broadcasting* teve a mais forte voz de radiodifusão do mundo.

Como a força motriz do ministério, Lester nunca se esquecera de sua visão de pessoas condenadas de todas as nações do mundo gritando e agarrando o ar enquanto caíam no poço do inferno. Ele sempre foi lembrado da palavra de Deus para ele, de que o sangue delas estaria em suas mãos se ele não lhes levasse a mensagem de salvação por meio de Cristo. Desde os primeiros tempos de seu ministério, Lester suplicava pela ajuda do Senhor, dizendo: "Eu ouço o choro de um bilhão de almas!"[167]

No Natal de 1985, Lester Sumrall leu a Palavra de Deus na WHRI Ondas Curtas

Como Lester era fiel, Deus continuou a dar-lhe maneiras criativas para alcançar os perdidos.

Transmitindo para o Mundo Todo

Ao longo da década de 1970, o ministério de Lester continuou a comprar emissoras de televisão adicionais em todo o país. A palavra inicial de Deus para Lester foi de ter não apenas uma estação cristã, mas também uma rede, para que pessoas pudessem ser alcançadas por toda parte.

Na década de 1980, uma emissora foi construída no terreno da WHME-TV, e a LeSea foi capaz de transmitir via satélite em regime de vinte e quatro horas, sete dias por semana.[168] A década de 1980 também viu a primeira das emissoras de rádio de ondas curtas ser criada para ministrar a ouvintes da Europa e da América do Sul.

No início do século 21, a LeSea Broadcasting já contava com treze emissoras de televisão em todos os Estados Unidos, dois canais de satélite cobrindo todos os continentes da África, da Ásia e da Europa, cinco potentes emissoras de ondas curtas e três emissoras de rádio FM. Pelos meios de comunicação da LeSea Broadcasting, mais de noventa por cento da população do mundo pode ser alcançada pelo evangelho de Jesus Cristo! Um homem com uma visão de Deus, e o Corpo de Cristo caminhando ao lado dele na fé, pode levar a mensagem de salvação por meio de Jesus Cristo até aos confins da Terra!

Mais um Galho!

O ano era 1987. Lester Sumrall estava com 74 anos de idade. Tinha um casamento abençoado de 43 anos com Louise, o amor de sua vida. Seus filhos e suas respectivas famílias estavam no ministério ao lado dele. Frank era seu co-pastor no recém-construído Christian Center, de 3.500 lugares. Stephen lidava com todos os detalhes administrativos do ministério. Seu filho mais novo, Peter, supervisionava a divisão de difusão radiofônica e televisiva.

Lester Sumrall pregando a Palavra na Coreia do Sul

Lester ainda estava pregando no mundo todo, alcançando 20 mil líderes de células na Yoido Full Gospel Church em Seul, na Coreia, quatro milhões de pessoas por meio da World Harvest Broadcast, de South Bend, Indiana; e centenas de outras por meio de visitas anuais à Terra Santa. Sua vida era rica e plena... mas os planos de Deus para ele ainda não haviam se encerrado!

Lester viajou a Denver, Colorado, para falar a um grupo de pastores acerca da nova emissora de televisão LeSea que em breve estaria no ar. Quando a noite se aproximava do fim, um senhor na parte de trás da sala o abordou. Calmamente, o homem afirmou ter uma mensagem do Senhor para Lester. A resposta de Lester não foi muito calorosa. Ele estava mais do que acostumado a ouvir o Senhor falar diretamente com ele!

Todavia, o homem continuou com uma palavra profética:

> Sua vida é como uma árvore plantada em Deus. Sua vida é uma árvore e há galhos em sua árvore. Seu primeiro evangelismo como um jovem é um galho de sua árvore... seus galhos missionários deram muito fruto e ainda dão. Sua igreja é um galho. Seu ministério de televisão é um galho. Seu ministério de rádio é um galho.

Respirando fundo, ele continuou:

> Assim diz o Senhor: um novo galho brotará em sua árvore da vida. Ele será maior do que todos os outros galhos. Ele dará tantos frutos, que você ficará surpreso.[169]

Incerto do significado da mensagem, Lester tinha certeza de estar demasiadamente velho para qualquer novo galho! O que aquilo poderia significar?

Revelação em Jerusalém

Algumas semanas depois, Lester estava em Jerusalém realizando sua turnê anual à Terra Santa, com um grande grupo de crentes. Certa noite, o Senhor o acordou pouco antes da meia-noite com uma nova visão para o ministério.

Lester ouviu a voz de Deus em seu coração, dizendo: *Um de meus maiores interesses é que o Meu próprio povo, parte da Minha igreja, não morra de inanição antes que eu volte. Você pode alimentá-los? Para eles, isso será uma fonte angelical de alimento! Para eles, isso será um milagre!*[170]

Durante cinco horas, Lester ouviu o coração de Deus enquanto Ele falava do sofrimento entre grande parte de Sua igreja no mundo todo. Havia uma fome devastadora no mundo, especialmente nas regiões assoladas por guerras. Se Lester obedecesse, Deus forneceria os meios para ele transportar os alimentos desesperadamente necessários até o interior de muitos

Havia uma fome devastadora no mundo, especialmente nas regiões assoladas por guerras. Se Lester obedecesse, Deus forneceria os meios para ele transportar os alimentos desesperadamente necessários até o interior de muitos países.

países. O propósito era contornar a burocracia governamental de nações do terceiro mundo e levar os alimentos e suprimentos diretamente até as mãos do povo de Deus, por intermédio de pastores locais.

Deus disse: "*Você distribuirá os alimentos somente por meio das Minhas igrejas. No mundo todo, quero que você alimente meu povo que está faminto.*"[171] Quando Lester perguntou ao Senhor por que Ele o escolhera, a resposta de Deus foi clara: "*Você pregou em 110 nações e ama todas aquelas pessoas. Eu quero usar você para alimentá-las.*"[172] Às cinco horas da manhã, na Cidade Santa, Lester respondeu mais uma vez ao chamado de Deus: "Estou disposto, Senhor."

Ao longo do ano seguinte, uma série inacreditável de milagres aconteceu para levar a primeira carga de alimentos a um povo faminto. Lester percebeu que o ministério precisava ter um avião próprio para alcançar o interior dos países, onde havia as maiores carências de alimento. Ele descobriu que o melhor tipo de avião para aquela missão era o C-130, um avião de transporte militar. Mas riram de Lester quando ele declarou que eles iriam encontrar um C-130 usado para comprar para o ministério.

O milagre número um era encontrar um avião usado em excelente estado. Uma vez conseguido isso, o valor pedido de um milhão e meio de dólares tinha de ser levantado. Por fim, o Departamento de Estado dos Estados Unidos e a Comissão Federal de Aviação teriam de aprovar a compra de um C-130 por um ministério cristão. Ninguém pensou que o último obstáculo pudesse ser superado. Mas, com um selo extra de aprovação pela administração da Casa Branca, os dois pedidos foram aceitos! Após poucos meses, o primeiro carregamento de alimentos foi levado à Guatemala e entregue diretamente a um missionário local. O avião foi capaz de pousar em uma pista de pouso de terra nas montanhas, onde os alimentos eram desesperadamente necessários.

Depois disso, o C-130, apelidado de "Mercy Plane Zoe", foi usado durante mais de dois meses para levar suprimentos aos curdos que sofriam após a Operação Tempestade no Deserto.[173]

Lester Sumrall com o ministério "Feed the Hungry", na nação africana do Zaire

A missão foi um sucesso. Rapidamente, o Senhor multiplicou a obra. Deus colocou Don Tipton, um empresário cristão, no caminho de Lester. Tipton possuía um grande navio cargueiro, ao qual ele dera o nome de "Spirit" [Espírito] e se dedicou à obra de levar alimentos, roupas e medicamentos aos necessitados, sob a direção de Sumrall. Onde havia portos e locais amigáveis onde os alimentos poderiam ser distribuídos a partir do navio cargueiro, Don estava lá.

Para Lester, este se tornou o maior passo de seu ministério: a LeSea Global Feed the Hugry. O último galho na árvore da vida de Lester Sumrall foi alimentar os famintos do mundo todo enquanto o Senhor supria a necessidade, principalmente por meio de doações recolhidas de igrejas dos Estados Unidos. Ele trabalhou nesse último projeto com grande paixão, até o fim de sua vida. Estava encantado porque "o povo de Deus em um lugar de abundância se tornara uma resposta à oração de Seu povo em locais necessitados".[174]

Um Legado para Jovens Pastores

Em seus últimos anos, Lester se tornou um autor prolífico, escrevendo muitos livros para benefício de jovens pastores. Ele doava generosamente seu tempo para pregar em qualquer lugar do mundo sempre que era convidado por outro pastor. Não importava se havia trinta pessoas ou três mil pessoas para ouvi-lo. Ele não estava lá pela plateia; ele estava lá para benefício daquele pastor. Quando chegava a algum lugar, ele insistia em ser buscado pelo pastor local; ele não tinha interesse em passar tempo com qualquer outra pessoa.

Orientado por Lester Sumrall

Nesses anos finais, tive o privilégio de conseguir encontrar-me com o Dr. Sumrall regularmente. No começo, ele me perguntava: "Que perguntas você tem?" Na primeira vez, eu disse a ele que não tinha perguntas. Ele respondeu rispidamente: "Nunca venha a mim sem perguntas. Não desperdiço meu tempo. Sou ocupado." Fiz questão de nunca mais desperdiçar seu tempo. Logo descobri que ele tinha uma impressionante capacidade de responder a perguntas complexas com algumas poucas palavras de preciosa sabedoria.

Em um de nossos encontros, ele advertiu: "Como pastor, você terá poucos amigos verdadeiros na comunidade. Se a sua igreja for menor do que as dos outros pastores, eles farão de tudo para ajudá-lo. Se a sua igreja for do mesmo tamanho que a deles, eles começarão a falar dos seus defeitos. Quando sua igreja for maior do que a deles, eles reunirão informações para usar contra você."

Sempre que terminávamos nossa conversa, o Dr. Sumrall dizia: "Venha aqui. Vou abençoá-lo antes de sair." Então, ele punha a mão em minha cabeça e, com voz autoritária, dava um anúncio de duas palavras: "Seja abençoado!" Ele fez isso todas as vezes em que estive com ele. Esse era o seu modo de ser. Ele lhe dizia quando vir e quando sair.

Certa vez, ele se referiu a 2 Coríntios 4:7: "Temos esse tesouro em vasos de barro." Ele me disse que, frequentemente, os pastores se concentram no dom e ignoram o vaso. Ele me alertou de que se o dom e o vaso não cooperarem, os ministérios acabam em desastres como divórcio, doença ou falha moral. Então, perguntou-me se eu estava pregando por dinheiro ou por almas — por rostos ou

> **Anos depois, ele escreveu que, se Deus lhe pedisse para deixar tudo novamente — suas emissoras de televisão, sua grande igreja e sua sede internacional — ele o faria sem perder uma noite de sono.**

por cifrões. "Se você não está pregando para almas", disse ele, "você se vendeu a Mamom".

Após sair dos nossos encontros, frequentemente eu me sentia desconfortável. Logo descobri, porém, que nosso tempo juntos era muito semelhante a um processo descrito na Bíblia: "Assim como o ferro afia o ferro, o homem afia o seu companheiro" (Provérbios 27:17). O Senhor falou comigo, dizendo que os lugares em que me sentia inseguro eram meus lugares de fraqueza — lugares que precisavam ser afiados. O Dr. Sumrall me ensinou que estar na presença da autoridade e da grandeza traria à tona minhas inseguranças, não devido a algo que ele estivesse fazendo por mim, mas porque essas eram áreas da minha vida que eu precisava enfrentar e fortalecer. Não demorou muito para que eu me apaixonasse por sua franqueza.

Uma Vida de Obediência

Desde o momento de sua dramática conversão e cura de tuberculose aos dezessete anos, até partir para o Senhor aos oitenta e três, Lester Sumrall viveu uma vida de obediência. Ele passava horas buscando a vontade do Senhor e aprendeu a ouvir a Sua voz com segurança.

Para Lester Sumrall, "a fé era uma peregrinação com Deus — apenas soltar-se de tudo e dizer: 'Senhor, vá à frente. Eu estou caminhando contigo'."[175] Quando deixou seu pastorado para ministrar em Manila, ele falou sobre a dor de deixar aqueles que levara a Cristo. Contudo, fez aquilo por obediência ao chamado de Deus. Anos depois, ele escreveu que, se Deus lhe pedisse para deixar tudo novamente — suas emissoras de televisão, sua grande igreja e sua sede internacional — ele o faria sem perder uma noite de sono.[176]

Por quê? Porque, para Lester Sumrall, a fé era um estilo de vida em si mesma. Ele estava disposto a ir com Deus? Abraão estava e se tornou o pai da maior nação que já viveu — a nação do povo de Deus. Lester estava determinado a também caminhar na fé.

Lester Sumrall estava sempre pronto para se mudar para um novo lugar em Deus. Ele nunca teve medo de o Espírito Santo conduzi-lo em uma nova direção, desde que fosse confirmada na Palavra de Deus. Quando estudou todos os movimentos poderosos de Deus na história cristã, ele concluiu enfaticamente:

"Se eu tivesse vivido durante o tempo de Martinho Lutero, teria me tornado um luterano, porque eles eram os que carregavam a bandeira de Deus."

"Se eu tivesse vivido nos dias de John Knox, teria me unido aos presbiterianos, porque eles estavam carregando as chamas do avivamento."

"Se eu tivesse vivido nos dias de John Wesley, teria me unido aos metodistas, porque era ali que Deus estava se movendo."

"Se eu estivesse vivendo no momento em que o Exército da Salvação foi fundado por William Booth, teria me unido a esse grupo, ido às esquinas e 'tocado um sino' por Jesus, porque eles estavam levando pessoas à salvação."

"Eu quero estar onde a bênção de Deus está sendo derramada... onde a unção está em pessoas."[177]

Em minha última visita ao Dr. Sumrall, ele me disse: "Você foi o único que me perguntou sobre os grandes pregadores do passado, que conheci e foram esquecidos com o passar do tempo. Você me perguntou acerca de suas histórias e suas vidas. Isso é importante, Roberts. É a sua unção. Você precisa manter essas histórias vivas. Elas são importantes para os 'desconhecidos'. Essas histórias inspirarão os grandes desconhecidos de gerações futuras. Mesmo agora, há pregadores grandes, mas desconhecidos, que estão agonizando sobre o processo de tomada de decisão. Eles estão lutando, pensando se devem ou não entrar no ministério e condenar à morte uma carreira em negócios, medicina ou direito. Eles precisam ouvir essas histórias. Eles precisam saber que uma vida de fé funciona!"

Perto do fim, Lester Sumrall acordou após ficar em coma durante vários dias. Como um operador de cura "à moda antiga", ele nunca se sentia muito confortável na presença de médicos e hospitais. Desde a visão celestial em seu leito de morte tantos anos antes, ele sabia que teria de continuar pregando para permanecer vivo. Sempre fiel ao seu chamado, ele pregara até a sua última semana. Em 28 de abril de 1996 — apenas alguns dias mais tarde —, Lester Sumrall partiu para estar com o Senhor Jesus Cristo, deixando para trás um poderoso ministério que ainda hoje está levando almas perdidas ao Reino de Deus.

CAPÍTULO TRÊS

NOTAS FINAIS

[88] Lester Sumrall, *The Life Story of Lester Sumrall* (Green Forest, AR: New Leaf Press, 1993), 28.
[89] Ibid., 29.
[90] Ibid., 31.
[91] Lester Sumrall, *Pioneers of Faith* (South Bend, IN: LeSea Publishing, 1995), 16.
[92] Sumrall, *Life Story*, 20.
[93] Ibid., 26.
[94] Ibid., 33.
[95] Ibid., 34.
[96] Ibid., 40.
[97] Ibid., 43.
[98] Ibid., 50.
[99] Ibid.
[100] Ibid., 51.
[101] Ibid., 52.
[102] Lester Sumrall, *Legacy of Faith* (South Bend, IN: LeSea Publishing, 1993), 17.
[103] Sumrall, *Life Story*, 53.
[104] Ibid., 55.
[105] Ibid., 69.
[106] Sumrall, *Legacy*, 24.
[107] Sumrall, *Life Story*, 71.
[108] Ibid., 72.
[109] Ibid., 74.
[110] Sumrall, *Pioneers*, 58.
[111] Ibid., 59.
[112] Sumrall, *Life Story*, 76.
[113] Sumrall, *Pioneers*, 51.
[114] Ibid.
[115] Lester Sumrall, *Adventuring with Christ* (South Bend, IN: LeSea Publishing, 1988), 17.
[116] Sumrall, *Life Story*, 81.
[117] Sumrall, *Legacy*, 24.
[118] Sumrall, *Adventuring*, 23.
[119] Ibid., 27.
[120] Ibid., 37.
[121] Lester Sumrall, *Lester Sumrall's Short Stories* (South Bend, IN: LeSea Publishing, 2005), 101.
[122] Ibid., 102.
[123] Lester Sumrall, *Demons: The Answer Book* (New Kensington, PA: Whitaker House, 1979), 46.

[124] Sumrall, *Life Story*, 98.
[125] Ibid.
[126] Ibid., 99.
[127] Sumrall, *Demons*, 47.
[128] Sumrall, *Life Story*, 102.
[129] Sumrall, *Adventuring*, 50.
[130] Sumrall, *Life Story*, 106.
[131] Ibid., 107.
[132] Ibid.
[133] Sumrall, *Adventuring*, 80.
[134] Ibid., 89.
[135] Ibid., 107.
[136] Ibid., 117.
[137] Ibid., 122.
[138] Ibid., 123–124.
[139] Ibid., 137.
[140] Sumrall, *Life Story*, 113.
[141] Sumrall, *Legacy*, 33.
[142] Sumrall, *Pioneers*, 166.
[143] Ibid., 168.
[144] Ibid., 172.
[145] Sumrall, *Life Story*, 127.
[146] Sumrall, *Legacy*, 56.
[147] Ibid., 52.
[148] Sumrall, *Life Story*, 134.
[149] Ibid., 143.
[150] Ibid., 149.
[151] Lester Sumrall, *Bitten by Devils* (South Bend, IN: LeSea Publishing, 1987), 9.
[152] Ibid., 32.
[153] Ibid., 33.
[154] Ibid., 34.
[155] Ibid., 38.
[156] Ibid., 39.
[157] Ibid., 40.
[158] Ibid.
[159] Sumrall, *Legacy*, 72.
[160] Ibid., 70.
[161] Sumrall, *Life Story*, 181.
[162] Ibid., 176.
[163] Sumrall, *Legacy*, 76.
[164] Sumrall, *Life Story*, 181.
[165] Ibid., 183.
[166] Ibid., 185.
[167] Sumrall, *Legacy*, 154.
[168] Ibid., 123.
[169] Sumrall, *Life Story*, 196–197.
[170] Sumrall, *Legacy*, 129.
[171] Ibid.

[172] Sumrall, *Life Story*, 211.
[173] Ibid., 208.
[174] www.feedthehungry.org.
[175] Lester Sumrall, *Faith Can Change Your World* (South Bend, IN: Sumrall Publishing, 1999), 123.
[176] Ibid., 122.
[177] Sumrall, *Pioneers*, 16.

★★★★★

Capítulo Quatro

ORAL ROBERTS

"Espere Por Um Milagre!"

“ESPERE POR UM MILAGRE!”

Caía uma chuva torrencial, lançando folhas e detritos por toda a paisagem fria da fazenda. O sol se pondo abaixo da linha do horizonte fazia as nuvens escuras e sinistras parecerem ainda mais ameaçadoras. Trovões ressoavam, enquanto os raios que se seguiam revelavam os campos áridos. Era o início do inverno de 1917, e uma mulher descendente de índios Cherokee caminhava com determinação pela fazenda do sudeste de Oklahoma. Claudius Roberts fora chamada a sair de sua casa por um vizinho, tomado de pânico porque o médico anunciara que seu filho enfermo estava à beira da morte. “Por favor, venha orar por meu menino, irmã Roberts”, implorara ele. Visitas domiciliares haviam se tornado um esforço decorrente de sua fé.

A senhora Claudius Roberts cria firmemente no poder da oração a um Deus que cura os enfermos. Ela saiu naquela noite fria e chuvosa, grávida de sete meses de seu quarto filho, crendo em um Deus que a manteria a salvo, em um Deus que é Aquele que cura. Ao aproximar-se da cerca de grosso arame farpado que separava sua propriedade da dos vizinhos, Claudius orou para que pudesse chegar a tempo até o garoto. A porteira estava quebrada e emperrada. Apesar da gravidez, ela levantou um pedaço de arame farpado, apertou com o pé o arame abaixo dele e se arrastou para atravessar a cerca.

Tão repentinamente quanto começara, a tempestade se acalmou e, na noite silenciosa, Claudius "sentiu o Espírito do Senhor pairando". Deus estava falando com ela: a criança que ela carregava em seu ventre "era uma criança especial, que teria sobre si a unção de Deus".[178] Naquela noite escura, enquanto se dirigia à casa do vizinho, Claudius fez uma promessa a Deus. Se Ele curasse o filho doente do vizinho, ela dedicaria o bebê de seu ventre ao Senhor, como Ana dedicara Samuel (ver 1 Samuel 1:11).

Ao aproximar-se da cama da criança enferma em espírito de oração, Claudius sentiu o poder do Espírito Santo descer sobre aquele pequeno aposento. Ela orou por cura, e o menininho foi curado instantânea e completamente! Daquele dia em diante, ela soube que Deus ungira o bebê que iria nascer, o qual seria dedicado a servir a Ele.[179]

O Homem Ungido de Deus

Claudius Roberts orara para que seu último filho fosse alto e forte, e que tivesse traços de sua ascendência indígena. Ela pedira a Deus um menino de olhos azuis, embora todos os seus outros filhos tivessem olhos castanho-escuros. Quando o bebê nasceu, Claudius se regozijou por Deus haver respondido a todas as suas orações.

O que ela não conseguia perceber totalmente naquele momento era que esse bebê — Granville Oral Roberts — se tornaria um dos homens mais ungidos de Deus da segunda metade do século 20. Existem palavras suficientes para fazer justiça ao poderoso ministério de tendas de pregação e cura de Roberts que alcançaram dezenas de milhares de pessoas na década de 1950? Somos capazes de explicar seu inspirado chamado a construir a maior universidade cristã do mundo da década de 1960, a sabedoria de seu inovador ministério televisivo que alcançou milhões de pessoas na década de 1970, as controvérsias e a tragédia pessoal que cercaram seu ministério na década de 1980, ou o lugar que Oral Roberts detém hoje na Igreja?

Fui o primeiro bebê nascido na faculdade de medicina de Oral Roberts. De fato, Oral foi um herói tão grande para minha família, que recebi o nome de Kenneth Roberts Liardon, mas escolhi adotar o sobrenome Roberts. Lembro-me de, quando criança, estar em Tulsa em um "Fim de Semana do Parceiro" — um encontro de seus apoiadores financeiros — no qual Oral começou a orar por todos os que estavam no recinto. Em dado momento, ele se dirigiu a uma fileira de parceiros sentados em cadeiras de rodas. Percorreu a fileira, impondo as mãos sobre cada um e orando. Um após outro, eles se levantaram de suas cadeiras. Eu nunca vira algo semelhante àquilo. Bem, havia curas em minha igreja local, mas elas aconteciam de modo raro e ocasional — nada parecido com a visão de uma fileira de pessoas se levantando de suas cadeiras de rodas e caminhando!

Oral começou a orar por todos os que estavam no recinto. Em dado momento, ele se dirigiu a uma fileira de parceiros sentados em cadeiras de rodas. Percorreu a fileira, impondo as mãos sobre cada um e orando. Um após outro, eles se levantaram de suas cadeiras.

É basicamente impossível descrever em detalhes um ministério global que durou mais de setenta anos. Oral Roberts levou o pentecostalismo ao caminho correto. Ele lhe deu respeitabilidade e dignidade. Meu desejo, com este livro, é destacar áreas específicas da vida desse homem ungido: desde suas origens humildes até a posição de liderança e poder que ele ocupou na última metade do século 20, os infelizes escândalos que o perseguiram e, finalmente, ao lugar que seu ministério ocupa hoje. Esta é a impressionante história de como Deus usou um ser humano falível, mas desejoso de render toda a sua vida em obediência ao chamado de um Deus *infalível*.

Ungido Desde o Ventre

É notável como muitos dos mais poderosos líderes dos Estados Unidos, tanto políticos quanto espirituais, tiveram origem humilde; assim foi com Granville Oral Roberts. Ele nasceu em 24 de janeiro de 1918, em uma rústica casa de troncos em uma fazenda de Pontotoc County, Oklahoma, o quarto e último filho de Ellis e Claudius Roberts. Seus pais eram cristãos cheios do Espírito, que pregavam a Palavra de Deus a qualquer um que quisesse ouvir. Ellis Roberts era um dedicado pregador da Igreja Pentecostal Holiness que conhecia a Palavra e era firme em sua busca de Deus.

Claudius Roberts, ou Mama Roberts, como tive o privilégio de chamá-la, era fervorosa na fé. Ela era uma mulher pentecostal da velha guarda, cheia do Espírito Santo e da unção de Deus — com fé para crer em Deus para o impossível. Era descendente de uma orgulhosa tribo nativa dos Estados Unidos. Sua mãe fora uma índia Cherokee e ela tocava a todos que encontrava com sua determinação de crer em Deus para responder a orações. Foi de Mama Roberts que Oral herdou a personalidade dramática, a perseverança diante de dificuldades e a capacidade de atrair e prender a atenção de uma congregação. Mama Roberts semeou em sua família a firme crença no poder de Deus para curar.

A família Roberts era dolorosamente pobre. Talvez o impulso de Oral para ter sucesso em todos os empreendimentos de sua vida e seu ministério viesse da tristeza de ter sido pobre quando criança. As roupas de Oral já haviam sido usadas pelos filhos dos diáconos pobres da igreja. As refeições eram simples e, por vezes, trocadas por um "jejum". Frequentemente, Oral e seu irmão Vaden brincavam fora de casa até o fim da tarde e, depois, ao voltarem, descobriam que vizinhos haviam deixado alimentos atrás da porta para o jantar da família.

A despeito de sua origem humilde, Oral era popular com os colegas de classe. Ele se recorda claramente de quando foi eleito "Rei da Escola" antes de sua graduação no ensino fundamental. Como "Rei", esperava-se que ele usasse roupas novas para a assembleia da escola. Seus pais, porém, não podiam comprar nenhuma coisa nova, muito menos um novo guarda-roupa de "Rei". Destemido, Oral ganhou, ele mesmo, o dinheiro para comprar um novo macacão de brim.

Ao chegar à escola para escoltar a "Rainha" (a filha de uma família rica), o "Rei" Oral a encontrou usando um lindo vestido de cetim branco. O contraste do brim com o cetim branco teria feito qualquer pessoa ficar envergonhada. Todavia, o pequeno fazendeiro de família pentecostal pobre estendeu seu braço à jovem, manteve a cabeça erguida e a escoltou à assembleia da escola, parecendo um verdadeiro rei. Aquele foi um prenúncio da força de que Oral necessitaria em muitos tempos difíceis ao longo de sua vida.

De Gago a Pregador

Nem todas as memórias antigas de Oral eram tão agradáveis quanto ser coroado rei da escola. Em sua juventude, ele foi grandemente afligido pela gagueira. Embora fosse extremamente inteligente, ele raramente conseguia ler os textos escolares sem gaguejar tanto a ponto de acabar chorando. Seus tios, que nunca acreditaram que ele fosse ser alguma coisa na vida, o criticavam impiedosamente. Quando o pai de Oral falava em ele vir a ser usado por Deus no futuro, o tio de Oral respondia: "Ora, Ellis, você está fora de si? Oral nem consegue falar."[180] Mas Papai Roberts era persistente. "Esse menino é especial." Oral também era zombado por seus colegas de classe e parentes. A influência piedosa de seus pais, inspirada pelas promessas de Deus, se tornou sua maior esperança.

Mama Roberts era uma mulher robusta de baixa estatura, mas era uma usina de força espiritual. Ela punha seu menino em crescimento em seu colo e proclamava com ousadia as promessas de Deus para ele: "Oral, eu dei você a Deus quando você era um bebê. Você é propriedade de Deus. Algum dia Ele curará sua língua e você falará. Filho, você pregará o evangelho!"[181]

Durante aqueles anos, Ellis Roberts também profetizava acerca do filho, usando palavras que Oral não esqueceu ao longo de setenta anos de ministério. Com compaixão do menino magro e tímido que se esforçava para se comunicar, Ellis olhava em seus olhos e proclamava: "Oral, algum dia você será um pregador. Deus lhe dará as maiores reuniões do seu tempo. Elas serão tão grandes, que outros irão à sua frente e prepararão o caminho. Tudo que você terá de fazer será pregar e ministrar às pessoas."[182]

Essas profecias e palavras de fé acabaram levando à cura total da gagueira de Oral. Os pais que estão lendo as histórias dos generais ungidos de Deus nunca devem se esquecer do poder que é soprado pelo Espírito Santo quando declaramos diariamente a palavra de fé — a palavra de bênção, a palavra de favor — acerca dos nossos filhos!

Rebelião e Perdão

Declarar-se pentecostal nas décadas de 1920 e 1930 significava ser ridicularizado e rejeitado pela maioria das outras denominações cristãs. Para Oral e seu irmão Vaden, aquilo tornou sua adolescência particularmente difícil. Envergonhado por ser pobre e constrangido devido ao rótulo de "santo enrolador", Oral se lançou avidamente no lado mundano da vida escolar como um jovem bonito, de um metro e oitenta e três de altura e ombros largos. Ele era excelente em esportes, especialmente basquetebol e beisebol. Esses esportes se tornaram as coisas mais importantes da vida para ele, porque, por meio deles, ele encontrou a aceitação que tanto ansiava.

Oral sempre soube que havia um chamado em sua vida e uma paixão em seu coração por realizar grandes coisas. Encontrando o sucesso pela primeira vez no campo de beisebol e na quadra de basquetebol, ele acreditava haver encontrado sua resposta. Vislumbrava um grande futuro e via o esporte como seu passaporte para a universidade, a faculdade de direito e o glamour de uma vida na política de Oklahoma. Quando adolescente, tinha uma coleção de antigos livros de direito. Seu sonho era algum dia ser governador de Oklahoma — seu plano de ouro para escapar de sua infância pobre e maltrapilha.

Quando Oral tinha quinze anos, surgiu-lhe uma oportunidade inesperada de escapar do meio pentecostal pobre que lhe trazia ressentimentos. Seu treinador, Herman Hamilton, aceitou o emprego de novo treinador de basquetebol em Atoka, Oklahoma, uma escola situada oitenta quilômetros ao sul da casa de Oral. Quando o técnico o convidou para ir com ele, Oral aproveitou a chance de deixar sua vida em um lar pobre e ir para qualquer lugar que não fosse Ada.

Oral sempre soube que havia um chamado em sua vida e uma paixão em seu coração por realizar grandes coisas.

Ellis e Claudius imploraram a Oral para permanecer em casa e clamaram ao Senhor para livrar seu filho dessa busca pelas coisas do mundo. Claudius lhe disse, com lágrimas nos olhos: "Oral, você nunca será capaz de ir além das nossas orações. Todos os dias nós oraremos e pediremos a Deus para enviar você para casa."[183] Mas Oral ignorou os lamentos e orações e deixou sua casa, ávido para chegar a Atoka.

Naquele novo ambiente, as habilidades de liderança de Oral vieram à tona. Durante o ano seguinte, ele foi eleito presidente da classe e se tornou editor do jornal da escola. Tinha três empregos em tempo parcial e, academicamente, era o melhor aluno de sua classe. O astro do basquetebol, de cabelos escuros e olhos azuis, tornou-se um jovem popular junto aos fãs de esportes e às mocinhas bonitas. O grande e competitivo ensino médio lhe deu uma chance de "experimentar o tamanho do mundo". Ele aprendeu a dirigir — e a dirigir rápido — e até começou a tomar bebidas alcoólicas como um modo de romper completamente com o passado pentecostal que agora o envergonhava. Esquecidas as suas raízes pentecostais, agora o objetivo de Oral era "viver" no mundo e fugir de Deus.

Parada Brusca

Por fim, em uma quadra de basquetebol fortemente iluminada, mais de um ano após ter saído de casa, o jovem Granville Oral Roberts chegou ao fim de si mesmo. Era fevereiro de 1935 e noite final do torneio de basquetebol do sul de Oklahoma. Oral se recorda: "De repente, caí ao chão e fui carregado para fora do ginásio. Minha boca estava esguichando sangue e eu tossia a cada respiração."[184]

Aparentemente, toda aquela vida em ritmo acelerado — exigir-se demais para ser o melhor em tudo — teve uma recompensa igualmente rápida. O treinador carregou Oral para seu carro e disse: "Oral, você vai para casa", porque temeu pela vida de seu jogador. Quando eles chegaram à residência dos Roberts, o treinador Hamilton ajudou Oral a sair do carro e encarou seu pai, dizendo gravemente: "Reverendo Roberts, eu trouxe seu filho para casa."[185]

Aquele episódio foi o início de um período de sofrimento e dor no combate a uma doença mortífera. A partir daquela noite, Oral ficou acamado durante 163 dias, sem saber se algum dia teria forças para levantar-se novamente. Seu peso caiu de 73 para 55 quilos, e seus amigos mal o reconheciam. Lutando para respirar e com a sensação de ter uma faca no peito, Oral clamou a seu pai: "Papai, o que significa essa dor terrível em meus pulmões? Por que cuspo sangue e tusso o tempo todo?" As palavras que ele ouviu a seguir foram inesquecíveis: "Oral, você está com tuberculose nos dois pulmões."[186]

Em 1935, um diagnóstico de tuberculose era quase equivalente a uma sentença de morte. Oral virou o rosto e perdeu as esperanças. Ele gemeu e chorou até não mais suportar a dor em seus pulmões. "Papai", soluçou ele, "quando as pessoas ficam com tuberculose, elas não saram. Esse remédio não me ajudará agora. Se vou morrer, simplesmente morrerei".[187]

Em meio à agonia e aos sentimentos de desespero que o dominavam, Oral aprendeu as primeiras lições acerca das enfermidades e da consequência da falta de fé na cura no Corpo de Cristo. Um conhecido pastor da cidade foi ver Oral, mas não tinha fé em sua recuperação. O homem meramente orou para que Oral tivesse paciência durante a doença, então, foi embora em silêncio.

Alguns cristãos bem-intencionados que visitaram sua casa disseram à família que Deus dera a terrível doença a Oral por um propósito. As tardes de domingo eram as mais terríveis para Oral, pois vizinhos desprovidos de conhecimento bíblico vinham conversar acerca de sua doença e de como Deus "colocara" a tuberculose nele. Toda a esperança de Oral era esmagada pelas predições de infortúnio daquelas pessoas. Ele gritou, revoltado contra as ideias em que elas criam. "Se Deus pôs isso em mim", gritou ele aos seus pais, "eu não quero servi-lo".[188]

"Deus Vai Curar Você!"

Em Sua fidelidade, o Senhor sempre envia alguém às nossas vidas em nossos momentos de desespero. Quando Oral era um garotinho gago, Deus usou sua mãe para profetizar sobre ele, e usou-a novamente naquele momento de dor. Mama Roberts era uma mulher de incrível visão e tinha a força espiritual para crer. Ela falou com a segurança de sua fé: "Oral, Deus não afligiu você... Foi o diabo quem fez isso! Quando Deus chama alguém, filho, o diabo sempre tenta destruí-lo, mas se você entregar seu coração a Jesus e tiver fé no Senhor, Ele o levantará dessa cama. Deus vai curar você!"[189]

Cura! Seu coração saltou de alegria. Essa foi a primeira vez em que Oral teve um vislumbre de esperança por sua cura! Fora o diabo quem causara a enfermidade. Era o diabo quem estava roubando sua vida! Deus não havia posto aquela enfermidade nele! Essa era uma nova revelação para Oral, e o anúncio de coisas vindouras.

Frequentemente, há um ponto de virada em nossas vidas — aquele momento em que uma palavra é dita ou algo acontece e a revelação se torna realidade. Jewel Roberts Faust, irmã mais velha de Oral, casada, foi usada por Deus para contar-lhe uma revelação. Enquanto ela crescia na família Roberts, a verdade do poder de cura de Deus que fora plantada em seu coração amadurecera e florescera.

Certo dia, Jewel estava em sua casa e sentiu algo se agitando em seu coração. Oral já estava acamado há quase seis meses. Impelida pelo Espírito Santo, Jewel acreditou que era tempo de Oral ser curado e sentiu que ele precisava saber disso imediatamente. Ela estava certa de que Deus falara com ela que Ele não só era *capaz* de curar Oral, mas também planejava *fazê-lo logo*![190]

Jewel chegou à casa de seus pais e correu diretamente ao leito de enfermidade de Oral. Com uma forte unção do Espírito Santo sobre si, ela falou estas palavras: "Oral, Deus vai curar você!"[191]

Instantaneamente, Oral deixou de sentir o medo paralisante de nunca mais ficar curado e passou a ter uma fé dada por Deus de que se levantaria de seu leito de enfermidade e seria totalmente curado. A fé saltou dentro de seu coração e a presença do poder de Deus veio sobre o quarto. Jewel havia entregado a boa notícia e Oral teve fé para crer nela do fundo de seu coração! Ele não sabia quando seria curado, mas estava certo de que Deus falara por meio de sua irmã — e que sua cura estava a caminho!

"Eu Vi a Face de Jesus!"

O livramento de Deus alcançou rapidamente a vida de Oral a partir daquela noite, espiritual e fisicamente. Na noite imediatamente seguinte, seu pai foi ao seu quarto e declarou: "Oral, eu vou me ajoelhar ao lado da sua cama e orar, e não vou parar até você entregar o seu coração a Deus e ser salvo."[192] Durante várias horas, Ellis orou com fervor para que o Senhor salvasse a alma de seu filho. De repente, Oral teve a sensação de que a face de seu pai começou a brilhar. Enquanto Oral observava atônito, a feição amorosa de Jesus apareceu na face de Ellis Roberts.

> Ali, com toda a clareza, vi a face de Jesus na face de meu pai. Bem, eu nunca havia desejado ser salvo antes... Mas, quando vi Sua face nas feições de papai, comecei a chorar... Meu coração se partiu em mil pedaços e, logo depois, eu estava pedindo a Deus para salvar a minha alma.[193]

Oral sentiu a presença de Deus inundar sua alma e a fé encher seu coração. Pela primeira vez em muitos anos, Oral Roberts parou de fugir do Deus de seu pai e clamou a Jesus para salvar sua alma!

Oral recorda:

> Eu me sentia leve como uma pluma e muito feliz, queria gritar com toda a minha voz... Quando dei por mim, estava em pé na cama com minhas mãos para o alto, louvando e enaltecendo a Deus, dizendo: "Estou salvo! Estou salvo! Estou salvo!"[194]

Um destino especial em Deus foi iniciado naquela noite decisiva, no quarto onde aquele rapaz fora curado.

Poder de Cura para uma Geração

Nosso Deus não é um Deus de coincidências! Oral finalmente deixara de fugir de Deus e, assim, Deus começou a "correr" em direção a ele com um milagre pessoal após outro. Na mesma época em que Oral foi salvo, um evangelista de cura chamado irmão George W. Moncey foi a Ada, Oklahoma, onde montou uma tenda para fazer reuniões de avivamento. O irmão Moncey é uma figura enigmática na história, pois pouco se sabe sobre ele. Um cartão de visita nos arquivos da Universidade Oral Roberts (UOR) é um dos poucos registros. O cartão diz apenas: "Geo. W. Moncey — Evangelista de cura divina."[195] Ele parece ter sido um dentre as dezenas de evangelistas itinerantes que surgiram nos Estados Unidos no período pós-depressão. Segundo entrevistas com pessoas que se recordam dele, poucos pentecostais haviam ouvido falar de Moncey antes da reunião e ele nunca voltou à cidade; até persistiram rumores de que ele saiu da cidade em uma nuvem.[196] Apesar disso, centenas de pessoas enchiam a tenda todas as noites, incluindo Elmer, o irmão mais velho de Oral.

Em cada reunião, quando a palavra de fé era pregada, o poder do Espírito Santo caía sobre as pessoas e muitas eram curadas.

Naquele momento, Oral compreendeu não apenas que seria curado, mas também por que Deus desejava curá-lo: ele deveria revelar a verdade do poder de cura de Deus a uma geração de pessoas.

Elmer Roberts não tinha carro e, agora, Oral morava com seus pais a 29 quilômetros, mas Elmer sabia que tinha de levar Oral àquelas reuniões de cura. Elmer pediu emprestado o carro de um amigo e usou seus últimos trinta e cinco centavos para comprar gasolina suficiente a fim de conseguir levar seu irmão mais novo à reunião.

Elmer entrou na casa de seus pais pela porta da frente, caminhou pelo corredor até o quarto de Oral e disse: "Oral, levante-se. Deus vai curar você!" Oral estava fraco demais para ficar de pé sozinho, então Elmer e Ellis levantaram seu corpo emagrecido — com colchão e tudo — e o deitaram no banco traseiro do carro. Empolgados, Ellis e Claudius subiram na frente com Elmer, crendo que Deus faria outro milagre por Oral naquela noite. Enquanto Oral permanecia deitado no banco traseiro ouvindo Elmer contar sobre as curas que vira, sua própria fé pela cura começou a crescer.

Gradualmente, as vozes do banco da frente pareceram diminuir e Oral ouviu uma nova voz, tão claramente quanto ouvira seu irmão falando momentos antes. No fundo de sua alma, ele sabia que essa nova voz, embora lhe fosse desconhecida, era a voz de Deus. "*Filho, eu vou curar você*", disse Ele, "*e você levará o meu poder de cura à sua geração*".[197] Essas palavras inesquecíveis seriam gravadas no coração de Oral e definiriam seu ministério para sempre.

Naquele momento, Oral compreendeu não apenas que seria curado, mas também por que Deus desejava curá-lo: ele deveria revelar a verdade do poder de cura de Deus a uma geração de pessoas — e isso ocorreria de maneiras que ele jamais teria imaginado naquele carro, a caminho de uma reunião em uma tenda em um vilarejo de Oklahoma.

Liberando o Poder de Deus

A tenda transbordava gente quando a família Roberts entrou, com Oral se apoiando pesadamente nos braços de seus pais. O irmão Moncey foi até Oral no início da reunião e o incentivou a buscar em Deus a fé para ser curado naquela noite. Oral se sentou em uma cadeira de balanço, com almofadas escorando-o. Eram quase onze horas quando chegou a vez de Oral na fila de cura. Por ter ficado sentado naquela cadeira enquanto todos os outros recebiam oração, Oral foi o último a receber oração. O irmão Moncey caminhou em direção a ele na unção do Espírito Santo e fez uma oração curta, mas repleta de fé.

Mais de setenta anos depois, Oral Roberts ainda se recordava das palavras: "Doença maldita, eu ordeno a você em nome de Jesus Cristo: saia dos pulmões desse garoto; solte-o e deixe-o ir!"[198] Aquela foi a primeira vez em que Oral ouvira um homem ordenar a uma doença para sair de alguém. Ele nuca se esqueceu da autoridade no nome de Jesus Cristo para dar ordens à doença. Anos depois, quando seu próprio ministério de cura se iniciou, Oral se referiria com frequência a isso como uma "oração de ordenança com fé".

Quando a mão do irmão Moncey tocou a cabeça de Oral, ele sentiu como se uma força reprimida em sua alma fosse liberada. O poder de Deus desceu sobre ele e percorreu seu corpo da cabeça aos pés; seus pulmões ficaram limpos e ele conseguia respirar. Enquanto o poder do Espírito Santo percorria seu corpo, ele gritava a plenos pulmões: "Estou curado! Estou curado!"[199]

Imediatamente, Oral conseguiu respirar bem fundo sem dor ou tosse! As pessoas à sua volta louvavam a Deus gritando e levantando as mãos. Elas gritavam que queriam ouvir Oral dar testemunho de sua cura e lhe entregaram um microfone. Oral se pôs de pé diante delas, tremendo sob o poder de Deus. Ele estava curado! Enquanto as palavras de testemunho brotavam de seus lábios, Oral percebeu que sua gagueira também desaparecera totalmente.

A presença de Deus o revestiu enquanto ele falava, e foi como se ele sempre tivesse estado no púlpito. Oral falou durante quinze ou vinte minutos — aquele foi o primeiro de milhares de sermões que ele faria acerca do poder de Deus para curar e libertar. Um mensageiro da fé e do poder do Espírito Santo nasceu naquela noite, na vibrante reunião em uma tenda no vilarejo de Oklahoma — um mensageiro do poder de cura de Deus cuja voz seria ouvida no mundo inteiro!

Durante dias após sua experiência de cura, Oral ainda se sentiu fraco. Foi Mama Roberts com sua fé quem novamente o encorajou a avançar em Deus. Ela explicou que, embora tivesse sido curado de tuberculose, ele estivera acamado durante mais de cinco meses e, portanto, seu corpo necessitaria de algum tempo para recuperar as energias. Seguindo as orientações dela, Oral comia um pouco mais e caminhava uma distância um pouco maior a cada dia.

Após dois meses, Oral foi capaz de fazer uma pregação curta em uma reunião local de avivamento. Quando seus pais o levaram para fazer um exame pulmonar de acompanhamento, seu médico encontrou seus pulmões absolutamente perfeitos. "Filho, esqueça que você teve tuberculose. Seus pulmões estão tão limpos quanto uma moeda polida!"[200]

O Fogo do Espírito Santo

Oral começou a pregar em reuniões de avivamento em todas as oportunidades que lhe apareciam. Durante quase um ano, ele pregou a Palavra de Deus e o poder do batismo no Espírito Santo em reuniões da Igreja Pentecostal Holiness, com seu pai. Quando sua popularidade como pregador cresceu, ele escreveu um artigo em um jornal da igreja clamando pela necessidade da igreja por rapazes e moças cheios do Espírito. Contudo, ele mesmo ainda não havia sido batizado no Espírito Santo. Como o anseio de ter a unção do Espírito Santo ardia em seu interior!

Em agosto de 1936, as reuniões do acampamento pentecostal do leste de Oklahoma estavam sendo realizadas em Sulphur, Oklahoma. Oral seria licenciado como ministro da igreja Pentecostal Holiness em uma de suas últimas reuniões. Ao chegar, porém, sua mente estava fixada em muito mais do que aquela ordenação. Ele estava determinado a não sair daquele local de acampamento sem experimentar pessoalmente o fogo do Pentecostes. Oral começou a buscar a Deus com todo o seu coração para ser batizado no Espírito Santo.

As reuniões de acampamento das igrejas do sul eram repletas de empolgação e expectativa. Elas foram iniciadas na década de 1770 por metodistas, presbiterianos e membros de outras denominações que desejavam dedicar tempo a Deus em oração, louvor e ensino. As reuniões do acampamento eram festivas e celebradas anualmente por muitos grupos de igrejas. Ali, amigos e parentes podiam se encontrar para ter comunhão e adorar a Deus. Os fazendeiros do sul, particularmente, reservavam um tempo no fim do verão para dedicar uma semana ao Senhor.

Nos primeiros anos, grupos chegavam em carroças e armavam tendas em pequenos grupos ao redor de um local central. A tenda maior seria o lugar de reunião para todos os participantes. Tempos depois, os locais de reunião do acampamento eram estabelecidos com pequenas cabanas familiares construídas em torno de um salão de reunião, onde a congregação se reuniria durante os dias e as noites. Hoje, esses encontros são comumente denominados convenções ou conferências.

Quer em tendas, quer em cabanas, havia cultos de louvor, de oração e de ensino ao longo de todos os sete a dez dias de cada reunião de acampamento, com o poder de Deus sendo derramado sobre as pessoas em uma grande unção. Havia também um tempo de doce comunhão, com pais, mães, filhos, vizinhos e amigos fazendo refeições, dormindo, tocando, orando e adorando a Deus juntos.

Quando começou o período de adoração e louvor, Oral abriu a boca para cantar e foi batizado no Espírito Santo.

Durante uma das reuniões vespertinas do acampamento em Sulphur, Oklahoma, Oral Roberts clamou a Deus em oração, sentindo como se não mais conseguisse esperar que o Espírito de Deus o enchesse. Quando começou o período de adoração e louvor, Oral abriu a boca para cantar e foi batizado no Espírito Santo. Ele começou a falar em outras línguas, como acontecera aos discípulos no Pentecostes, registrado no livro de Atos (ver Atos 2:4). Ele recebera a unção de Deus para pregar anteriormente em seu ministério, mas agora recebera o poder do Espírito Santo como nos dias de Pentecostes!

Um Jovem Ocupado

Oral era um rapaz intenso; ele buscava a Deus apaixonadamente e procurava ser usado por Ele de todas as maneiras possíveis. Agora que ele fora batizado no Espírito Santo, sua intensidade aumentara — tudo que ele desejava era mais de Deus em seu coração e em sua vida. A cada culto do acampamento, ele usava seu talento musical tocando violão na banda de louvor dos jovens.

Certa noite, após subir às pressas os degraus que levavam ao palco, ele se sentou ao lado de uma jovem que afinava um violão. Ela era uma bonita professora de crianças, com cabelos castanhos, um sorriso caloroso e o desejo de servir ao Senhor como missionária. Nada tendo em sua mente além do ministério, Oral não prestou muita atenção nela naquela noite. Eles conversaram educadamente e, antes do início do culto, ele lhe perguntou se seu cabelo estava suficientemente penteado. Ela respondeu que sim e ele não pensou mais naquilo.

Mas o encontro significou muito mais para a jovem, Evelyn Lutman Fahnestock. Após encontrar o bonitão de cabelos escuros, Evelyn voltou sozinha para sua tenda e escreveu em seu diário: "Esta noite, sentei-me ao lado de meu futuro marido!"[201] Aquela era uma jovem sintonizada com o Espírito Santo! Ela viu muito mais da vontade de Deus naquela situação do que Oral jamais poderia ter imaginado. Sabiamente, Evelyn entregou seus pensamentos e esperanças ao Senhor em oração e voltou ao seu emprego de professora no Texas naquele outono.

No início de seu ministério, era óbvio para todos que ouviam Oral que ele possuía uma incomum unção para pregar. Após as reuniões de acampamento em Sulphur, Oklahoma, em 1936, ele pregou durante dois anos, às vezes com seu pai, mas sozinho com maior frequência. Ele estava empolgado por estar pregando para o Senhor, mas também estava experimentando a vida solitária de um pregador itinerante. Ao fim daqueles dois anos, Oral decidiu que era tempo de encontrar uma esposa, mas não apenas qualquer esposa. Ela teria de estar disposta a aceitar os difíceis caminhos da jornada de vida de um pregador pentecostal.

Quem Encontra uma Esposa...

"A esposa de Adão veio de sua costela, e a minha veio do Texas!", era a piada que Oral frequentemente fazia.[202] Quando Oral começou a orar por uma esposa que compartilhasse seu lar e ministério, alguns amigos lhe falaram acerca de uma garota maravilhosa, chamada Evelyn. Após algumas perguntas, ele descobriu que ela era a mesma jovem que ele encontrara dois anos antes nas reuniões de acampamento em Sulphur, Oklahoma. Oral mal conseguia se lembrar da aparência dela, mas ficou muito impressionado com os relatos de seu amor pelo Senhor e de sua boa reputação dentre outros cristãos.

Oral lhe enviou uma longa carta acerca de seu ministério, juntamente com um livreto que escrevera. Evelyn respondeu ansiosa, certa de que essa era a confirmação de seus sentimentos iniciais por Oral. Eles continuaram a se corresponder durante os meses seguintes. A partir das respostas de Evelyn às suas cartas, Oral teve a certeza de que ela era a mulher ideal para ele. Deus estava aproximando seus corações por meio do amor em comum que sentiam por Jesus.

A única coisa que faltava a Oral e Evelyn era se encontrarem face a face e confirmarem que seu relacionamento era verdadeiramente vindo do Senhor. Em um fim de semana de setembro de 1938, Oral decidiu dirigir os novecentos e sessenta e cinco quilômetros de Oklahoma ao sul do Texas para encontrar Evelyn. Sabendo da seriedade de Oral quanto a essa moça que ele mal conhecia, Mama Roberts insistiu em acompanhá-lo!

Ela sabia que os dons concedidos a seu filho significavam que ele necessitava do apoio em oração de uma esposa temente ao Senhor, e quis certificar-se de que ele estava tomando a decisão correta. Mas deve ter parecido estranho para Oral aparecer com sua mãe para encontrar uma candidata a noiva. Porém, Evelyn e seus avós aceitaram graciosamente a visita dos Roberts.

Durante aquele fim de semana, Oral e Evelyn conversaram bastante e foram à igreja juntos. Eles também passaram um dia a sós, pescando no Golfo do México, mas Oral diz, espirituosamente: "Tudo que pegamos foi um ao outro!"[203] Ao fim do dia, Oral sabia ter encontrado a garota com quem gostaria de passar o resto de sua vida. Olhando nos olhos de Evelyn, ele disse, com alegria:

> Meu grande, feliz e alegre coração está batendo tumultuosamente, tremendamente, triunfantemente com um amor duradouro por você. Ao fitar seus olhos desconcertantes, formosos, generosos e radiantes, estou literalmente, solitariamente perdido em um sonho deslumbrante, ousado e delicioso, no qual seu rosto honesto, aprazível e fantástico está sempre presente como uma colossal e abrangente constelação. Você quer ser minha doce, sorridente, nobre e satisfeita esposa?[204]

Qual foi a resposta de Evelyn à estonteante proposta de Oral? "Escute aqui, rapaz! Se você está tentando me propor casamento, fale a minha língua!"[205]

Um Casamento na Véspera do Natal

Antes do término do fim de semana, Oral e Evelyn ficaram noivos. Três meses depois, na véspera do Natal de 1938, eles celebraram um lindo casamento na igreja que o pai de Oral pastoreava em Westville, Oklahoma. Eles foram casados pelo Reverendo Oscar Moore, amigo íntimo de Oral.

Infelizmente, os recém-casados tiveram de viver separados durante os quatro meses seguintes, enquanto Evelyn terminava seu contrato de trabalho como professora no Texas. Em junho, Evelyn deixou de lecionar definitivamente para ser a ajudadora de Oral Roberts escolhida por Deus.

Para alguns homens do ministério, suas esposas são apenas "acessórios", simples acompanhantes em seu serviço a Deus. Mas para Oral Roberts, sua "querida Evelyn" era o coração e a alma dos anos de ministério que ele ofereceu ao Senhor. Daquele tempo em diante, depois do Senhor, Evelyn era a parte mais querida do coração e da vida de Oral, verdadeiramente uma bênção de Deus. Ele elogiava frequentemente aquela linda jovem que se tornara sua esposa. Para ele, Evelyn era como "uma mão em uma luva".[206]

O Que Aconteceu à Palavra de Deus?

Após seu casamento com Evelyn, Oral recebeu convites para pastorear várias pequenas igrejas da Pentecostal Holiness, primeiramente na Carolina do Norte, depois em Georgia e em Oklahoma. Enquanto pastoreava durante os dez anos seguintes, ele também frequentou a Universidade Batista de Oklahoma, a Universidade Phillips e, uma vez por semana, o Instituto Bíblico Southwestern. Seus dias e noites eram repletos de atividades eclesiásticas, e sua última igreja em Enid, Oklahoma, estava crescendo. Todavia, Oral Roberts estava insatisfeito e se sentia infeliz.

O que acontecera à palavra que o Senhor lhe dera, de que ele levaria a mensagem do poder de cura de Deus à sua geração? A maioria das pessoas das igrejas em que ele servia não cria ou parecia não se importar com o poder de cura de Cristo. Oral se recorda: "Naquele momento, eu tinha a sensação de que precisava cumprir meu destino. Um poder milagroso estava na ponta de meus dedos. Eu era capaz de senti-lo. Estava frustrado e cheio de conflitos internos, mas tinha a sensação de que, algum dia, o poder de Deus entraria em minha vida e eu libertaria a humanidade."[207] Embora tentasse sufocar a voz de Deus com muitas atividades, Oral era incapaz de se esquecer daquele claro chamado: "Eu chamei você para proclamar o Meu poder de cura."

Oral quando era um jovem pastor

Em 1947, Oral começou a clamar a Deus por uma nova direção — um ministério de acordo com a palavra profética entregue a ele. Oral Roberts estava com quase trinta anos de idade e sentia que sua caminhada com Cristo passava por um momento de aridez. Orando dia e noite, clamando por poder e unção de Deus, Oral iniciou um estudo que mudou sua vida, acerca dos quatro Evangelhos e do livro de Atos, pedindo ao Senhor para que se revelasse. Oral passou várias noites de joelhos lendo a Bíblia, "algumas vezes rindo, outras chorando; algumas vezes, abalado até as profundezas da minha alma".[208]

Por meio da leitura da Palavra e da oração, Oral descobriu que o Jesus da Bíblia era:

- Um Homem de compaixão sincera e poder vibrante.
- Solícito quanto às necessidades das pessoas à Sua volta, haja vista ter passado dois terços de Seu tempo curando os enfermos e fazendo milagres.
- Um operador de milagres cujas obras deveriam ser excedidas por Seus discípulos em Seu nome.
- Um doador do poder milagroso por meio do envio do Espírito Santo.

Jesus É o Mesmo Eternamente

Oral logo percebeu que nada mudara: "Jesus Cristo é o mesmo, ontem, hoje e para sempre" (Hebreus 13:8). O plano ainda era que Seus discípulos realizassem, hoje, "coisas ainda maiores" do que Ele fizera (ver João 14:12). Coisas ainda maiores por meio de Oral Roberts! Jesus transmitira o Seu poder aos Seus discípulos naquele tempo, e queria que o mesmo poder estivesse com Seus discípulos hoje — Oral tinha certeza disso!

Os dias de oração e estudo de Oral também o levaram às passagens de João 14: "Não os deixarei órfãos; voltarei para vocês" (versículo 18) e "o Conselheiro, o Espírito Santo, que o Pai enviará em meu nome, lhes ensinará todas as coisas" (versículo 26). Jesus confortava e curava as pessoas quando estava na Terra. Depois, Ele enviou o Conselheiro, o Espírito Santo, que proporcionaria as "*obras maiores*" para que os crentes pudessem curar pessoas e libertá-las, assim como Jesus fizera! O significado pleno do batismo no Espírito Santo ocorreu a Oral de uma maneira que ele jamais considerara. Ele percebeu que o poder pelo qual ansiava estivera com ele o tempo todo. "Mas receberão poder quando o Espírito Santo descer sobre vocês" (Atos 1:8). Oral tinha o poder de cura e transformação do Senhor o tempo todo; ele apenas não sabia disso.

Oral tinha o poder de cura e transformação do Senhor o tempo todo; ele apenas não sabia disso.

E vocês que estão lendo estes gloriosos testemunhos dos grandes generais de Deus? Esses homens e mulheres de Deus descobriram Seu poder que está disponível aos crentes nos dias de hoje. O mesmo poder que ressuscitou Cristo Jesus dos mortos é o poder que habita em cada um de nós! O poder que Jesus concedeu aos setenta discípulos para irem curar doenças e expulsar demônios habita em você! Você pode — e *deve* — fazer a diferença no mundo à sua volta como discípulo de Cristo hoje. Busque Sua Palavra e abrace a verdade das declarações de Jesus para você. "Mas receberão poder quando o Espírito Santo descer sobre *vocês*" (Atos 1:8, grifo do autor).

A Maior Descoberta de Oral

Durante o tempo em que Oral pesquisava os evangelhos e também o restante do Novo Testamento, um versículo saltou da página para dentro de seu espírito. Foi o segundo versículo de 3 João: "Amado, oro para que você tenha boa saúde e tudo lhe corra bem, assim como vai bem a sua alma." Oral releu as palavras e ficou estupefato. Na igreja pentecostal primitiva, a pobreza era frequentemente usada como um "distintivo de honra" diante do Senhor. Em toda a sua leitura da Bíblia, Oral nunca antes entendera aquele versículo. Ele estava certo de que aquelas palavras eram para ele — a resposta às suas perguntas acerca dos desejos de Deus para Seus filhos.

Ele tinha perguntas como: Deus traz pobreza e enfermidade às nossas vidas, como muitos da igreja acreditam? Deus quer que Seus filhos sejam libertos em alma, mente *e* corpo? Ao compartilhar alegremente 3 João 2 com Evelyn, Oral declarou: "Evelyn, nós entendemos errado. Eu não tenho pregado que Deus é um Deus bom."[209]

Oral percebeu que a verdadeira cura e prosperidade começam na alma do homem, mas depois se movem também para seu corpo físico. Assim como Deus deseja que um homem esteja bem e forte em seu interior, Ele também deseja que sua vida cotidiana prospere. Para Oral Roberts, essa foi uma revelação que transformou sua vida.

Uma Fogueira Começa a Arder

Três outras passagens começaram a revolucionar o modo de pensar de Oral. A primeira foi Atos 10:38: "Como Deus ungiu a Jesus de Nazaré com o Espírito Santo e poder, e como ele andou por toda parte fazendo o bem e curando todos os oprimidos pelo Diabo, porque Deus estava com ele." Jesus foi por toda parte fazendo o bem, e não o mal, ao longo de todo o Seu ministério, curando todos os oprimidos pelo diabo. Oral se recordava muito bem do irmão Moncey ordenando à tuberculose que saísse dele, e agora entendia o porquê!

A passagem seguinte que lhe chamou a atenção foi Lucas 9:56: "Pois o Filho do Homem não veio para destruir as almas dos homens, mas para salvá-las" (ARA). Jesus veio para salvar as vidas dos homens de todas as aflições que o diabo lhes quer impor, incluindo pobreza e doença.

A descoberta final de Oral na Bíblia foi, talvez, a maior de todas. Era a declaração de Jesus no evangelho de João: "O ladrão vem somente para roubar, matar e destruir; eu vim para que tenham vida e a tenham em abundância" (João 10:10, ARA). Finalmente, Oral tinha uma base real para sua fé. Deus era um Deus *bom*, que viera ao mundo para a redenção de toda a humanidade. Oral podia chegar-se a Deus e crer que Ele era um Deus bom que desejava ver Seu povo liberto!

A reação pessoal de Oral Roberts àquelas verdades bíblicas foi inegável: "Veio à minha alma uma emoção que ainda sinto. Uma fogueira começou a arder... Tive uma compreensão de Jesus Cristo que empolgaria o mundo."[210]

Não Prepare Refeições Para Mim

Seria tempo de dar um passo de fé? Estaria o Senhor dizendo a Oral que ele deveria deixar sua igreja e mover-se para um ministério evangelístico de cura em tempo integral? Oral acreditava que o tempo de levar a mensagem de cura de Deus chegara, mas queria ouvir Deus dizer-lhe uma palavra pessoal afirmando aquilo. Certa manhã, Oral entrou na cozinha, olhou nos olhos de Evelyn e disse: "Está na hora do desjejum, mas não prepare nenhuma refeição para mim até que eu lhe peça."[211]

Quando alguém busca o Senhor em jejum e oração, o que espera realizar ou receber? Acredito que a pessoa tem um desejo apaixonado de que Deus se mova ou responda à oração — uma necessidade desesperada do coração. O jejum ajuda a comunicar essa necessidade ao Senhor em um nível além das orações diárias. Quando jejuamos, podemos falar com Deus mais facilmente acerca das necessidades dos nossos corações e nossos ouvidos espirituais estão mais sensíveis para ouvi-lo. Após doze anos de ministério insatisfatório em sua vida, o desejo fervoroso de Oral de ouvir o Senhor atingiu um ponto de crise.

Ao longo dos três meses seguintes, Oral passou muitas horas jejuando e orando. Ele perdeu quase quinze quilos durante aquele tempo e, frequentemente, orava por forças para continuar.[212] Finalmente, sentindo não poder mais continuar sem uma resposta do Senhor, Oral entrou no escritório de sua igreja e trancou a porta. Vagarosamente, deitou-se no pequeno tapete, prostrado diante do Senhor. Ele orou: "Deus, eu não me levantarei até Tu falares comigo. Tu tens de falar comigo."[213] Se fosse para ele levar a mensagem de cura de Deus à sua geração, ele teria de ouvir isso do próprio Senhor!

Roberts assim se recorda daquele dia que transformou sua vida: "Eu era um homem lutando com o Todo-poderoso. Senti minha alma ser derramada diante dele como água. O tempo se tornou uma eternidade e perdi de vista onde eu estava e quem eu era."[214] Naquelas horas, Deus finalmente falou com Oral. Ele lhe disse para sair do escritório e dirigir seu carro pelo quarteirão. Enquanto dirigia, Oral ouviu o Senhor dizer: "A partir deste momento, você curará os enfermos e expulsará demônios pelo Meu poder."[215] Percebendo a presença de Deus, Oral correu para casa, abraçou Evelyn e disse: "Prepare uma refeição para mim; o Senhor acaba de falar!"[216]

Daquele momento em diante, Oral Roberts foi um homem com um chamado pessoal de Deus que homem algum seria capaz de deter!

Um Sinal de Confirmação

Ao longo dos dias seguintes, foram traçados os planos para a primeira reunião de cura de Oral. Os Roberts conseguiram um auditório no centro da cidade de Enid, Oklahoma, e os cultos foram planejados para o domingo seguinte, às duas horas da tarde. Oral continuou a jejuar e orar enquanto aguardava nervosamente aquela primeira reunião. Ele ficou tão nervoso quanto à vontade de Deus sobre aquela reunião, que decidiu buscar algum tipo de sinal de confirmação, como Gideão fizera no livro de Juízes, do Antigo Testamento (ver Juízes 6:36-40). Antes de deixar o pastoreio e iniciar um ministério de fé, Oral necessitava de mais uma confirmação sólida do Senhor.

Embora, olhando para trás, isso possa parecer para nós um gesto tolo de Oral, Deus sabe que somos nada além de pó e que, frequentemente, precisamos ouvir a Sua voz de diversas maneiras. Oral pediu ao Senhor três sinais de confirmação.

O primeiro sinal era que comparecessem ao culto mil pessoas, muito mais do que as duzentas que assistiam ao seu culto a cada manhã de domingo. O segundo sinal era que a oferta fosse suficiente para cobrir suas despesas, sem que eles tivessem de pedir dinheiro às pessoas presentes. O terceiro e mais importante sinal era que Oral tivesse o poder de Deus para curar os enfermos de uma maneira que tanto ele quanto as pessoas reconhecessem. Se todos esses três "novelos" fossem respondidos, Oral saberia que suas orientações vinham do Senhor. Caso contrário, ele pensaria não conhecer ou compreender o chamado do Senhor. Teria de ser tudo ou nada — tudo de Deus e nada de Oral.

"Em Nome de Jesus, Seja Curada!"

Como Deus é fiel ao Seu povo, mesmo quando este o questiona! Quando Oral chegou ao auditório, alguns de seus voluntários o encontraram na porta com esta empolgante notícia: "Mais de mil e duzentas pessoas já estão sentadas no auditório!" A confiança de Oral estava crescendo, por ter sido recebida uma oferta de aproximadamente três dólares acima da quantia necessária para alugar o prédio. Agora, chegara a hora de esse homem de Deus pregar sua primeira mensagem de cura.

> Eu não havia pregado mais do que dez minutos quando a unção de Deus atingiu minha carne mortal. Comecei a formigar desde o topo da cabeça até as plantas dos pés com a presença de Deus.[217]

Era como se as Escrituras tivessem explodido no interior da cabeça de Oral. Enquanto ele pregava e a unção de Deus caía, duzentas ou trezentas pessoas foram à frente para serem curadas, muitas delas chorando de expectativa.

Enquanto caminhava em direção ao corredor, Oral parou diante de uma alemã idosa que lhe mostrou sua mão direita rija, aleijada. Ele tocou a mão dela e disse: "Em nome de Jesus, seja curada!" Lentamente, a mulher abriu e fechou o punho direito, percebeu que ele estava livre, e gritou de alegria: "Estou curada! Estou curada!"[218] A reação do povo foi imediata.

Pessoas se amontoaram em torno de Oral e começaram a puxá-lo, pedindo-lhe que orasse por suas necessidades. Ele começou a orar por todos os que estavam à sua volta. Seis mulheres de sua igreja local estavam lá com seus maridos não salvos, todos eles chorando porque queriam ser salvos. Deus respondera às orações de Oral muito acima de suas expectativas mais otimistas. O terceiro sinal fora recebido, iniciando-se naquele dia um dos mais poderosos ministérios de cura do Corpo de Cristo!

"Estou Enxergando! Estou Enxergando!"

Pouco tempo depois daquela primeira reunião de cura, nos primeiros meses de 1948, Oral e Evelyn decidiram mudar-se para Tulsa, Oklahoma, onde poderiam ministrar para o Senhor em uma cidade maior. Oral tinha toda uma geração para alcançar com a mensagem de cura de Deus. Logo após o casal chegar, Oral foi convidado a pregar durante alguns dias na tenda do pastor Steven Pringle, da Pentecostal Holiness, com capacidade para mil pessoas sentadas.

Como Oral não era muito conhecido, a tenda não chegou à metade da lotação nas primeiras duas noites. Então, quando o comentário acerca de seu inflamado ministério para Cristo se espalhou pelas igrejas pentecostais da cidade, a multidão aumentou e milagres eram contados todas as noites.

Certa noite, um cego da cidade do Kansas que fora levado à reunião saiu correndo da fila de cura, gritando "Estou enxergando! Estou enxergando!" A notícia se espalhou pela multidão como uma corrente elétrica. Daquela noite em diante, a tenda ficou cheia e Oral continuou com suas mensagens de cura naquela tenda durante as nove semanas seguintes.

Com a difusão das notícias acerca do ministério de Oral, convites para pregar começaram a chegar de muitas das principias igrejas pentecostais da nação. Pela primeira vez, Oral viu que a unidade no Corpo de Cristo poderia se estender além de sua própria denominação, a Holiness. Ele ficou encantado ao ser convidado a realizar reuniões de cura em uma igreja das Assembleias de Deus; depois, pediram-lhe para realizar uma cruzada patrocinada por três diferentes denominações pentecostais. Devido à cura ser uma necessidade de todas as pessoas e de todas as denominações, o mundo ministerial de Oral começou a se expandir.

Oral Roberts passou a ser conhecido em toda a nação de um modo incomum. Durante uma reunião cheia do Espírito na tenda de Brother Pringle, um homem emocionalmente perturbado do outro lado da rua sacou um revólver e atirou em Oral enquanto ele pregava no palco. A bala passou a apenas quarenta e cinco centímetros acima de sua cabeça. Embora a identidade do agressor nunca tenha sido descoberta, o que Satanás queria para o mal, Deus usou para um enorme bem. Jornais de todo o país divulgaram a história e o evangelista Oral Roberts se tornou nacionalmente conhecido da noite para o dia.

Um Homem Cuja Aljava Está Cheia

Os filhos são herança do Senhor, uma recompensa que ele dá... Como é feliz o homem que tem a sua aljava cheia deles!

Salmos 127:3, 5

Os filhos são uma bênção do Senhor, e Oral e Evelyn foram abençoados com quatro filhos em seu casamento. Como os filhos são para muitos pais, os deles foram uma fonte de interminável alegria, mas também foram fonte de grande tristeza mais adiante na vida.

Apenas um ano após seu casamento, no dia 16 de dezembro de 1939, Oral e Evelyn foram abençoados com sua primeira filha, uma linda menina de cabelos escuros, que eles chamaram Rebecca Ann. Durante aqueles anos iniciais, Oral estava pregando em diversos avivamentos de igrejas. A pequena família de três pessoas viajava para todas as partes, com Rebecca aprendendo a andar e a falar enquanto ela e seus pais se hospedavam nas casas de pastores das igrejas que visitavam.

Quando Rebecca tinha quase quatro anos, Oral e Evelyn decidiram que era tempo de se assentarem, e as viagens foram interrompidas. Oral aceitou seu primeiro pastoreio, uma igreja em Toccoa, Georgia. E em 1943 nasceu seu segundo filho, Ronald David.

Evelyn e Oral vinham de famílias grandes, mas Evelyn pensou que, com um ministério agitado, dois filhos seria perfeito. Essa foi uma ocasião em que Oral discordou dela. Ele pensava que quatro filhos seria a quantidade perfeita. Assim, em 12 de novembro de 1948, nasceu Richard Lee Roberts. Ele viria a ser muito semelhante a seu pai quando crescesse. Finalmente, dois anos depois, o ultimo bebê Roberts veio ao mundo. A adorável pequena Roberta nasceu com olhos azuis vivos e um lindo cacho de cabelo negro.

Quando Roberta nasceu, Oral havia deixado o pastoreio e iniciado seu ministério das tendas de cura em Tulsa. Quando a família ficou grande demais para a pequena casa em Tulsa, Oral comprou uma pequena fazenda fora dos limites da cidade. Seu pai, Roberts, incentivara Oral a comprar uma fazenda para que seus filhos pudessem ter a experiência de viver no campo. Durante seis anos, os Roberts viveram naquela fazenda e passaram muitos momentos felizes juntos. É claro que, para a família, aqueles anos foram cada vez mais tomados pela solidão causada quando um marido e pai viaja pelo mundo todo. Os anos vindouros demonstrariam como isso afetara as vidas dos filhos.

Oral e Evelyn sentiam grande compaixão pelos remetentes e o dever de orar pelo autor de cada carta enviada a eles.

Transbordando

Quando Oral e Evelyn se mudaram para Tulsa, em 1948, o ministério de Oral foi iniciado pelas reuniões de avivamento nas tendas de Brother Pringle. Pouco depois do término daquelas reuniões nas tendas, cartas vindas de todo o país começaram a chegar em grande quantidade à pequena casa dos Roberts — cartas de testemunho, cartas repletas de necessidades de oração e cartas com convites para falar em igrejas. As cartas começaram a encher todas as mesas e cantos vagos da casa.

Oral e Evelyn sentiam grande compaixão pelos remetentes e o dever de orar pelo autor de cada carta enviada a eles. Eles impunham as mãos sobre cada carta e oravam pelas necessidades do remetente, independentemente do número de solicitações recebidas. Todas aquelas cartas precisavam também ser respondidas. Rapidamente, aquilo se tornou uma tarefa extenuante!

Três moças que haviam sido abençoadas pela pregação de Oral se voluntariaram para ajudar a responder a todas as cartas. Assim, Oral ditava suas respostas em oração, e as moças se sentavam à mesa da sala de jantar e as escreviam. Não demorou muito para que o trabalho não mais pudesse ser feito de maneira voluntária, e aquelas mesmas moças se tornaram as primeiras funcionárias do ministério Oral Roberts. Como o volume de cartas continuava a aumentar, os Roberts transformaram sua garagem em um escritório doméstico. Logo, a casa toda se tornou o escritório e mais trabalhadores foram contratados.

Para responder a tantas perguntas acerca do poder de cura de Deus e da obra do Espírito Santo na Terra, Oral iniciou sua primeira revista mensal, que chamou de Águas de Cura. Aquele foi um modo maravilhoso de permanecer em contato com as pessoas que estavam escrevendo, bem como de alcançar novas pessoas com a mensagem da salvação e cura de Deus. Finalmente, a *Águas de Cura* se tornou o principal elo entre Oral Roberts e seus apoiadores em oração do mundo todo. Aquela pequena casa em Tulsa estava "explodindo" devido aos esforços do avanço do ministério.

Após poucos meses, Oral estava contemplando um novo passo de fé ao adquirir um terreno para construir um escritório para o ministério. Foi então que o Senhor introduziu na vida de Oral um surpreendente homem de Deus e apoiador vitalício.

Lee Braxton era um empresário de sucesso da Carolina do Norte, que lera o livreto de Oral intitulado You Need Healing, Do These Things (*Você Precisa de Cura, Faça Estas Coisas*). Ele foi de avião a uma reunião de cura de Oral Roberts na Flórida, para ver de que se tratava esse novo ministério. Lee deixou a Flórida entusiasmado com o que ouvira e vira durante aquelas reuniões. Algumas semanas depois, ele viajou a Tulsa para conhecer o ministério, antes de tudo.

Quando viu a casa transbordando de cartas e compreendeu a opressiva quantidade de tempo e trabalho envolvidos, Lee transmitiu um pouco de sabedoria prática à vida de Oral. "Você não pode dar conta disso, Oral", exclamou ele. "Você necessita de mais ajuda e precisa de um prédio para o ministério."[219]

Lee Braxton ajudou Oral a conseguir o financiamento bancário necessário. Três meses depois, o prédio estava completo, com uma placa que dizia "Libere Sua Fé" em um brilhante letreiro de neon na frente. Aquele seria o primeiro de incontáveis prédios que Oral Roberts construiria para divulgar o evangelho de Jesus Cristo. Lee Braxton permaneceria como uma parte vibrante da Associação Evangelística Oral Roberts durante os trinta e três anos seguintes. Quando Oral lhe perguntou quanto precisava lhe pagar, Lee respondeu: "Que tal um dólar?" Embora Lee estivesse provavelmente brincando, Oral o levou a sério e lhe pagava fielmente um dólar a cada ano. Lee gostava de dizer às pessoas: "Eu sou um homem de um dólar por ano!"

Pouco tempo depois de Lee se envolver no ministério, Oral começou a transmitir por rádio a mensagem de salvação e cura. A experiência de Lee como organizador e gênio dos negócios ajudou a promover Oral e a aumentar suas transmissões, de um punhado de emissoras para cem emissoras em todo o país. A mensagem da cura de Deus chegou às ondas de rádio dos Estados Unidos como nunca antes!

“Deus Falou Comigo Novamente”

A despeito de toda a atenção que Oral estava recebendo repentinamente, ele era inflexível quanto a manter seu foco em Deus. Mais do que qualquer outra coisa, ele queria ter certeza de que a presença e o poder de Deus estavam com ele quando pregava e ministrava às pessoas. Ele continuava a orar, ansiando por sentir a presença de Deus com ele de uma maneira mais forte. Aquela oração foi respondida na primavera de 1948.

Em uma noite de domingo, Oral foi ministrar uma cruzada de uma noite em uma igreja das Assembleias de Deus na vila de Nowata, Oklahoma. Durante o momento de cura, Oral estava orando por um garoto surdo quando o Senhor lhe falou novamente, dizendo: “*Filho, você foi fiel até este momento, e agora você sentirá a Minha presença em sua mão direita. Por meio da Minha presença, você será capaz de detectar demônios; e, por meio do Meu poder, eles serão expulsos.*”[220]

Naquele momento, Oral sentiu uma queimação percorrendo seu braço direito até sua mão direita. Sua mão latejava como se houvesse uma corrente elétrica fluindo por ela. Seria realmente Deus ou seria a sua imaginação? Oral sabia que, se fosse Deus se movendo por sua mão, o menino surdo à sua frente seria curado. Quando colocou suas mãos sobre a orelha do menino, Oral sentiu o poder do Senhor se mover por sua mão direita, mas nada sentiu na mão esquerda. Afastando o menino de sua mãe para que ele não pudesse ver a boca da mulher, Oral pediu a ela para falar com o filho. O garoto conseguiu ouvir cada palavra que sua mãe dissera! As pessoas gritaram louvores a Deus por Seu poder de operar milagres!

A Mão Direita em Fogo

Alguns dia depois, Oral foi convidado a falar em uma igreja de Tulsa. Ao fim do culto, Irma Morris, uma amiga dos Roberts, foi à frente no momento de cura. Ela fora diagnosticada com tuberculose, uma doença que Oral conhecia pessoalmente e desprezava. Oral podia sentir a febre na testa de Irma e sentir o cheiro da tuberculose em seu corpo, um odor que ele conhecera durante sua própria enfermidade. Até aquele momento, Oral não contara a ninguém, nem mesmo a Evelyn, acerca do poder que sentiu em sua mão direita ao orar pelos enfermos.

Oral estendeu a mão para tocar a testa febril de Irma, sentindo o poder de Deus se mover em sua mão direita. Ele ordenou à tuberculose que saísse do corpo dela e a libertasse em nome de Jesus. "Oh, Oral, o que você fez comigo?" gritou ela. "Sua mão direita parecia estar em fogo quando você me tocou... Algo em sua mão direita está fazendo um calor atravessar meus pulmões. Meus pulmões estão se abrindo. Eu creio que estou sendo curada!"[221] A presença de Deus sobre a mão de Oral não o deixou enquanto ele se movia ao longo de toda a fila de cura, impondo sua mão sobre cada pessoa de pé ali para receber uma oração.

Mais tarde naquela noite, Oral contou a Evelyn acerca da revelação do Senhor e da surpreendente manifestação que estava acontecendo em sua mão direita. Ele colocou a mão direita sobre a cabeça dela como uma experiência, mas nenhum deles percebeu algo diferente. Todavia, alguns minutos depois, quando Evelyn disse a Oral que ela vinha sentindo dor havia vários dias, ele impôs suas mãos sobre ela para orar. Imediatamente, os dois foram tocados pelo poder de Deus se movendo por sua mão direita.

Naquela noite, eles se abraçaram e choraram ao perceberem o dom especial que Deus confiara a Oral. Evelyn orou para que eles sempre o reconhecessem como um dom unicamente de Deus e que ele permanecesse precioso para eles.[222]

O Ponto de Contato

Desse momento em diante, Oral começou a ter entendimento do que veio a chamar de "o ponto de contato". Como Oral explicou,

> Um ponto de contato é algo que você faz. E, quando você o faz, libera a sua fé em Deus, da mesma maneira que abrir

> a torneira faz a água sair, ou que ligar o interruptor faz a luz se acender. Não é suficiente ter fé; você precisa deixar essa fé fluir... Você precisa *Liberar a Sua Fé*.[223]

Essa ideia proveniente do poder do Espírito Santo se tornava cada vez mais importante à medida que a autoridade de Oral aumentava em âmbito nacional.

Oral reconheceu que, na Bíblia, as curas ocorriam após certos pontos de contato serem estabelecidos para liberar a fé das pessoas envolvidas. No Antigo Testamento, por exemplo, Naamã mergulhou no rio Jordão sete vezes como ponto de contato para ser curado de lepra (ver 2 Reis 5:10-14). No Novo Testamento, a mulher com o "fluxo de sangue" tocou as vestes de Jesus e foi curada (ver Mateus 9:20-22; Lucas 8:43-48). O próprio Jesus disse aos leprosos para se mostrarem ao sacerdote como ponto de contato para a cura (ver Lucas 17:12-14).

No ministério de Oral, o poder que ele sentia em sua mão direita se tornou um ponto de contato para as pessoas da multidão. Ele era também um ponto de contato para a própria fé de Oral. Ele disse que, quando sentia o calor da presença de Deus se movendo por sua mão, sua "fé na cura parecia saltar fora do meu coração e ir até Deus".[224] Mais tarde, Oral incentivaria os teles-

Oral Roberts impõe as mãos sobre um rapaz

pectadores a colocar as mãos sobre o próprio televisor para iniciar um ponto de contato para liberar sua fé.

Anos mais tarde, Oral viria a admitir que havia coisas acerca do poder de cura de Deus que ele não compreendia. Embora ele esperasse que todos os que ele tocasse com sua mão direita fossem curados, alguns não eram. Ele simplesmente aprendeu a seguir o Senhor com obediência e a orar com fé por todos os que lhe pedissem oração. Ele veio a compreender que o poder era de Deus, a cura era de Deus e o ministério era de Deus.

Enquanto Oral ministrava em obediência à Palavra de Deus, muitos foram curados por meio do ponto de contato ou fortemente encorajados a crerem em Deus para uma cura física gradual e um caminhar mais próximo a Ele.

Explosão das Reuniões em Tendas

Oral Roberts foi um pioneiro em quase todas as áreas em que se aventurou durante seus anos de ministério. O primeiro lugar em que isso se tornou evidente foi o ministério das tendas. As reuniões em tendas foram um estilo de vida nas igrejas pentecostais no início do século 20. Oral Roberts transformou essas ferramentas pequenas e relativamente limitadas em um ministério viável que ganhou o centro das atenções nacionais.

Oral Roberts levanta as mãos durante uma reunião na tenda

Após encerrar as reuniões em igrejas e auditórios que não tinham capacidade para as multidões que desejavam participar, Oral estava pronto para dar um gigante passo de fé. No verão de 1948, ele decidiu encomendar uma tenda própria, para poder viajar pela nação difundindo o evangelho de Jesus Cristo. A primeira tenda tinha capacidade para abrigar 3.000 pessoas sentadas; Oral a chamou de "Catedral de Lona". Essa tenda era maior do que a de qualquer outro evangelista da época.

Oral não concordava em usar equipamentos medíocres para levar a Palavra de Deus, por isso adquiriu um órgão Hammond novo, um piano Steinway, três mil cadeiras dobráveis, dois caminhões-carreta e milhares de hinários. O custo do empreendimento foi de quase sessenta mil dólares — um gasto de que jamais se ouvira falar até então. Mas Oral sabia o que Deus havia falado. Para compartilhar a toda uma geração acerca do poder de cura de Deus, Oral necessitaria dos meios para alcançar as pessoas.

Nos primeiros dias do ministério de Oral nas tendas, não havia qualquer entretenimento ou música especial para atrair as multidões. Poderia haver um ou dois breves louvores, mas seu foco primário era pregar a Palavra de Deus. Após uma hora e meia pregando no intuito de dar às pessoas um fundamento na Palavra para embasar sua fé, ele lhes dava a oportunidade de receberem a salvação em Cristo. Depois disso, formavam-se as filas para cura.

O primeiro lugar em que Oral usou sua Catedral de Lona foi em Durham, Carolina do Norte, uma cidade que o acolheu de braços abertos. Embora a tenda tivesse capacidade para três mil pessoas sentadas, em muitas noites chegavam a participar nove mil pessoas. Oral podia ver o excesso de pessoas que formavam um círculo em torno da tenda para escutar. Ele ficou impressionado com tanta gente, mas manteve seus olhos no Senhor para que Ele lhe desse a mensagem a ser entregue às pessoas.

Em todas as noites de sua permanência em Durham, algumas crianças surdas da escola local para surdos foram levadas às reuniões. E a cada noite, quando Oral orava por um grupo diferente, seus ouvidos eram abertos aos sons e palavras; algumas foram capazes de, repentinamente, ouvir a música.

A multidão estava eletrizada — e Oral também! Muitas daquelas doces crianças surdas receberam cura total e foram capazes de ouvir e falar, levando a multidão a chorar de alegria. Aquelas cujos ouvidos não foram totalmente curados foram capazes de ouvir sons que, anteriormente, não conseguiam.

Nada sem a Unção

Ao chegar o ano de 1950, Oral já estava no ministério evangelístico de cura havia três anos. O número de pessoas que ia ouvi-lo pregar e receber cura crescia a cada cruzada. Havia momentos em que Oral se sentia totalmente oprimido pelas necessidades das pessoas. Tratar tão intimamente da vida das pessoas se tornou cansativo. Ao se deparar com as necessidades de milhares delas, sabendo ser apenas um ser humano como elas, Oral se confortava em sentir a presença de Deus em sua mão.

Ele começou a reconhecer a unção de Deus com mais facilidade. Ele a descreveu como "um poder divino que dominava o meu ser... Era o poder da unção em mim, e ele começou a transformar o impacto da minha pregação... a diferença nos resultados foi fácil de notar".[225] Oral se determinou a pregar ou ministrar somente quando estivesse sob a unção de Deus. Para mantê-lo humilde, a mãe de Oral o recordava frequentemente: "Ninguém quer ouvir Oral Roberts; eles querem ouvir Deus por intermédio de Oral Roberts!"

Oral desenvolveu um tempo especial de silêncio em que se dedicava a esperar pela presença do Senhor. Todas as tardes, às três horas, antes de um culto vespertino, Oral passava um tempo descansando e orando em preparação para a reunião da noite. Ninguém deveria perturbá-lo durante esse tempo sozinho com Deus.

Enquanto Oral esperava pelo Senhor, a presença de Deus vinha à sua mão direita e despertava sua fé para crer na resposta às necessidades das pessoas. Oral fez um voto ao Senhor de que ele não tentaria ministrar sem sentir o poder da unção de Deus. Ele sabia que, sem a presença do Espírito Santo em cada reunião, ele nada poderia realizar.

"Por Favor, Ajude-me!"

Esse voto foi testado no início da década de 1950, em uma cruzada no antigo Metropolitan Auditorium, em Filadélfia, Pensilvânia. Durante seu tempo de espera pelo Senhor em oração, Oral percebeu que não sentia a presença de Deus em sua mão. Como poderia ele ajudar os sofredores sem a confirmação da presença de Deus naquela noite?

"Querido Deus", ele orou, "eu nunca estive neste lugar antes. Por favor, Tu podes me ajudar?"[226] Oral tinha toda a intenção de manter seu voto. A despeito do auditório cheio à sua espera, se ele não recebesse a aprovação do Senhor para prosseguir, não entraria naquele lugar para ministrar.

Quando o motorista de Oral chegou para levá-lo ao auditório, Oral lhe disse que estava esperando pelo Senhor e ainda não poderia sair. A despeito dos repetidos pedidos do motorista, Oral se manteve convencido de que sua decisão havia sido tomada em obediência ao Senhor. Ele não se moveria, a menos que soubesse que Deus ia à sua frente. Outros dez minutos se passaram, depois vinte minutos. Oral continuou a orar: "Está bem, Deus... Não posso ir sem absolutamente saber que a unção, a Tua presença, veio sobre mim."[227] Oral fez a única coisa que sabia fazer. Ele esperou no Senhor, em vez de ir adiante pelas próprias forças.

Enquanto esperava, preocupado com a cruzada, mas confiando que Deus tinha um plano, Oral sentiu repentinamente o mover da presença de Deus percorrer sua mão direita.

Enquanto esperava, preocupado com a cruzada, mas confiando que Deus tinha um plano, Oral sentiu repentinamente o mover da presença de Deus percorrer sua mão direita. Ele deu um salto, correu para a porta e disse ao motorista que era hora de ir.

Oral entrou no culto no Metropolitan Auditorium energizado pelo Espírito Santo. As pessoas já estavam de pé, esperando com expectativa pelo que o Senhor iria fazer. Muitas pessoas foram curadas naquela noite — mais do que em qualquer outro culto de Oral Roberts. Vidas foram transformadas em toda a Filadélfia, a Cidade do Amor Fraternal, devido à obediência de Oral ao voto que ele fizera diante de Deus. Ele reconhecia que era Deus quem estava no comando e que tudo que acontecia dependia do Seu poder e da Sua decisão.

Oral tem sua própria definição para a unção de Deus:

> É um tempo em que Deus separa você de você mesmo e o enche com a Sua glória, de modo que, quando você fala, é como Deus falando, e quando você age, é como Deus agindo... a glória do Senhor que vem sobre você no momento da unção remove todo o medo, enche-o com uma santa ousadia e lhe dá conhecimento revelado de como e o que fazer.[228]

Do início ao fim, tudo depende de Deus!

Transformando Desastres em Milagres

A década de 1950 se caracterizou por muitos diferentes tipos de milagres no ministério da tenda de Oral Roberts. Após apenas um ano de uso da Catedral de Lona, Oral comprou uma nova tenda com capacidade para 7.000 pessoas sentadas e viajou por todo o país, ministrando o poder de Deus para salvação e cura. Um assombroso milagre de proteção divina ocorreu em 1950 em Amarillo, Texas. Em uma noite de setembro com muito vento durante a cruzada de Amarillo, uma tempestade atingiu a tenda repentinamente. Ventos fortes varreram tudo e as luzes se apagaram.

Enquanto raios cruzavam o firmamento, “a enorme tenda foi lançada em direção ao céu”,[229] depois flutuou lentamente de volta ao chão a alguns metros de distância. Quando os ventos atingiram novamente a área da tenda, os pesados mastros de aço, de 450 quilos cada um, foram ao chão, aterrissando entre as cadeiras e os corredores, mas não atingiram uma pessoa sequer. Posteriormente, confirmou-se que um tornado atingira a tenda.

Na escuridão, as pessoas mal percebiam que a tenda se fora. Em vez de correrem em pânico, elas permaneceram calmamente na área da tenda. Roberts recordou-se, agradecido: “Foi como se mil mãos assumissem o controle da situação."[230] Enquanto Oral permanecia deitado no palco após ser derrubado pelo vento e os raios continuavam a lampejar acima deles, várias centenas de pessoas começaram, espontaneamente, a cantar louvores a Deus.

Levantando-se na plataforma sob a chuva, Oral anunciou às pessoas que elas deveriam apenas caminhar calmamente até seus carros e deixar a área. Depois, ele tentou encontrar Evelyn e seu filho Richard, de dois anos, que estavam em algum lugar no meio da multidão. Rapidamente, a equipe do ministério assegurou a Oral de que Evelyn, grávida de seis meses de Roberta, e o pequeno Richard Lee estavam protegidos em segurança sob a plataforma de pregação.

Seja devido a anjos ou ao próprio Deus, a proteção de todas as 7.000 pessoas naquela noite foi assombrosa. A tenda e tudo à sua volta foram destruídos, mas, com exceção de alguns ferimentos leves, todas as pessoas haviam sido poupadas. Naquela noite, todos viram o amor e o poder de Deus de um modo que excedia qualquer coisa que Oral Roberts poderia ter imaginado. Na manhã seguinte, os jornais anunciaram que a milagrosa proteção de Deus estivera sobre a multidão.

No dia seguinte àquela devastação, Oral recebeu telegramas de encorajamento vindos de todo o país, além de recursos necessários para comprar outra tenda maior. Com grande preocupação, Lee Braxton veio de avião da Carolina do Norte para incentivar Oral a prosseguir no ministério com ousadia.

No dia seguinte, enquanto caminhavam em torno da tenda devastada, Oral se sentiu afundar psicologicamente. Lee percebeu o desânimo e disse: "Oral, o milagre aqui significa que este ministério não pode ser afundado por uma tempestade! Deus ainda não encerrou o assunto com você. Começarei a procurar fabricantes de tendas que vão nos fornecer uma tenda com capacidade para abrigar dez mil pessoas sentadas; ela será construída de modo a suportar tempestades como essa."[231] Dessa vez, pela graça de Deus, Oral Roberts conseguiu comprar uma tenda com capacidade para dez mil pessoas sentadas. Crentes e não crentes se dirigiam àquela tenda sempre que ela era armada, para ouvirem a Palavra de Deus por intermédio do crescente ministério de Oral Roberts.

Dois Gigantes no Reino de Deus

Depois do desastre de Amarillo, Texas, outra bênção surgiu de maneira inesperada. Após a Catedral de Lona ter sido destruída, amigos do casal Roberts os convidaram a passar alguns dias em Tacoma, Washington, para um descanso muito necessário. Os amigos pagaram suas passagens de avião e mantiveram Oral e Evelyn isolados, determinados de que eles deveriam repousar e relaxar. Dentro de poucos dias, o casal sentiu a força renovadora do Espírito Santo, e as preocupações do ministério pareceram menos esmagadoras.

Antes de voltarem a Tulsa, eles foram convidados a fazer uma curta viagem a Portland, Oregon, para visitar outros amigos e participar de uma cruzada de Billy Graham. Billy se tornara bem conhecido após uma poderosa cruzada em Los Angeles, e Oral estava muito empolgado com o efeito do ministério desse homem sobre a nação.

Ao deixar seu quarto de hotel para ir à cruzada, Oral e Evelyn encontraram Billy Graham, que estava saindo do hotel ao mesmo tempo. Billy reconheceu Oral e os convidou a pegar o mesmo táxi que ele e sua esposa, Ruth. Oral ficou honrado com o convite, mas chocado com o pedido seguinte de Billy, poucos momentos depois: "Oral, quero que você lidere a oração esta noite."[232]

Oral respondeu com preocupação. "Billy, você não pode estar falando sério. Eu não quero ser um problema para você por estar na plataforma... você sabe que meu ministério é muito controverso."[233] Os dois homens eram dinâmicos conquistadores de almas, que falavam a milhares de pessoas acerca do evangelho de Jesus Cristo, mas sabiam que o batismo no Espírito Santo e a pregação acerca da cura nos tempos atuais eram pontos de controvérsia no ministério de Oral.

Por insistência de Billy, Oral se sentou na plataforma naquela noite e orou, antes da cruzada, para que o Senhor ungisse o culto daquela noite. Ele foi abençoado pela oportunidade e experimentou em primeira mão a graciosidade e o ministério que honrava a Deus de Billy Graham, o homem a quem Oral frequentemente se referia como "o evangelista número um da nossa geração".[234]

Mais tarde naquela noite, os Roberts e os Graham se reencontraram inesperadamente no café do hotel. O casal Graham insistiu para que os Roberts lanchassem com eles antes de se deitarem. Envolvidos em uma conversa calorosa, Billy disse a Oral que ele e Cliff Barrows haviam visitado uma das cruzadas de Oral dois anos antes, na Flórida. Ele se recordava de terem se emocionado com as almas ganhas para Cristo e as pessoas curadas por intermédio do ministério de Oral. Billy Graham admitiu livremente que cria que Deus curava pessoas no presente, e que a própria irmã de Ruth fora curada em uma reunião pentecostal.[235] Finalmente, Billy compartilhou com Oral: "Deus não me chamou para orar pelos enfermos, mas deu a você o dom".[236]

A viagem inesperada a Portland estabeleceu entre aqueles dois gigantes da fé as bases de um relacionamento de amizade e respeito mútuo que perduraria durante as décadas seguintes. Anos depois, Billy Graham teve um papel importante na consagração da Universidade Oral Roberts. Os dois ministérios somados alcançariam milhões de homens e mulheres com a mensagem de Jesus Cristo na segunda metade do século 20.

Ao Lado de Oral

Incontáveis homens estiveram ao lado de Oral nos anos de seu ministério, mas poucos por quem ele tivesse mais apreço do que Bob DeWeese. Bob recebera de Deus os dons de pastor, mestre, evangelista e administrador. Ele teve o mérito de um ministério muito eficaz. Mas Bob acreditava que Deus o chamara para usar seus dons para apoiar Oral Roberts e seu ministério.

Quando ele se uniu ao ministério no início da década de 1950, com seu caloroso entusiasmo e alegre amor por Cristo, ele e Oral desenvolveram um relacionamento instantâneo e duradouro. Durante trinta anos, Bob e Oral foram uma equipe "unida como a de dois irmãos que não se viam há muito tempo".[237] Oral reconhecia todos os dons de Bob, mas especialmente sua fé inabalável no poder de Deus se mover no presente para salvar e curar vidas destruídas.

Como evangelista associado do ministério de Oral, Bob falava às multidões da tarde nas cruzadas. Com seu esfuziante amor por Deus, ele entrava no palco com confiança e pregava uma mensagem dinâmica de salvação em Jesus Cristo. Seu testemunho diário da fidelidade de Deus e do poder de operar milagres do Espírito Santo sempre edificava a fé das pessoas para crerem na cura durante os cultos vespertinos.

Durante as cruzadas de cura, cartões de oração se tornaram uma parte importante do processo de oração por cura dos enfermos. Durante os cultos da tarde, Bob explicava o uso dos cartões de oração e como os enfermos podiam esperar para receber oração durante os cultos. Bob explicava isso porque, como frequentemente as pessoas com necessidade de oração eram milhares, algumas poderiam ter de esperar um ou dois cultos até serem chamadas para entrar na fila de cura.

Além de pregar a Palavra de fé, Bob era fundamental no trabalho com os pastores patrocinadores de cada cruzada e em certificar-se de que tudo fluía bem, a despeito dos milhares de pessoas presentes. Ele visitava os pastores patrocinadores de cada cidade meses antes de a campanha de cura chegar, para certificar-se de que tudo estava organizado e pronto para a equipe de Oral Roberts.

A Fila de Cura de Deus

Desde a primeira noite do ministério de cura de Oral Roberts no auditório de Enid, Oklahoma, a fila de cura era a maneira pela qual as pessoas recebiam oração para cura. Oral recebera oração em uma fila de cura anos antes, quando sofria de tuberculose. Mais importante ainda, Oral acreditava que a fila de cura dava a cada indivíduo sofredor a oportunidade de ser levado à frente para receber oração, como um reconhecimento de sua necessidade de Deus e como um ato de fé em Seu poder de cura. Esse procedimento também dava a Oral a oportunidade de tocar cada uma das pessoas com sua mão direita, ainda que brevemente.

Oral acreditava que a fila de cura dava a cada indivíduo sofredor a oportunidade de ser levado à frente para receber oração, como um reconhecimento de sua necessidade de Deus e como um ato de fé em Seu poder de cura.

Esse toque pessoal em cada indivíduo era importante para Oral. Não apenas aquilo era um "ponto de contato", mas ele também acreditava, com todo o seu coração, que o toque era a razão pela qual Deus ungira sua mão direita — para que cada pessoa necessitada pudesse sentir o toque pessoal de Jesus. Antes da fila de cura, as pessoas sempre eram convidadas ao altar para entregarem suas vidas a Jesus, uma vez que a salvação da alma era a coisa mais importante no Reino de Deus. Após isso, Oral chamava as pessoas com necessidades físicas para irem à frente. Milhares de pessoas respondiam à palavra de fé para serem curadas.

Quando o número dos que queriam entrar na fila atingiu os milhares, Oral e sua equipe ministerial perceberam que teriam de encontrar uma maneira de alcançar a todos. Então, aqueles que desejavam oração por cura preenchiam cartões de oração explicando suas necessidades físicas. Em seguida, os pastores locais que patrocinavam a cruzada entrevistavam cada pessoa e confirmavam suas necessidades de oração. Após isso, as pessoas que desejavam oração por cura eram informadas de que seus cartões de oração seriam chamados quando possível, mas que poderiam ter de esperar até o fim da cruzada antes de chegar a sua vez.

Receber a atenção pessoal de Oral Roberts, além de um breve toque, não era algo possível. O tempo disponível e a resistência dele não o permitiam. Porém, Oral sempre dedicava um tempo a orar pelos que estavam demasiadamente enfermos e não podiam entrar na fila de cura, antes de orar pelos outros.

Após completar-se aquele tempo de oração, Oral ficava de pé à frente da plataforma e impunha sua mão direita sobre cada pessoa que passava, orando para que o poder de cura de Cristo a tocasse. Devido ao toque ser tão pessoal, ele era muito mais exaustivo para Oral do que teria sido apenas orar por doenças em geral na congregação.

Embora houvesse restrições e filas de espera, milhares de pessoas viajavam de perto e de longe para ouvir a Palavra e receber a oração daquele ungido homem de Deus. Por vezes, as filas de cura se estendiam por um quilômetro e meio. Após orar por cada pessoa da fila e tocá-la pessoalmente, Oral ficava tão exausto que precisava ser carregado para fora da tenda por Bob DeWeese e outros homens da equipe ministerial.

Durante a década de 1950, enquanto viajava por toda a nação e realizava aproximadamente uma cruzada por mês, Oral ficou conhecido como o "homem da cura pela fé" dos Estados Unidos. Histórias de seu ministério foram publicadas nas revistas *Look* e *Life*, que na época eram os mais populares canais de notícias do país.

Nessa década, Oral falou a mais de oito milhões de pessoas, pregando em reuniões em tendas e em programas de rádio e televisão, testemunhando do poder milagroso de Deus nas vidas de pessoas pentecostais e não pentecostais. Dezenas de milhares de pessoas se juntavam para ver o poder do Espírito Santo se mover nas reuniões de Oral. Ele possuía uma unção incomum para pregar, e o fruto daquela unção foi milhares de salvações e incontáveis curas pelo poder de Deus.

Milagres de Cura

Havia uma coisa de que Oral tinha certeza no sucesso do ministério de cura: todos os milagres *vinham unicamente de Deus*. Um dos primeiros grandes milagres que aconteceu se deu em Goldsboro, Carolina do Norte, durante uma cruzada de dezesseis dias. Oral alugou um hangar de avião, por ser a maior instalação da região. Ali caberiam dez mil pessoas sentadas, havendo espaço para mais algumas mil de pé.

Oral Roberts amava reuniões lotadas. Ele frequentemente comentava que cadeiras vazias eram um desperdício, porque "nunca viu uma cadeira vazia convertida ou curada!"[238] A primeira reunião em Goldsboro transbordava de pessoas e havia uma sensação de entusiasmo no lugar. Todavia, quando Oral entrou no palco para saudar as pessoas, ele percebeu imediatamente que o entusiasmo era, na realidade, uma curiosidade hostil. As pessoas se sentavam em suas cadeiras com os braços cruzados, e suas expressões faciais demonstravam descrença. O murmúrio de empolgação nada tinha a ver com fé no poder de Deus para operar milagres.

Tantas pessoas naquele hangar estavam duvidando da Palavra de Deus sobre cura, que havia uma espécie de "campo de força de dúvida" entre Oral e as pessoas. Seria necessário um milagre do Espírito Santo para romper aquilo e alcançar qualquer um para Cristo. O Espírito Santo lembrou Oral de que somente a Palavra de Deus poderia romper aquela força de dúvida e medo. Instintivamente, Oral sabia que a Palavra teria de ser apresentada de uma maneira que fizesse os duvidosos perceberem quão real Deus ainda era. A fé das pessoas presentes naquele recinto pesado poderia ser incendiada pela Palavra de Deus!

Oral enfrentou uma decisão crucial. Ele se firmaria na Palavra e na unção de Deus para crer em almas salvas e corpos curados? Ou a atitude hostil das pessoas tornaria Goldsboro uma cidade sem o toque de Deus? Oral sabia que a Palavra de Deus era verdadeira e não voltaria para Ele sem cumprir os seus propósitos (ver Isaías 55:11). Assim, ele pregou com ousadia a plena Palavra de Deus e creu que haveria uma ruptura das linhas inimigas, seguida de sinais milagrosos e maravilhas.

"Eu Quero Correr!"

Somente na quinta noite da cruzada, Oral viu o Espírito Santo romper a hostilidade das pessoas. Uma mãe e seu filho de doze anos, que usava um extenso aparelho ortopédico na perna direita e andava com muletas, foram à fila de cura. Ao se aproximarem, o Es-

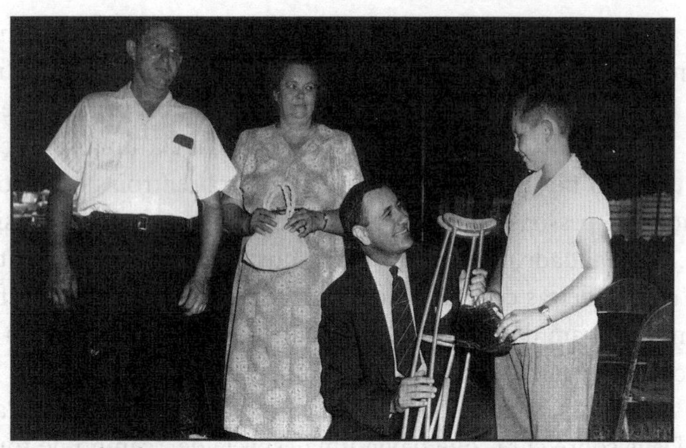

Oral Roberts e um menino com as muletas que ele antes usava

pírito Santo se moveu no interior de Oral. O entusiasmo cresceu e, em seu coração, ele soube que "uma cura poderosa estava prestes a acontecer!"[239]

O nome do menino era Douglass Sutton. Ele e sua mãe se aproximaram de Oral com uma fé que brilhava em seus rostos. Eles não se intimidaram com a falta de crença naquele recinto. Ouviram a Palavra de Deus e creram que Ele podia fazer o que a Sua Palavra disse.

Ao tocar o menino com sua mão direita, Oral falou duas palavras: "Jesus, cura!" Imediatamente, a presença de Deus se moveu pelo braço de Oral e por sua mão direita até o osso do quadril daquele menino. Deus estava operando a cura naquela noite! Oral perguntou à mãe e, depois, ao filho: "Você crê que Deus curou esse quadril?" Os dois responderam com um sonoro "Sim!"

Oral sempre fazia perguntas, para que aqueles que estavam sendo curados pudessem proclamar sua fé no poder milagroso de Deus em operação. Ele perguntou àquela jovem mãe o que ela queria que seu filho fizesse, e ela respondeu removendo o aparelho ortopédico dele. Quando Oral perguntou a Douglass o que ele queria fazer, Douglass respondeu: "Eu quero correr!"[240] Sua mãe assentiu com um sorriso e aquele menino começou a correr pelo longo corredor do hangar!

Em um instante, o ambiente no recinto mudou totalmente. Homens e mulheres começaram a cantar louvores a Deus, enquanto lágrimas escorriam por suas faces. O próprio Oral chorou enquanto o poder de Deus se movia entre o povo de Goldsboro. Quando Douglass voltou correndo para abraçar sua mãe, ela tocou seu quadril e pode sentir a completa restauração que Deus fizera naquele osso. Aquilo desencadeou outra rodada de gritos de glória à bondade e misericórdia de Deus em curar.

Durante mais de quinze minutos, as pessoas clamaram em agradecimento ao Senhor e não havia como pará-las! Como tudo naquele lugar mudara! Deus fora fiel à Sua Palavra.

Noite após noite, até o fim da cruzada, pessoas iam à frente para receber salvação para suas almas e cura para seus corpos físicos. Os jornais e as emissoras de rádio locais cobriram os demais dias da cruzada com relatos do poder de Deus movendo-se no leste da Carolina do Norte. Durante o culto final, mais de vinte e cinco mil pessoas se reuniram dentro e fora daquele hangar, esperando pela glória de Deus. Com a força do Espírito Santo, Oral impôs as mãos pessoalmente sobre dez mil doentes naquela tarde, orando com fé para crer que Deus faria milagres.

"Estou Me Mudando Para a Casa da Minha Mãe!"

Descobrir o segredo bíblico de plantar e colher, o que Oral chamava de "o milagre da fé na semente", se tornaria um legado duradouro de seu ministério. Sua descoberta ocorreu de um modo muito natural, nascido de sua própria necessidade, bem como da necessidade de um dos membros de sua igreja em seu ministério inicial em Enid, Oklahoma.

Quando Oral e sua família chegaram à igreja de Enid, descobriram que ali não havia uma casa pastoral. Oral, Evelyn e seus filhos ficariam com uma família da igreja em uma casa bem pequena. À medida que as semanas passavam e eles ainda não tinham um lugar próprio, Evelyn, habitualmente descontraída, ameaçou levar os filhos e morar com sua mãe até que algo fosse feito acerca de suas condições de vida. "Estou falando sério, Oral, estou me mudando para a casa da minha mãe!"[241]

Naquela noite de quarta-feira, Oral foi sozinho para o culto vespertino da igreja. Após a mensagem, ele explicou à congregação a necessidade desesperada de uma casa pastoral na igreja. Oral sentiu o Espírito Santo pressioná-lo a doar todo o seu salário semanal — cinquenta e cinco dólares — em fé para dar entrada em uma casa para a igreja. Ele bateu com seu cheque de pagamento sobre o altar e, em seguida, virou-se para a congregação. "Quem mais gostaria de ajudar?", perguntou. Para seu espanto, quase todas as pessoas da congregação foram à frente com entusiasmo e colocaram suas ofertas no altar. Quando o dinheiro foi contado, a quantia era suficiente para o total da entrada.

Evelyn não ficou muito feliz com a ideia de Oral doar seu salário de toda a semana, já que ele deveria ter sido usado para pagar mantimentos e outras necessidades da família. Ele fizera a coisa certa? Oral dormiu inquieto naquela noite, antes de ser acordado por uma batida forte à porta às quatro e meia da manhã. Sonolento, abriu a porta e encontrou ali, de pé, um agricultor membro de sua congregação com um olhar preocupado.[242]

O que o homem não sabia era que estava prestes a compartilhar um espantoso princípio bíblico de semear e colher, que permaneceria com Oral Roberts e seu ministério durante os setenta anos seguintes!

O Milagre da Fé na Semente

Após desculpar-se pelo horário tão cedo, o agricultor, cujo nome era Art Newfield, explicou o motivo da intrusão. Art estava em apuros porque investira no mercado de ações e estava prestes a perder tudo que possuía, inclusive sua fazenda. Naquela noite, na igreja, Oral dera seus últimos cinquenta e cinco dólares, e todos os outros membros da igreja foram à frente para dar, mas Art não dera nada por medo. Então, após ir para casa, não foi capaz de dormir. Deus começou a falar com ele e não parou mais. Então Art entrou em seu quintal e desenterrou sua última reserva, quatrocentos dólares ao todo. Dito isso, ele empurrou quatro notas de cem dólares na mão de Oral.

Foi então que o fazendeiro disse as palavras que Oral jamais esqueceria: "Não é apenas dinheiro que eu estou lhe dando, pastor. *É uma semente.* Eu sou um fazendeiro de trigo e sei como plantar sementes para ter uma colheita de trigo. Estou semeando esta semente para você como homem de Deus, para que o Senhor me tire dessa encrenca em que estou, para que eu possa voltar para a agricultura, algo que sei fazer".[243]

Após Art Newfield sair, Oral mostrou o dinheiro a Evelyn e eles se alegraram com a provisão do Senhor, que excedia em muito suas expectativas. Eles também se constrangeram pela grande necessidade na vida de Art e pela magnitude de sua fé. Intrigados com aquele princípio da Palavra de Deus, eles ficaram acordados durante o restante da noite lendo as Escrituras acerca de semear e colher, dar e receber. Oral teve uma explosão de alegria ao receber essa palavra fresca do Senhor — um princípio da fidelidade de Deus.

Intrigados com aquele princípio da Palavra de Deus, eles ficaram acordados durante o restante da noite lendo as Escrituras acerca de semear e colher, dar e receber. Oral teve uma explosão de alegria ao receber essa palavra fresca do Senhor.

Deus estava incentivando Oral e Evelyn a darem em sua necessidade e depois esperarem que, em troca, o Senhor da seara multiplicasse a semente lançada e satisfizesse suas necessidades. Sua expectativa estava fundamentada no texto na Bíblia em que Jesus dizia: "Deem, e lhes será dado: uma boa medida, calcada, sacudida e transbordante será dada a vocês" (Lucas 6:38). Mas foi a revelação de 3 João 2 o que realmente abriu os olhos de Oral para a verdade da fé na semente: "Amado, oro para que você tenha boa saúde e tudo lhe corra bem, assim como vai bem a sua alma." Ele afirmou que a passagem foi "a maior descoberta que Evelyn e eu já fizemos acerca de saúde, prosperidade e bênçãos espirituais."[244]

A partir daquela experiência e daquelas passagens da Bíblia, Oral desenvolveu seu ensinamento que se tornaria conhecido como "o milagre da fé na semente". Com essa revelação transformadora de vidas, Oral começou a plantar uma semente da fé em todas as áreas de sua vida e, depois, esperar em troca uma colheita milagrosa do Senhor.

Em Mateus 17:20, Jesus comparou a fé a uma semente de mostarda, dizendo que mesmo uma quantidade pequena seria capaz de mover montanhas. Oral creu que a fé deve ser como uma semente que é plantada para se colher uma safra em Deus. Crescimento e colheita são os propósitos de se plantarem sementes, conforme determinado pelo Criador. Deus não espera que plantemos uma semente que apenas morrerá no chão e nunca produzirá uma colheita. Seu desejo é que plantemos sementes de fé em bom solo, regando-as com a água da Palavra e a luz do sol do Espírito Santo de Deus. Essas sementes crescerão para produzir a colheita do Senhor.

Deus Move Montanhas

Deus promete mover as montanhas de nossas vidas quando plantamos sementes de fé. Oral compartilhou os ensinamentos acerca da fé na semente nos primeiros anos de seu ministério, durante uma cruzada em Spokane, Washington. Enquanto ele explicava as leis de Deus de plantio e colheita, um senhor idoso, William Skrinde, caminhou até o altar com uma doação e um voto de apoiar o ministério mensalmente. Ele não sabia como o faria com sua pensão de aposentado, mas queria plantar sua semente com fé.

William orou: "Senhor, Tu prometeste multiplicá-la, então eu o farei e dependerei de Ti como minha fonte para multiplicá-la de volta".[245]

No encerramento do culto daquela noite, Oral incentivou as pessoas a irem para casa e buscarem o Senhor pelas bênçãos que Ele poderia já ter proporcionado — coisas que elas poderiam não ter percebido. Oral disse: "Peça a Deus para lhe dar ideias. Pense em uma ideia que nunca se realizou. Tenha expectativa. Abra os olhos. Veja o que você pôs de lado, mas poderia transformar em alguma coisa."[246] Essa última declaração surpreendeu até a Oral, mas ele estava certo de que Deus lhe havia impelido a dizê-la.

William Skrinde foi para casa, meditando em tudo o que o Senhor dissera por meio do irmão Oral. Ele fora inventor durante grande parte de sua vida e se lembrou de um projeto que havia guardado em seu sótão. Vários anos antes, William havia inventado um instrumento que ele acreditava que ajudaria os carros *Jeeps* a resolverem um problema de roda que estavam tendo. Todavia, cada vez que ele apresentou seus projetos à montadora para apreciação, eles foram rejeitados.

William buscou os projetos no sótão, orou sobre eles e fez vários ajustes nos desenhos. Confiando no Senhor como sua única e verdadeira Fonte, William apresentou os planos à Jeep mais uma vez. Dessa vez, eles foram aceitos! No caso de William, sua resposta do Senhor não foi pequena. A empresa pagou a William Skrinde milhões de dólares por suas ideias.

O irmão Skrinde se tornaria um dos maiores doadores para a construção da Universidade Oral Roberts em anos futuros. No campus da universidade há placas com o nome de William Skrinde em vários prédios. Ele doou milhares de dólares para ver a Palavra do Senhor avançar nas vidas dos jovens. Meus amigos, a fé na semente opera quando plantamos com fé e buscamos ao Deus do universo como a Fonte da nossa colheita.

Não Há Aposentadoria em Deus

Ninguém assistiu às cruzadas bem-sucedidas e aos milagres do ministério evangelístico de Oral Roberts mais de perto do que Ellis e Claudius Roberts. Eles se alegravam em ver o Espírito de Deus se movendo por meio da vida do filho. Ellis trabalhara duro durante a infância de Oral para estabelecer doze diferentes congregações locais para a igreja Pentecostal Holiness. Infelizmente, ao fim da década de 1940, restava pouco trabalho para Ellis fazer, e ele se viu sem um lugar para ministrar.

Elmer, o irmão mais velho de Oral, construiu uma pequena casa para seus pais atrás da própria casa, onde eles tinham uma vida bastante pobre. Porém, o fogo do Espírito Santo nunca morrera em seus corações e eles ainda ministravam para o Senhor sempre que surgia uma oportunidade.

Oral desejava ter seus pais perto dele e de seu ministério, em Tulsa. Após alguns anos de cruzadas bem-sucedidas, ele conseguiu construir uma pequena casa próxima a dele para os pais, para que o idoso casal Roberts pudesse sentir a empolgação do ministério e estar perto de seus netos.

Quando o ministério de Oral cresceu e seu testemunho se tornou mais conhecido, as igrejas começaram a perguntar sobre seus pais e sua obra para o Senhor. Convites dirigidos ao reverendo Ellis Roberts e à irmã Roberts chegaram de muitas igrejas do sudoeste, pedindo-lhes para realizarem avivamentos. Que maneira gloriosa de passar seus anos de "aposentadoria"! Papai Roberts pregava a Palavra de Deus, e Mama Roberts orava pela cura dos doentes com a mesma fé ardente que semeara no coração e na alma de Oral quando menino.

Durante dez anos, os Roberts, pais de Oral, pregaram em avivamentos de igrejas pentecostais, frequentemente vendo duas ou três centenas de pessoas se entregarem ao Senhor durante uma única cruzada. Eles eram amados e aceitos onde quer que fossem chamados, e seu sucesso trouxe alegria imensurável para Oral e Evelyn.

"Oral Roberts, Saia da Austrália!"

Por razões que só Deus conhece, as provações são uma de Suas maiores ferramentas para nos amadurecer em nossa fé.

> *Meus irmãos, considerem motivo de grande alegria o fato de passarem por diversas provações, pois vocês sabem que a pro-*

va da sua fé produz perseverança. E a perseverança deve ter ação completa, a fim de que vocês sejam maduros e íntegros, sem lhes faltar coisa alguma.

Tiago 1:2-4

Após ver Deus mover-se milagrosamente nas vidas de milhares de pessoas, Oral enfrentou uma de suas decepções mais fortes fora de seu país. Havia quase dois anos, muitas das igrejas pentecostais da Austrália vinham pedindo a Oral para ir até elas. Elas queriam que ele levasse sua tenda para que pudessem experimentar o mover de Deus da mesma maneira como ele fora experimentado nos Estados Unidos. A grande tenda foi enviada à Austrália para duas cruzadas — uma em Sidney e outra em Melbourne. Oral pediu ajuda aos seus apoiadores para uma nova campanha de Evangelização Mundial, centrada na viagem à Austrália.

A despeito de todo o planejamento, empolgação e expectativa espiritual, a partir do momento em que desembarcaram do navio em Sydney, Oral Roberts e sua equipe foram recebidos por uma imprensa australiana hostil. Cada jornal escrevia algo mais condenável que o anterior. A equipe ministerial de Roberts estava certa de que aquela era uma conspiração de Satanás para desacreditar Oral antes que o Senhor pudesse mover-se entre o povo.

A partir do momento que entrou na tenda na primeira noite, Oral pôde perceber a fome que as pessoas tinham de Deus. Ele notou um amor especial pelo Senhor nas pessoas de Melbourne.

Embora a má divulgação na imprensa seguisse firme, a cruzada de Sydney foi um tremendo sucesso. A tenda de Oral, que fora expandida para acomodar dezoito mil pessoas, ficou lotada todas as noites. Oral se movia no poder do Espírito Santo ao pregar sobre a bondade de Deus e Seu poder para salvar, libertar e curar.

Durante a cruzada de oito dias, milhares de pessoas foram à frente para receber a salvação, e muitas foram curadas como resultado do crescimento de sua fé em Deus. Todavia, quando Oral e a equipe viajaram a Melbourne para a segunda cruzada, a experiência foi surpreendentemente diferente.

A cruzada de Melbourne começou em um domingo e estava programada para durar oito dias. A partir do momento que entrou na tenda na primeira noite, Oral pôde perceber a fome que as pessoas tinham de Deus. Ele notou um amor especial pelo Senhor nas pessoas de Melbourne. Na primeira noite, a multidão transbordava e várias centenas de pessoas foram à frente para entregar suas vidas a Jesus. Entretanto, na manhã seguinte, a imprensa de Melbourne publicou artigos que Oral classificou como "contra Deus, contra a Bíblia e contra os Estados Unidos".[247] Surpreso, Oral, Bob DeWeese, os pastores patrocinadores e a equipe se reuniram para orar, clamando para que a unção de Deus continuasse e vidas fossem redimidas. Eles oraram e amarraram as forças do inimigo sobre Melbourne.

A segunda noite começou com outra grande multidão de adoradores cheios de expectativa. De repente, o culto foi interrompido por centenas de homens corpulentos que vinham da greve dos estivadores locais. Eles começaram a vomitar todas as palavras de ódio pelo ministério de Oral Roberts que haviam lido nos jornais. Com sua raiva pela greve malsucedida, os estivadores foram usados como ferramentas de destruição nas mãos de Satanás. Os homens desenfreados correram pelos corredores da tenda, xingando e gritando, e depois saltaram para o palco e deram um bofetão em Oral Roberts.

Inacreditavelmente, os policiais de Melbourne, que estavam localizados em várias entradas da tenda, ficaram de braços cruzados, não reagindo à violência de maneira alguma. Mais tarde, Oral soube que, na Austrália, não há qualquer lei que proteja os cultos de igrejas contra perturbações externas. A polícia não tinha sido obrigada a protegê-los! O culto daquela noite prosseguiu com dificuldade até o fim.

Após um dia de intensa oração e discussões angustiantes com os pastores patrocinadores, Oral abriu a reunião da terceira noite.

Apenas metade dos assentos estava preenchida e, mais uma vez, os estivadores invadiram a tenda, xingando as mesmas maldições, ridicularizando as pessoas e cuspindo em Oral. Ainda assim, a reunião prosseguiu até o momento de cura.

No dia seguinte, a imprensa falou acerca das filas de cura, ridicularizando o conceito de cura e negando os testemunhos de pessoas que haviam sido curadas. Os repórteres nem sequer procuravam aqueles que haviam testemunhado as curas, para julgar se os relatos eram verdadeiros. Oral tinha a certeza de ter sido a cura em nome de Jesus que tanto inflamara a imprensa local. O diabo estava fazendo hora extra para semear desânimo, medo e discórdia entre os participantes da cruzada.

Proteção em Jesus

Com sua determinação renovada, Oral Roberts abriu a quarta noite da cruzada de Melbourne. Os pastores patrocinadores haviam convidado um líder de alta posição na cidade para ir à cruzada e persuadir os desordeiros a pararem com os ataques. Não só os estivadores se recusaram a dar ouvidos a esse líder, como mais uma vez invadiram o palco e cuspiram nele. Ele ficou chocado e humilhado com o comportamento daqueles homens. Dessa vez, os estivadores interromperam o culto, recusando-se a permitir que ele continuasse até o fim.

Em grande aflição, Oral foi levado às pressas a um carro para deixar o local, enquanto Evelyn foi levada por alguns membros para um veículo diferente. Oral assistiu com horror a um grupo de homens balançar o carro em que Evelyn estava, tentando derrubá-lo. Felizmente, quando perceberam que Oral Roberts não estava lá dentro, eles deixaram o carro. O carro de Oral acelerou por uma rua lateral e escapou do perigo.

A Embaixada dos Estados Unidos enviou uma mensagem para Bob DeWeese dizendo que não era mais seguro Oral permanecer em Melbourne; eles não poderiam oferecer proteção a ele e à sua família. Naquela noite, enquanto Oral dormia na casa de um pastor, sua equipe embalou a tenda e todos os equipamentos e os carregou no primeiro navio que deixaria o porto de Melbourne. Na manhã seguinte, eles colocaram Oral e Evelyn em um avião com destino à segurança de seu lar.

O que Satanás quer para o mal, Deus sempre pode transformar em bem. A despeito da grande angústia que Oral sentiu pelo "fracasso" das cruzadas australianas, o Senhor as transformou em um grande bem para a Austrália. Logo após o incidente, as igrejas cristãs do país descobriram não ter qualquer proteção sob a lei e fizeram pressão por mudanças. Um conhecido pastor australiano falou diariamente acerca do evento em suas transmissões pelo rádio, expondo o comportamento inescrupuloso da imprensa.

Um ano depois, quando chegou à Austrália para uma cruzada, Billy Graham relatou a Oral que grandes coisas haviam acontecido lá desde sua viagem no ano anterior. Ele sabia que Oral ainda estava sofrendo por sua experiência naquele país, então Billy lhe enviou um telegrama que dizia: "Caro Oral, sei que você teve um momento difícil aqui, mas, para encorajá-lo, relato que conheci muitas pessoas que foram abençoadas por meio de seu ministério ungido por Deus."[248]

O ano de 1956 começara de maneira dolorosa na Austrália, mas Deus transformou a tristeza de Oral em alegria. Durante esse ano, nos Estados Unidos, quase dois milhões de pessoas participaram da cruzada de Oral Roberts. A tenda ficou lotada em todas as cidades onde eles ministraram, e dezenas de milhares vieram a conhecer a Cristo como Salvador! Deus usa todas as coisas para glorificar o Seu nome quando somos fiéis à Sua direção.

"Pregador de Hollywood"

À medida que as cruzadas da década de 1950 cresciam em intensidade, crescia também o desejo de Oral de ver mais pessoas participando desses eventos. A crescente popularidade e o impressionante potencial da televisão o fascinavam. Assim como um "pioneiro" nas regiões inexploradas dos Estados Unidos, Oral sempre estava à procura de novas terras para descobrir em sua missão de espalhar a Palavra de cura de Deus.

Contrariando a opinião dos profissionais de televisão, que insistiam em que Oral não conseguiria transmitir suas cruzadas com sucesso, ele estava determinado a encontrar uma maneira. Seu amigo, o pastor Rex Humbard, de Akron, Ohio, incentivou Oral dizendo que, com Deus, isso também era possível! O pastor Humbard fora o primeiro pastor do país a transmitir seus cultos pela tevê.

Aventurando-se em uma área desconhecida com a confiança de que Deus estava com ele, Oral iniciou seu ministério televisivo em 1954. Na verdade, ele visitou os estúdios de cinema — considerados ferramentas de Satanás pela maioria dos cristãos da época — e aplicou o que aprendeu ali à filmagem de suas reuniões nas tendas. Durante uma cruzada em Akron, Ohio, Oral pagou mais de quarenta e dois mil dólares pela filmagem de três cultos da cruzada. Querendo que o impacto total das cruzadas alcançasse as pessoas, Oral não estava interessado em transmitir apenas os sermões. Ele acrescentou à filmagem a agitação das grandes plateias ao entrarem na tenda, a chamada do altar para a salvação, as filas de cura, a imposição de mãos para cura dos enfermos e os milagres reais, para que a nação inteira pudesse vivenciar! Oral ansiava ter um programa para comunicar a empolgação e o poder de Deus presentes nas reuniões das cruzadas de cura.

Os telespectadores experimentaram uma vantagem extra, que a maioria das pessoas nas cruzadas não tinha. Devido às câmeras registrarem *closes* de Oral, a "congregação" televisiva poderia ver sua expressão fervorosa e a sinceridade com a qual ele orava pelos necessitados à sua volta. Eles tiveram também o privilégio de ver milhares de pessoas responderem com fé à mensagem de salvação e às orações de cura. Dessa maneira, Oral Roberts estendeu sua fé no poder de cura de Deus aos lares de milhões de cidadãos dos Estados Unidos.

Oral Roberts estendeu sua fé no poder de cura de Deus aos lares de milhões de cidadãos dos Estados Unidos.

Confirmando a palavra que Deus havia entregado a Oral, testemunhos de cura das plateias televisivas começaram a chegar em grande quantidade à sede de Tulsa. Um dos mais gloriosos foi o testemunho de cura da jovem esposa paraplégica de um sargento do exército, que morava em Wichita Falls, Texas.

Anna Williams era o nome da jovem. Três coisas trágicas haviam ocorrido em sua vida que resultaram em sua paralisia. Primeiramente, em 1951, ela quebrou a perna em um acidente de automóvel; então, mais de um ano e meio depois, ela foi diagnosticada com a terrível doença da poliomielite. Finalmente, em 1953, ela teve um segundo diagnóstico sério daquilo que era denominado "espinalite", uma doença incapacitante que a paralisou da cintura para baixo e a confinou a uma cadeira de rodas.

No domingo de 1º de maio de 1955, Anna estava sentada em sua cadeira de rodas ao lado do marido, assistindo à transmissão de uma cruzada de Oral Roberts. Antes do início das orações de cura, a fé de Anna em sua própria cura crescera dentro de seu coração. Quando chegou o momento da oração, ela não conseguia colocar a mão sobre o televisor como ponto de contato para liberar sua fé. Então, em vez disso, ela pôs a mão sobre o coração e clamou a Deus para visitá-la em seu quarto e curar suas pernas paralisadas.

Imediatamente após orar, Anna se virou para o marido e lhe pediu para ajudá-la a se levantar. Lentamente, Anna começou a se afastar do assento de couro marrom da cadeira de rodas. Ela deu passos hesitantes no início e, então, começou a dar passos mais confiantes. Enquanto um sorriso se espalhava por seu rosto, lágrimas escorreram dos olhos de seu marido. Jubilosa, Anna chamou uma amiga para vir à sua casa para ver o que o Senhor fizera. Quando a amiga chegou, Anna pegou emprestados os sapatos de salto alto da amiga e começou a dançar em torno da sala de estar! Ela foi curada naquele dia!

Na segunda-feira, 2 de maio, as manchetes dos jornais de Wichita Falls diziam: "Paralisada, Ela Anda Após a Oração!" A notícia se espalhou rapidamente por todo o país, a ponto de ser notada pelas agências de notícias nacionais e anunciada por Paul

Harvey em sua transmissão nacional. A fé no milagre de cura cresceu na nação; milagres agora ocorriam por intermédio da recém-criada mídia televisiva.

"Eu Deveria Ser Curado Hoje!"

"Deixem vir a mim as crianças e não as impeçam", Jesus disse em Mateus 19:14. Até crianças pequenas tiveram sua fé na cura ampliada por meio das transmissões televisivas de Oral Roberts. Willie Phelps era um garoto que, aos seis anos de idade, fora atingido pela doença de Perthes, um aplanamento do osso do quadril devido à falta de fluxo sanguíneo para a região. Desde o momento de seu diagnóstico até os dez anos, Willie usara um sapato com um salto extra de seis centímetros e meio e muletas. Ele sentia dor frequentemente devido à inflamação em seu quadril.

Certa noite, Willie e sua mãe estavam assistindo a uma cruzada de Oral Roberts pela televisão. Ao fim do programa, Oral anunciou uma próxima cruzada em Roanoke, Virgínia. Willie se virou para sua mãe com uma certeza que só poderia vir de uma fé infantil, e disse: "Mamãe, se você me levar a essa reunião, eu sei que serei curado."[249]

Após a mãe de Willie concordar em ir, ele simplesmente respondeu: "Mamãe, quando essa reunião acabar e eu ficar curado, você me leva para comprar sapatos novos?" "Claro", respondeu a mãe, com lágrimas de esperança escorrendo pelo rosto.

O pai de Willie era um agricultor que trabalhava até o fim da tarde. Após sair de casa para ir à cruzada e percorrer sessenta e quatro quilômetros até Roanoke, a família chegou tarde demais para entrar na cruzada e, assim, não poderia se inscrever para a fila de cura. A mesma coisa lhes aconteceu todas as demais noites da cruzada — eles ficavam do lado de fora para ouvir a mensagem, mas não conseguiam entrar para receber o poder de cura.

Na última noite da cruzada, Willie e seus pais viajaram aqueles sessenta e quatro quilômetros, orando fervorosamente para que o Senhor abrisse um caminho para eles entrarem no culto de oração.

Enquanto estavam do lado de fora do grande prédio, mais uma vez incapazes de entrar, algo incomum aconteceu. Um porteiro notara o menino com muletas que ficara do lado de fora todas as noites e abriu uma porta lateral, fez a família entrar e levou-os a uma pequena sala de onde poderiam assistir ao culto.

Oral orou pela cura de cerca de três mil pessoas naquela noite, tocando cada uma delas com a mão direita. Ele saiu do culto totalmente exausto. Enquanto caminhava por um corredor dos fundos para voltar ao hotel em que estava hospedado, Oral percebeu um garoto sentado em uma sala, com a cabeça baixa e um par de muletas no chão ao lado dele. Oral perguntou o que ele estava fazendo, e ele respondeu que estava à espera de Oral Roberts.

— Eu sou Oral Roberts — respondeu. — O que você quer comigo?

— Eu deveria ser curado hoje! — respondeu o menino confiantemente.[250]

Oral estava tão exausto que mal sabia o que dizer. Ele explicou que acabara de orar por milhares de pessoas e não tinha fé para orar por mais ninguém.

— Eu não sei de nada disso, Sr. Roberts — disse o menino. — Eu só sei que deveria ser curado hoje.[251]

Vendo a grande fé do menino, Oral concordou em orar por ele. Mas ele disse a Willie que sua fé teria de ser forte, porque a sua própria fé estava muito fraca naquele momento. Oral estendeu a mão e tocou Willie Phelps, fez uma oração por sua cura e, em seguida, voltou para o hotel. Em sua exaustão, Oral estava apenas esperando que o Senhor respondesse à oração.

Somente um ano depois, quando Oral e Evelyn voltaram a Roanoke para outra cruzada, alguém reapresentou Oral ao pequeno Willie Phelps. Após ouvir o testemunho da cura de Willie, Oral o convidou para ir ao palco, onde Willie compartilharia seu milagre.

Após a oração de Oral no ano anterior, Willie pediu à sua mãe para tirar-lhe os sapatos. Ele largou as muletas e colocou seu pé enfermo no chão. Quando Willie deu um passo, percebeu que sua perna enferma, que era curta, estava do mesmo comprimento que a outra. Ele atravessou a sala até sua mãe e perguntou-lhe: "Quando eu vou ganhar os sapatos novos que você me prometeu?"[252]

Willie foi à escola na segunda-feira seguinte à cruzada e entrou sem as muletas. Quando seus colegas e seu professor, atônitos, lhe perguntaram o que havia acontecido, Willie compartilhou o poder de um Deus que cura: "Um pregador orou por mim e Deus me curou", proclamou ele.[253] A escola inteira se alegrou com a maravilha de um Deus que ainda cura pessoas hoje.

Oral e Evelyn mantiveram contato com Willie Phelps durante muitos anos. A última vez em que falaram com Willie, ele tinha cinquenta anos de idade e ainda era saudável.

Vida Abundante em Cristo

Embora o ministério televisivo de Oral fosse apreciado desde o início, ele enfrentou dois principais desafios ao ir ao ar nos canais das cidades grandes. Um deles foi convencer as emissoras de televisão a realizarem um programa com um tema tão polêmico quanto a cura sobrenatural. O segundo desafio foi convencer seus parceiros financeiros a enviarem fundos suficientes para pagar por tudo aquilo. Porém, com o astuto senso de negócios e a personalidade cativante de Oral, esses dois desafios foram superados. O ministério começou com trinta e uma emissoras em 1955 e, em 1957, os programas iam ao ar em mais de 135 das quinhentas emissoras de televisão do país.

O evangelho de Jesus Cristo estava se movendo pelas ondas de televisão em toda a nação! Sem sair de suas salas, pessoas estavam sendo tocadas pela mensagem de Jesus Cristo e vidas estavam sendo transformadas. Milhares de cartas começaram a chegar à sede da Associação Evangelística Oral Roberts a cada dia — cartas repletas dos testemunhos dos salvos, curados e libertos.

Assim como o ministério de Oral continuava a se expandir na década de 1950, o mesmo ocorria com seu principal contato com seus apoiadores. A revista mensal *Águas de Cura*, que Oral lançara em 1948 para explicar a importância do poder de cura de

Deus nos dias de hoje, continuava a atrair mais leitores. Quando o ministério televisivo de Oral começou a se expandir e a passou a incluir outros temas além da cura, ele mudou o nome da revista para *Vida Abundante*. De 1950 a 1956, o número de assinantes saltou de dez mil para um milhão. A *Vida Abundante* proporcionou uma ligação mais forte entre Oral Roberts e os contribuintes de quem ele dependia para orações e apoio financeiro. Esses mesmos apoiadores seriam muito importantes na próxima tarefa que Oral viria a realizar.

"Construa uma Universidade Para Mim"

"*Você deve construir uma universidade para Mim. Construa-a em Minha autoridade e no Espírito Santo.*" Construir uma universidade para Deus. De todas as coisas em que Oral Roberts fora pioneiro ou apresentara como direção de Deus para ele, nenhuma parecia mais impressionante do que essa. Oral Roberts, um garoto de fazenda de Oklahoma, sem diploma de faculdade ou de seminário, deveria construir uma universidade para Deus?

Oral acreditava ter ouvido pela primeira vez essa palavra do Senhor no banco de trás do carro, na noite em que fora curado de tuberculose aos dezessete anos de idade. A primeira parte da palavra — levar cura à sua geração — fazia sentido para Oral. A segunda parte — construir uma universidade — ele escondera em seu coração, não sabendo o que Deus queria dizer com essa afirmação. Nesse momento, uma época em que o ministério da tenda e o movimento de evangelismo de cura pareciam estar diminuindo, Oral voltou sua atenção para o próximo movimento de Deus em sua vida.

No início da década de 1960, as multidões nas cruzadas de cura foram se tornando menores. Oral sentiu em seu coração o ímpeto de mudar-se para outro campo de ação, para alcançar o mundo com a mensagem de cura de Cristo.

Como Deus queria que ele estendesse sua paixão pela Palavra e pelo poder do Espírito Santo por todo o mundo, ainda mais do que seus dez ministérios conseguiam alcançar? Como ele passaria o poder da Palavra de Deus à próxima geração, mesmo depois de morrer? Oral começou a refletir acerca da palavra que Deus lhe dera anos antes: "Construa uma universidade para Mim."

Jantar com Pat Robertson

Certa noite, em 1952, Oral Roberts estava dirigindo próximo a Tulsa, Oklahoma, quando parou o carro diante de uma propriedade situada na esquina da rua 81 com a avenida South Lewis. Ajudando seus filhos a saírem do carro, um por vez, Oral ficou de pé com eles e Evelyn. Maravilhadas, as crianças olharam para o pai. O que eles estavam fazendo de pé em frente àquele terreno vazio?

Oral disse: "Crianças, nós vamos orar. Eu acredito que, algum dia, o Senhor quer que haja nesta propriedade uma escola que será dedicada a Ele."[254] A família orou e foi embora em seguida, deixando o resultado nas mãos do Senhor. Aquela não seria a última vez em que a família Roberts colocaria aquela propriedade diante do Senhor em oração.

Oito anos depois, Oral estava jantando com Pat Robertson, do *Clube 700*,* em um restaurante de Norfolk, Virgínia. Enquanto conversavam sobre o mover do Espírito Santo na Terra, Oral começou a escrever em um guardanapo palavras que lhe vinham à mente. O tema se referia a educar os jovens do futuro, formando-os para levarem as boas-novas de Jesus Cristo.

O que Oral rabiscou naquele guardanapo no restaurante se tornou, posteriormente, um tema que ressoaria nos corações de todos os alunos que ingressaram na Universidade Oral Roberts nos anos vindouros:

> Forme Meus alunos para ouvirem a Minha voz, para irem aonde a Minha luz é fraca, onde a Minha voz é pequena e o

* O Clube 700 é um programa que está no ar nos Estados Unidos desde 1966. Ele recebeu esse nome porque na época, seu criador, Pat Robertson, convidou 700 telespectadores para participarem do Clube, que tinha como objetivo levar esperança até as pessoas. Atualmente, o Clube 700 alcança milhares de lares no mundo inteiro, sendo exibido no Brasil desde 2005. (N. do T.)

> Meu poder de cura não é conhecido. Para irem até os limites extremos da Terra. A obra deles será superior à sua. Disso Me agrado.[255]

Oral acreditava que essas palavras não vinham de si mesmo, mas eram uma mensagem do Senhor. Agora, chegara o tempo de considerar a construção de uma escola. Oral percebeu que a escola seria a chave para perpetuar seu "ministério e multiplicá-lo milhares de vezes, um ministério que, caso contrário, morreria".[256] Ela seria uma escola na qual ministros do evangelho seriam treinados para sair por toda a Terra em nome de Jesus Cristo.

"Esse Não É o Seu Chamado"

Quando Oral anunciou seus planos de construir uma universidade sob a direção de Deus, seus parceiros ficaram chocados e preocupados. Dado o seu ministério em tempo integral de viajar, pregar e levar cura às pessoas, não havia muitos que poderiam compreender por que ele perseguiria uma visão tão radicalmente diferente. Até mesmo seus assessores mais próximos estavam preocupados. De início, eles descartaram aquilo como uma das muitas ideias mirabolantes de Oral. Mais tarde, eles o chamaram para uma reunião na qual expressaram sua grande preocupação por ele estar deixando de lado seu "verdadeiro chamado".

Manford Engel, vice-presidente executivo da Associação Evangelística Oral Roberts, foi o porta-voz do grupo. Ele disse: "Oral, cada um de nós deixou sua profissão para servir com você e levar o poder de cura de Deus à sua geração. Nós sentimos que a construção desta universidade interromperá o fluxo de cura. Além disso, não haverá lugar para nós... Todos nós decidimos sair se você persistir na construção da universidade."[257] Oral ficou magoado por esses homens que haviam servido tão próximos a ele não terem entendido sua nova visão. Ele explicou, mais uma vez, que o seu desejo no tocante à universidade era expandir o conceito de cura para incluir o "homem são" — sua mente e suas emoções, bem como seu corpo físico.

Então, ele disse palavras que lhe eram tão dolorosas de dizer quanto eram para seus colegas de trabalho de ouvir:

> O próprio Deus me chamou para edificar uma universidade em Sua autoridade e no Espírito Santo. Eu não estou deixando o ministério de cura; ele é a minha vida. Mas Deus não opera no vácuo. Ele está em constante avanço, e eu aprendi que temos de avançar com Deus. Eu tenho de obedecer a Deus e começar a construir-lhe uma universidade, permeando cada parte dela com o princípio divino de que Deus é um Deus que cura. Eu posso cair de cara no chão. Posso falhar. A universidade poderá nunca ser bem-sucedida. Mas eu tenho de fazê-la. Se vocês me abandonarem, isso vai partir meu coração. Todavia, se eu obedecer a Deus, como pretendo fazer, Ele levantará outra equipe para servir comigo.[258]

Com grande tristeza, Oral saiu da sala para orar. A equipe que ele acabara de deixar também se prostrou para orar, pedindo orientação a Deus. Depois de várias horas, eles se encontraram novamente no escritório de Manford. Os homens disseram a Oral que haviam entendido que a construção da universidade era um chamado de Deus — um aspecto novo e mais amplo do ministério evangelístico de Oral Roberts. Eles anunciaram: "Nós não sairemos. Você lidera e nós o seguiremos."[259] Com os mal-entendidos deixados para trás, essa equipe de "homens de Deus" avançou com um novo plano empolgante para construir a "universidade de Deus".

"Este É o Dia"

Era outono de 1961. Durante nove anos, Oral e sua família haviam orado pelo terreno na esquina da rua 81 com a avenida South Lewis. Em seu espírito, Oral acreditava que aquele era o local que Deus havia escolhido para a universidade ser construída. Quinhentos dólares de capital inicial eram tudo o que Oral possuía na época. Frequentemente, ele ia até lá de carro e andava pelo terreno, orando em línguas e perguntando ao Senhor o que fazer e com quem trabalhar. Ele conseguia imaginar altos edifícios cheios de alunos, que queriam honrar o Senhor e difundir a Sua Palavra.

Todavia, quando Saul Yager, o advogado de Oral, abordou os proprietários, eles insistiram em que o terreno não estava à venda. Eles eram de uma família rica do ramo do petróleo, que possuía a área da esquina havia anos e queria mantê-la em seu patrimônio. As tentativas de comprar o imóvel se arrastaram durante semanas.

Oral continuou a orar e esperar. Certo dia, quando estava na Califórnia, ele sentiu a voz do Senhor dizer: *Este é o dia.* Oral conseguia ver o terreno de Tulsa em sua mente — os edifícios que logo comporiam o campus, os alunos buscando avidamente respostas do Senhor às suas indagações da vida, os jovens compartilhando o evangelho de Jesus Cristo.

Ele telefonou para Saul. "Vá hoje até lá e compre aquele terreno." Impaciente, Saul insistiu em dizer que Oral estava desperdiçando seu tempo. Mas Oral respondeu: "Eu estou lhe dizendo, Saul, sei que hoje é o dia. Compre-o hoje."[260] Saul desligou o telefone e ligou para o advogado do proprietário, que, assim como Saul, era judeu. Saul explicou a insistência de seu cliente sobre a venda do imóvel para aquele mesmo dia.

O advogado contatou o proprietário, e a resposta dele maravilhou a todos. "Esta manhã, eu acordei e decidi que, se o advogado do Sr. Roberts me abordasse hoje, eu o venderia."[261] Os advogados ficaram surpresos com a maneira como Deus operara na situação. Oral estava grato ao Senhor, mas não surpreso com Sua infalível fidelidade.

A Visão de Oral se torna Pessoal

A visão original de Oral para a escola era construir uma universidade de evangelismo, principalmente para levar jovens estrangeiros aos Estados Unidos e treiná-los para voltarem às suas próprias nações e pregarem o evangelho. Em fevereiro de 1962 teve início a construção de três edifícios que abrigariam a escola evangelística. Entretanto, no verão, a visão de Oral havia se expandido para a construção de uma universidade totalmente credenciada, com um vasto número de programas acadêmicos.

Todas as vezes que Oral mudava de direção repentinamente, havia sempre alguma tensão entre os membros de sua equipe. Após terem resolvido suas diferenças, ele e sua equipe conceberam um plano unificado. Até 1965, eles construiriam uma universidade completa, dedicada à excelência acadêmica, sob a orientação e a presença do Espírito Santo.

Oral via muitos jovens pentecostais abandonando a fé, como ele fizera no passado, porque estavam indo para universidades onde não se exaltava a Deus ou até mesmo nem se acreditava nele. Sua resposta foi construir uma grande universidade "classe A", na qual Deus fosse supremo.

Uma razão pessoal para a universidade ter se tornado uma visão tão crescente no coração de Oral foi a grande necessidade que ele via de uma educação cristocêntrica em sua própria casa. O filho mais velho de Oral, Ronnie, havia se matriculado na Universidade de Stanford, na Califórnia, no outono de 1962. Seu filho era um talento acadêmico, e Oral e Evelyn estavam orgulhosos de suas realizações. Seu desejo era ser fluente em várias línguas, e sua aceitação por Stanford era motivo de orgulho para a família.

Contudo, não muito depois de chegar a Stanford, Ronnie começou a questionar sua fé cristã e o relacionamento pessoal que tinha com Jesus Cristo. Oral viajou a Stanford e foi convidado a palestrar para os alunos. Ele foi bem recebido, e aquilo ajudou Ronnie durante algum tempo, mas, lentamente, as perguntas e dúvidas surgiram novamente.

Oral explicou à sua equipe evangelística: "Eu tenho o instinto de lutar para fazer essa escola começar a funcionar antes do planejado porque tenho uma necessidade real em minha casa; ela está em minha família. Isso está afetando minha família."[262] Oral via muitos jovens pentecostais abandonando a fé, como ele fizera no passado, porque estavam indo para universidades onde não se exaltava a Deus ou até mesmo nem se acreditava nele. Sua resposta foi construir uma grande universidade "classe A", na qual Deus fosse supremo, Jesus fosse Senhor, e a obra e o poder do Espírito Santo no mundo ocupassem seus lugares de direito.

Um Grupo de Irmãos

O que Oral Roberts sabia, de fato, sobre construir uma universidade? Ele sabia que necessitava de um homem com uma visão acadêmica que compartilhasse de seu fervor acerca do papel do Espírito Santo na vida cristã. Ele descobriu essa pessoa em Raymond Corvin, um amigo de infância. Raymond era um membro da Igreja Pentecostal Holiness e servira como presidente do Instituto Bíblico Southwestern durante os dezesseis anos anteriores. Suas credenciais eram adequadas à função, pois tinha um doutorado em educação religiosa e também um segundo doutorado em educação geral. Em Raymond Corvin, Oral encontrara uma alma gêmea para trabalhar com ele em sua visão de excelência em educação.

A universidade não poderia ser formalmente estabelecida até ser nomeado um conselho de regentes. Oral e seu grupo de assessores começaram a formular um conselho de quarenta e um membros, composto por líderes dedicados e cheios do Espírito de todo o país. Lee Braxton se tornou a escolha óbvia como presidente do conselho, com Oral como presidente da universidade e Raymond Corvin como reitor.

Lee Braxton sentiu ser essencial que a universidade recebesse o nome de Oral Roberts. Seu nome se tornara um "símbolo" para os apoiadores pentecostais e carismáticos cujos filhos seriam, provavelmente, os primeiros alunos da universidade. Mais importante ainda, o nome de Oral ajudaria a assegurar o contínuo apoio financeiro dos milhares de crentes que haviam sido tocados por seu ministério durante tantos anos. Em 27 de novembro de 1962, a Universidade Oral Roberts (UOR) foi formalmente estabelecida, com o objetivo de abrir suas portas aos alunos em apenas três anos, no outono de 1965.

A ajuda de Lee foi inestimável para estabelecer a visão de Oral na instituição. Ele trouxe outro líder universitário vital para a escola: o Dr. John D. Messick, ex-presidente do East Carolina College, da Carolina do Norte. Com seu Ph.D. pela Universidade de Nova York, seus anos de experiência em educação, sua capacidade de pensar de modo inovador e sua firme crença no batismo do Espírito Santo, John Messick se tornou o homem perfeito para projetar o rigoroso programa acadêmico para a Universidade Oral Roberts.

Uma Escola para o Homem Integral

Quanto mais Oral Roberts orava e meditava acerca de sua visão para a escola, mais seu foco se expandia para incluir a "totalidade do homem". A prioridade máxima de Oral era treinar evangelistas para compartilhar as boas-novas de Jesus Cristo por toda a Terra. Seu desejo era que os alunos fossem cheios do Espírito Santo e compreendessem o poder que Deus dá para realizar grandes coisas em nome de Jesus por intermédio do Espírito Santo.

Universidade Oral Roberts

Oral e sua equipe desenvolveram oito grandes objetivos para a universidade nos meses que precederam a abertura da escola. Esses objetivos eram: "Excelência em educação, clima de fé positiva em Deus, atmosfera do Espírito Santo, pureza espiritual e moral, busca da verdade, projeção permanente do ministério de cura, exposição presencial, e nenhum estudante digno negado por falta de recursos financeiros."[263]

Nos primeiros anos da universidade, Oral procurou maneiras de envolver o conceito de "integralidade do homem" na educação dos alunos. Os alunos deveriam frequentar as aulas, ir à capela obrigatoriamente e participar de um programa de condicionamento físico que enfatizava a importância de cuidar do corpo, "templo de Deus para o Espírito Santo".

Oral se orgulhava muito de que a ênfase em um grupo acadêmico forte elevaria o nível da educação na UOR acima de qualquer coisa tentada pelas escolas pentecostais do passado. Em todas essas áreas importantes, nada era tão importante para Oral quanto o propósito espiritual da universidade. Ele lutava continuamente para proteger a visão que era o propósito da existência da universidade. "A UOR nunca foi concebida para ser puramente uma instituição de ensino, mas uma ferramenta, um instrumento, para os propósitos mais elevados do nosso chamado."[264]

Anos mais tarde, Oral explicou com estas palavras o sucesso na construção da universidade quando eles não tinham qualquer entendimento real de como uma instituição de ensino deveria ser desenvolvida: "Foi-me dado pelo Espírito Santo um entendimento que excedia o meu próprio, de que o núcleo central de tudo que oferecêssemos na UOR deveria girar em torno do fato de que toda a verdade estava em Jesus Cristo. Ele deveria ser o centro da universidade... Nós não tínhamos de buscar a verdade fora dele."[265] Quando o primeiro catálogo da universidade foi impresso, ele declarava com firmeza: "A UOR é uma instituição cristã com a distinta dimensão carismática do batismo do Espírito Santo e os dons do Espírito."[266]

Prédios Inacreditáveis

A maioria das pessoas provavelmente teria imaginado um pequeno grupo de prédios simples e eficientes no novo campus de Tulsa. Mas Oral Roberts era o mesmo homem que, ainda quando nada tinha, acreditava que só o melhor piano, o melhor órgão e o melhor sistema de som eram adequados à obra do Senhor nos dias do ministério nas tendas. Oral usou aquele mesmo padrão de excelência no planejamento dos prédios que abrigariam a obra de Deus na Universidade Oral Roberts.

De todos os adjetivos que se poderia usar para descrever Oral Roberts, *inovador* estaria perto do topo da lista. Em tudo o que ele fez ao longo de seus anos de ministério, ser criativo e ter um pensamento inovador foram partes essenciais da história. Pensando assim, Oral contratou o arquiteto Frank Wallace para projetar e construir uma série espetacular de prédios no campus da universidade. A estrutura central da primeira fase de construção foi o Centro de Recursos de Aprendizagem, um prédio de seis andares, com aproximadamente 1,62 hectares de área. A biblioteca da UOR ficava nesse prédio, como também as primeiras salas de aula e os escritórios administrativos.

Oral tinha uma incrível capacidade de olhar para o futuro ao projetar qualquer coisa para o seu ministério. Assim como visitara Hollywood para aprender acerca dos melhores métodos antes de criar seus programas para a televisão, Oral visitou várias grandes universidades com Wallace e outros membros da equipe, em busca de inovações de ponta na construção. Como resultado disso, o interior do Centro de Recursos de Aprendizagem foi projetado com a inovação curricular em mente, sendo cabeado para facilitar o uso da mídia eletrônica mais avançada daquele tempo. Em 1965, o projeto do Centro de Recursos de Aprendizagem deu

Oral tinha uma incrível capacidade de olhar para o futuro ao projetar qualquer coisa para o seu ministério.

à Universidade Oral Roberts atenção nacional e internacional, sendo chamado pela Fundação Ford de "a instalação mais inovadora de seu tipo".[267]

A Oração no Centro de Tudo

Nada do que Oral tentou em sua vida foi isento de controvérsia. A mais recente controvérsia tinha a ver com a Torre de Oração do novo projeto, construída no centro do campus da Universidade Oral Roberts. O edifício de 61 metros de altura foi projetado para ser o ponto central da escola, localizado em um jardim no centro do campus. Feito de aço e vidro, o prédio parecia uma cruz gigante. Quando acesa, a chama no topo da torre podia ser vista a quilômetros de distância na paisagem de Tulsa.

Alguns administradores acadêmicos se opuseram ao prédio, dizendo que um lugar de oração não deveria ser tão obviamente exibido no campus. Para Oral, a Torre de Oração era o coração do ministério, bem como o coração do campus. Havia uma plataforma de observação circular no topo, onde a equipe de oração poderia olhar para todo o campus e orar pela obra do Espírito Santo nas vidas dos alunos, do corpo docente e de suas famílias. A oração a um Deus que ouve e responde ao Seu povo estava no centro do propósito da existência da universidade, e Oral queria que ela assim permanecesse para sempre.

Nos anos de construção, de 1965 a 1975, o campus da Universidade Oral Roberts se expandiu para incluir o Mabee Center, uma avançadíssima arena esportiva para o time de basquetebol da universidade. O Mabee Center também foi aberto à comunidade de Tulsa para a realização de eventos especiais, proporcionando um palco para as artes cênicas. Oral estava profundamente comprometido em dar à cidade de Tulsa algo de valor, em reconhecimento pela bondade concedida a ele e a seu ministério ao longo dos anos. No início da década de 1970, vários arranha-céus de dormitórios foram adicionados ao campus, bem como salas de aula adicionais para acomodar os mais de dois mil alunos matriculados em 1972.

A Capela de Cristo, um dos mais belos edifícios do campus, foi construída como um santuário de tamanho suficiente para caberem sentados todos os alunos e funcionários, mais de duas mil pessoas, em um culto de capela ou um evento especial. Posteriormente, ela foi ampliada para acomodar mais de quatro mil pessoas sentadas. Muitos homens e mulheres de Deus célebres e dedicados, compartilharam seus corações e ministérios naquela capela, incluindo Kenneth Hagin, Kathryn Kuhlman, Corrie ten Boom e Billy Graham.

Ao longo de nove anos, o campus se tornou imponente. Na época, o jornal de educação *Chronicle of Higher Education* escreveu: "O próprio campus é um impressionante conjunto de sessenta milhões de dólares de edifícios futuristas em um dos subúrbios mais elegantes de Tulsa. Ele se classifica como uma dos mais populares atrações turísticas da cidade."[268] Oral acreditava que a realização daquela obra era fruto do dom do Espírito Santo da "operação de milagres". Ele estava convencido de que o belo campus era resultado do poder de operar milagres do Espírito Santo. Eles haviam iniciado a UOR *com* nada e *do* nada; contudo, lá estava ela diante deles. Durante muitos anos, o campus da universidade seria a principal atração turística do estado de Oklahoma, superando até mesmo o Oklahoma Rodeo em reservas de carros e quartos de hotel.

Eternamente Dedicada ao Senhor

Oral Roberts acordou na manhã de 2 de abril de 1967 sabendo que o Deus da Bíblia era verdadeiramente o Deus do impossível. Naquela linda tarde de primavera em Tulsa, a Universidade Oral Roberts seria formalmente dedicada. Ela fora construída pelo poder da Palavra de Deus e pela crença inabalável de Oral, de sua equipe e de suas dezenas de milhares de apoiadores, de que "para Deus todas as coisas são possíveis" (Mateus 19:26). Era uma universidade construída com a inspiração do Espírito Santo, que reconhecia o Espírito como o poder de operação de milagres de Deus habitando na Terra.

Quando caminhava pelo campus da universidade naquele dia, Oral ficou comovido com os belos prédios de vidro e aço que se erguiam a sua volta, um testemunho da fidelidade de Deus às suas promessas. Ele estava grato pelos apoiadores que haviam capturado a visão e trabalhado com ele para ver esse dia acontecer. E ficou comovido pelos homens e mulheres que estariam com ele mais tarde naquele dia para dedicar a universidade ao Senhor. Ficou particularmente emocionado pela aceitação entusiasmada de Billy Graham para discursar na cerimônia de dedicação.

Quando Oral e Billy participaram do Congresso Mundial de Evangelismo em Berlim, no outono de 1966, Oral perguntou a Billy se ele lhe ajudaria a dedicar a nova universidade cristã na primavera seguinte. A despeito da resposta negativa de seus conselheiros mais próximos, Billy acolheu a oportunidade de estar com Oral na plataforma e dedicar a escola e seus alunos aos propósitos de Deus para eles. Billy não tinha medo da opinião pública; seu desejo era ver a Palavra de Deus prosperar nessa nova instituição de ensino.

Naquele dia histórico, Billy Graham discursou sobre "Por Que Acredito em Uma Educação Cristã". Ele recordou os primeiros fundadores cristãos das maiores universidades do país — que há muito tinham abandonado suas raízes bíblicas. Ele elogiou Oral Roberts e sua equipe pela construção de uma escola que honraria o Senhor Jesus Cristo, sem ter de se justificar para os demais. Billy agradeceu a Deus porque ali "na Universidade Oral Roberts, esses jovens estão sendo ensinados não só sobre como ganhar seu sustento, mas como viver".[269] Então, Billy desafiou Oral a se lembrar "da fundação da universidade, desfrutá-la e protegê-la".[270]

O generoso apoio de Billy Graham beneficiou a imagem da recém-fundada universidade. Em uma entrevista mais tarde, naquele dia, Billy Graham afirmou que Oral estava no "caminho certo para tornar a universidade profundamente espiritual e bíblica, mas, ao mesmo tempo, a mais elevada em termos acadêmicos".[271] A escola já não era mais considerada necessária ou útil somente por crentes pentecostais. Oral Roberts e Billy Graham haviam novamente ficado lado a lado em uma plataforma e anunciado ao mundo que aquela era uma instituição onde todos os que cressem no poder salvífico de Cristo eram convidados a aprender e crescer.

Década de Mudanças

A década de 1960 foi uma época tumultuada nos Estados Unidos, com a Guerra do Vietnã, a agitação política e os protestos estudantis. Aquele período trouxe tempos de grandes mudanças para o país — e também para a Igreja. Durante esse tempo, enquanto a influência pentecostal das cruzadas de cura começou a diminuir, um novo movimento do Espírito Santo, denominado por muitos de "movimento carismático", começou a permear as igrejas protestantes e católicas tradicionais. Ao mesmo tempo que o batismo do Espírito Santo e o falar em línguas estavam sendo abraçados por alguns cristãos em quase todas as denominações, a participação nas cruzadas pentecostais onde essas crenças eram pregadas estava diminuindo.

O coração de Oral Roberts ainda estava na pregação e oração por cura. Ainda assim, como o número de pessoas participantes diminuía, as cruzadas foram encurtadas para seis dias e, depois, finalmente para três. Muitas vezes, sua tenda era deixada em Tulsa e as cruzadas eram realizadas em grandes auditórios, para economizar tempo e dinheiro. Para a Associação Evangelística Oral Roberts, embora a quantidade de participantes fosse menor, a Palavra ainda avançava; Bob DeWeese continuava a pregar durante as sessões diurnas, e as pessoas iam à frente para a oração de cura nos cultos vespertinos.

Para continuar a pregar com plateia lotada, muitos evangelistas pentecostais, incluindo Oral, começaram a viajar ao exterior para encontrar novos públicos para suas mensagens. Oral se empenhava em uma cruzada no exterior a cada ano, dizendo aos seus parceiros que ainda havia muito a ser feito para levar a mensagem de cura a milhões de pessoas fora dos Estados Unidos. Durante a década de 1960, Oral e sua equipe viajaram para cidades da Europa, Rússia, Índia, Indonésia, Austrália, Nova Zelândia, Vietnã,

Chile e Brasil. Na maioria desses países, ele foi recebido calorosamente e o evangelho foi acolhido com ouvidos e corações abertos.

Por volta do fim de 1968, Oral ainda declarava que desejava continuar a impor as mãos sobre os enfermos e vê-los recuperados. Ao mesmo tempo, seu espírito estava se agitando dentro dele porque Deus tinha algo diferente para ele fazer, e Oral percebeu isso em seu coração. A universidade estava avançando a passos largos; porém, o que mais estava sendo acalentado no espírito de Oral?

O Ano da Turbulência

O ano de 1968 foi marcado como o ano de maior turbulência e mudança da década de 1960. O mesmo poderia ser dito acerca do ministério de Oral Roberts. Foi um ano de "crise de meia idade" de grandes proporções. Durante aqueles doze meses, Oral finalmente entendeu que chegara o tempo de acabar com as cruzadas. O Senhor deixara dolorosamente óbvio para ele que seus anos de ministério em tendas haviam acabado. Essa era uma triste realidade para a maior parte de sua equipe evangelística. Depois de trinta e oito anos de estreito ministério em comum, Bob DeWeese chorou com a notícia e deixou a Associação Evangelística Oral Roberts para pastorear uma igreja pentecostal de Ohio durante vários anos. Ele voltou ao ministério da UOR algum tempo depois, permanecendo como um dos amigos mais íntimos de Oral.

Mudanças também estavam em andamento na universidade em 1968. John Messick, como vice-presidente executivo, fora fundamental na criação dos programas acadêmicos da escola, mas continuamente discutia com Oral. Na cruzada pessoal de Messick para manter o destaque do aspecto acadêmico, ele tentou repetidamente tirar a ênfase espiritual da missão da universidade. Finalmente, os dirigentes chegaram a uma decisão mútua de que estava na hora de Messick sair. Ele foi sucedido por Carl Hamilton, um jovem que compartilhava a crença de Oral de que a sustentação espiritual da escola devia ser tão forte quanto a acadêmica.

Ao mesmo tempo, houve um tipo diferente de dissensão entre Oral e seu amigo de longa data Raymond Corvin, reitor da universidade. Corvin fora uma figura-chave na Escola de Teologia e em todos os aspectos espirituais da UOR. Como pentecostal dogmático, Raymond discordava da direção espiritual mais inclusiva que a escola estava adotando. À medida que a população estudantil crescia, eram contratados mais professores que não tinham as mesmas origens pentecostais dos instrutores anteriores. Frequentemente, os novos professores faziam parte do emergente movimento carismático ou eram membros de igrejas protestantes evangélicas tradicionais. Corvin combateu as mudanças com veemência. No fim de 1968, ele também ofereceu sua renúncia como uma maneira de acabar com o conflito interno da equipe administrativa da universidade.

Oral se Torna Metodista

Uma chocante mudança no final de 1968 colocou o mundo pentecostal em alvoroço. Após um tempo de grande oração, como assegurou a seus apoiadores, Oral Roberts renunciou à sua posição ministerial na denominação Pentecostal Holiness e se uniu à igreja metodista, sendo ordenado como pastor da denominação principal. A notícia repercutiu por toda a comunidade pentecostal! O que esse filho favorito da igreja pentecostal havia feito?

Quando garoto, Oral Roberts se unira à igreja metodista. Quando a paixão de sua família por Cristo crescera, eles se uniram à Igreja Pentecostal Holiness, onde o pai de Oral se tornara um pastor ordenado. A Igreja Pentecostal Holiness tinha, na verdade, fortes laços históricos com a igreja metodista quando o mover do Espírito Santo fora aceito na denominação. Oral poderia alegar simplesmente estar voltando à igreja de sua juventude. Mas muito mais estava em jogo em sua chocante e controversa decisão.

Durante algum tempo, Oral se sentira restringido por certas posições teológicas da igreja pentecostal. Essas posições lhe dificultavam apresentar o evangelho em termos culturais mais aceitáveis, tal como por meio de seus novos programas especiais para a tevê. As amarras da Pentecostal Holiness também tornavam cada vez mais difícil aceitar na UOR professores e alunos com formação em denominações que não fossem o pentecostalismo.

Alguns anos antes, Evelyn começara a frequentar a Igreja Metodista Boston Avenue, em Tulsa, participando do ministério das mulheres sempre que tinha oportunidade. Oral frequentara às vezes e se tornara amigo do Dr. Finis Crutchfield, o influente pastor da igreja. Os homens haviam discutido a possibilidade de Oral mudar a sua ordenação para a igreja metodista.

Nesse meio tempo, compreendendo o poderoso impacto que essa decisão teria sobre a igreja pentecostal, Oral e Evelyn oraram para que o Senhor os levasse à decisão certa. Na Conferência Mundial de Evangelismo, dois anos antes, Oral vira as principais denominações se abrindo à mensagem do poder do Espírito Santo.

Possivelmente, a influência mais marcante em sua decisão foi o movimento carismático, que estava em pleno andamento em todas as denominações da América. Cristãos de toda a nação estavam abraçando o batismo do Espírito Santo, incluindo o falar em línguas e os dons do Espírito Santo. Oral viu a igreja metodista como uma das denominações mais abertas a esse mover de Deus.

Oral teve uma reunião com o bispo W. Angie Smith, que presidia a Conferência de Oklahoma da igreja metodista. Com o coração aberto à maneira como Deus estava se movendo por meio do Espírito Santo, o bispo disse a Oral: "Nós precisamos de você, mas precisamos do Espírito Santo mais do que precisamos de você, e temos de ter o Espírito Santo na igreja metodista."[272] Oral viu essa declaração como uma aceitação dele e de seu ministério pelo clérigo metodista. Em 17 de março de 1968, Oral e Evelyn se uniram à Igreja Metodista Boston Avenue, em Tulsa. Dois meses depois, Oral foi ordenado como presbítero da igreja metodista.

A decisão dos Roberts reverberou por toda a igreja pentecostal, até mesmo entre alguns de seus amigos mais próximos. Quando ouviu falar disso, Mama Roberts pensou que Oral tivesse perdido o juízo e exigiu falar com ele ao telefone imediatamente. Após ele lhe garantir que a sua decisão fora tomada após muita oração, tendo vindo a ele diretamente do Senhor, Mama Roberts relaxou e pôs fé na capacidade de seu filho de ouvir a vontade de Deus.

Muitos dos apoiadores pentecostais de Oral não foram tão generosos assim em suas reações. Sentindo-se rejeitados pelo homem que fora o seu defensor, eles escreveram cartas repletas de mágoa, retirando suas orações e seu apoio financeiro. Eles o haviam ajudado a construir a universidade dos seus sonhos e a levar a mensagem do poder do Espírito Santo ao redor do mundo, e ele simplesmente os "desertara". Durante algum tempo, o ministério perdeu metade de seus apoiadores financeiros pentecostais.

Em 1968, milhões de outros lares norte-americanos tinham tevês, e Oral tinha certeza de que era o momento de usar esse canal para alcançá-los novamente.

Oral queria ser gentil e não contra-atacar os manifestantes e os jornalistas que o questionavam. Ele escreveu muitas cartas explicando seu amor pelo Senhor e sua certeza de que aquela era a direção de Deus para sua vida. No fim, a resposta de Oral foi: "Eu me tornei metodista porque essa foi a vontade de Deus."[273]

Nasce a Igreja Eletrônica

Sempre pioneiro, Oral começou a contemplar novas maneiras de alcançar os milhões de pessoas sem igreja que nunca haviam ouvido o evangelho pleno de Jesus Cristo. Ele havia cancelado as transmissões de suas reuniões em tendas em 1965, mas, em 1968, milhões de outros lares norte-americanos tinham tevês, e Oral tinha certeza de que era o momento de usar esse canal para alcançá-los novamente.

Como as multidões nas cruzadas diminuíram, Oral falava mais em buscar os telespectadores. Ele estava empolgado com a nova consciência do poder do Espírito Santo que acompanhava o movimento carismático, e sentia que o país estaria aberto a um programa de televisão cristão que promovesse Jesus Cristo de um modo mais contemporâneo.

Quando chegaram queixas de membros da equipe ou de apoiadores do ministério sobre o uso "hollywoodiano" da televisão para difundir o evangelho, Oral lembrou a cada crítico: "Temos de ir até onde as pessoas estão, porque elas não estão vindo para onde estamos."[274] Foi muito parecido com o apóstolo Paulo descrevendo como pregou para diferentes públicos:

> *Tornei-me judeu para os judeus, a fim de ganhar os judeus. Para os que estão debaixo da Lei, tornei-me como se estivesse sujeito à Lei (embora eu mesmo não esteja debaixo da Lei); a fim de ganhar os que estão debaixo da Lei. Para os que estão sem lei, tornei-me como sem lei (embora não esteja livre da lei de Deus, e sim sob a lei de Cristo); a fim de ganhar os que não têm a Lei. Para com os fracos tornei-me fraco, para ganhar os fracos. Tornei-me tudo para com todos, para de alguma forma salvar alguns.*
>
> 1 Coríntios 9:20-22

Em Atenas, quando um grupo de filósofos levou Paulo ao Areópago e o convidou a falar, em vez de citar o desconhecido Antigo Testamento, ele citou todos os ídolos que eles haviam construído a vários deuses. Especificamente, ele disse: "Pois, andando pela cidade, observei cuidadosamente seus objetos de culto e encontrei até um altar com esta inscrição: AO DEUS DESCONHECIDO. Ora, o que vocês adoram, apesar de não conhecerem, eu lhes anuncio" (Atos 17:23). Paulo não teve medo de usar a cultura contemporânea, que o cercava, para compartilhar o evangelho.

Oral Roberts escreveu a seus apoiadores na revista *Vida Abundante*, compartilhando acerca de seus princípios imutáveis de caminhada com Jesus Cristo — princípios de verdade que nunca mudariam em seu coração ou ministério. Contudo, lembrou-lhes de que os métodos para alcançar pessoas para Cristo são diferentes dos princípios. Ele proclamava repetidamente: "Sou casado com os *princípios*; não sou casado com os *métodos*."[275] Oral avançou com seus novos planos para a televisão, sempre em busca das melhores maneiras de alcançar pessoas para Jesus.

Ralph Carmichael foi o mais destacado especialista em especiais para horário nobre do fim da década de 1960, e Oral o contatou para produzir vários programas especiais para o horário nobre nas principais redes, os quais alcançariam um público mais jovem para Jesus. Oral apresentaria o evangelho com um curto "sermão", mas os principais mensageiros seriam os *World Action Singers*, talentosos estudantes de música da UOR. Também seriam cantores de destaque no programa o filho mais novo de Oral, Richard, e sua esposa Patti. Carmichael ficou encantado por ter a oportunidade de apresentar o evangelho e levar um entretenimento saudável aos telespectadores.

Nos dois primeiros anos dos especiais para tevê, participaram deles celebridades conhecidas como Pat Boone, Anita Bryant, Dale Evans, as irmãs Lennon, Jerry Lewis e Johnny Cash. Após o protesto inicial de alguns apoiadores pentecostais, que acusaram Oral de se vender a Hollywood, os programas foram recebidos com grande sucesso e aumentaram sua base de apoio para quase um milhão de pessoas.

Logo, Richard e Patti se tornaram cantores conhecidos em todo o país, como resultado do sucesso dos programas de tevê. Eles cantaram e atuaram em toda a nação, e foram elogiados por muitos telespectadores como um jovem casal cristão perfeito.

Uma Celebridade Nacional

Para Oral Roberts e a associação evangelística, a primeira metade da década de 1970 foi repleta de milagres e vida abundante. Os programas de televisão em horário nobre fizeram de Oral Roberts uma celebridade nacional, aceito pelo povo dos Estados Unidos como um ministro cristão com quem eles tinham facilidade de identificação. Para o público, a imagem correta dos *World Action Singers* era muito mais agradável de assistir do que o bombardeio constante de jovens rebeldes visto em tantos programas nacionais.

Oral Roberts apresentou vários programas especiais nas redes de televisão

Na NBC, onde foram produzidos os especiais para o horário nobre, Oral se tornou uma estrela. Seus espetáculos de sucesso levaram à sua aparição em programas apresentados por Dick Cavett, Dinah Shore, Mike Douglas e Johnny Carson. Oral também apareceu em uma maratona televisiva de Jerry Lewis e foi entrevistado por Barbara Walters no programa *Today*. Oral foi aberto e encantador ao ser entrevistado por todas essas celebridades. Embora admitisse os erros de alguns dos seus métodos iniciais, ele se mantinha firme em sua crença de que Deus ainda cura hoje, e que Ele cura em resposta às nossas orações.

Oral estava envolvido em um turbilhão de atividades. Ele viajava e pregava, produzia uma série de programas de televisão de sucesso, administrava uma universidade em crescimento e editava a revista *Vida Abundante*. Oral Roberts deixara de ser um evangelista de tenda cheio de controvérsias à margem do pentecostalismo e se tornara um presidente de universidade e uma personalidade da televisão. O editor de religião do *New York Times* escreveu um artigo elogioso, descrevendo a transformação de Oral no ministério, dizendo: "Oral foi, por assim dizer, direto — e chegou ao clímax. A tenda foi dobrada em 1968 e substituída por um estúdio de televisão."[276]

Ao longo de toda essa atividade, Oral continuou a buscar a vontade de Deus para a Universidade Oral Roberts. Além de suas outras atividades ministeriais, Oral podia ser visto no campus da UOR, interagindo com alunos no centro de atividades, convidando grupos de estudantes à sua casa para se encontrarem com ele e Evelyn, além de compartilhar uma palavra inspiradora nas reuniões de capela semanais.

O Mundo Vira de Cabeça para Baixo

Desde o dia em que nasceu, Rebecca, a primeira filha de Oral e Evelyn, foi uma fonte de alegria para eles e sua família. Ela cresceu no centro das atenções e, embora às vezes um pouco irritada com toda a atenção, aceitou o papel de seu pai no ministério internacional. Rebecca frequentou a faculdade durante dois anos, por insistência de seus pais, mas realmente só queria trabalhar nos escritórios da Associação Evangelística Oral Roberts.

Rebecca se dedicou com zelo ao ministério de Oral. Ela levou seu amor e entusiasmo pelo Senhor, além do conhecimento do coração apaixonado de seu pai, a cada trabalho atribuído a ela na liderança administrativa. Seu entusiasmo pelo Senhor não escapou à percepção de um jovem bonito que cuidava do trabalho de impressão no escritório de Oral.

Marshall Nash era o filho de um superintendente da Igreja Pentecostal Holiness, na Geórgia, que conhecia a família Roberts havia anos. Quando Marshall foi a Tulsa para trabalhar para Oral, foi com o entendimento de que iria ajudar no lado comercial do ministério. Marshall amava ao Senhor e foi abençoado com uma personalidade calma e firme, além de grande discernimento para os negócios.

Rebecca e Marshall se apaixonaram desde os primeiros dias de seu trabalho juntos no escritório. Eles se casaram no jardim da casa dos Roberts em Tulsa e começaram sua vida juntos. Com verdadeira paixão pelos negócios, Marshall deixou o ministério para trabalhar no ramo imobiliário. Ele construiu um relacionamento maravilhoso com a comunidade imobiliária de Tulsa, e sua intuição para os negócios abriu o caminho para uma carreira próspera no mercado imobiliário. Quando celebrou seu décimo aniversário de casamento, o casal havia se tornado milionário. Rebecca se alegrava com o nascimento de seus três filhos e permanecia profundamente apaixonada pelo marido.

Enfrentando a Dor

A manhã de 12 de fevereiro de 1977 começou como qualquer outra. Oral e Evelyn estavam em casa descansando um pouco de sua agitada agenda televisiva. No início da manhã, Collins Steele, assistente administrativo de Oral, chegou à porta de sua casa em lágrimas. "Tenho uma má notícia. Marshall e Rebecca morreram ontem à noite em um acidente de avião nos campos de trigo de Kansas, a caminho de Tulsa. Eu sinto muito."[277] O casal havia passado alguns dias em Aspen, no Colorado, e voltava para casa com amigos em um avião particular.

Deus é um Deus de bondade e misericórdia, mas, neste mundo, podemos também enfrentar grande tribulação. E, às vezes, parece que o mundo está desmoronando à nossa volta. Somente uma fé inabalável no Deus do universo nos manterá avançando. Enquanto Oral e Evelyn se abraçavam, Oral orava no Espírito. Silenciosamente, ele sussurrou para Evelyn as palavras de conforto que Deus deu a ele: "Deus sabe alguma coisa que não sabemos sobre isso."[278] Enquanto se dirigiam à casa de Marshall e Rebecca para dar a notícia devastadora aos netos, Oral e Evelyn repetiram várias vezes a palavra de Deus e se apoiaram em Sua misericórdia.

Como você diz a três crianças entre cinco e treze anos de idade que seus queridos pais se foram? Oral e Evelyn abraçaram as crianças e choraram, orando e crendo em Deus que, de algum modo, esse doloroso pesadelo passaria.

Dois dias depois, um culto memorial foi realizado no Mabee Hall em honra de Rebecca e Marshall. Parecia que metade de Tulsa estava presente para se despedir do jovem e vibrante casal. Com lágrimas nos olhos, Oral falou da fidelidade de Deus e levantou as mãos em louvor durante o coro de *Aleluia*, de Haendel. Deus tinha a filha amada de Oral segura em Seus braços. Mesmo em sua dor dilacerante, Oral e Evelyn queriam que o mundo soubesse que eles estavam confiantes em que Rebecca estava aos cuidados de Jesus.

Nos primeiros dias após a tragédia, Billy Graham enviou um telegrama de condolências:

> Amado Oral, às vezes temos de olhar para o céu em meio a lágrimas. Às vezes, essas lágrimas se tornam como telescópios que trazem o céu muito mais para perto. Ruth e eu estaremos orando por você, Evelyn e a família, para que a graça de Deus seja mais do que suficiente. Nós amamos vocês no Senhor.[279]

Milhares de outras pessoas estenderam a mão para consolar os Roberts em sua dor. Finalmente, Oral tomou a decisão de ir à televisão e compartilhar a dor de sua perda, bem como a fidelidade de Deus. Essa foi uma escolha difícil para Evelyn, que era muito mais reservada do que Oral. Mas eles foram juntos ao estúdio de televisão da UOR e gravaram a transmissão, crendo fervorosamente que Deus ministraria à sua própria dor e ajudaria milhares de outros que haviam sofrido uma perda semelhante. Com os olhos vermelhos e chorando diante das câmeras, eles reafirmaram sua fé em Deus e incentivaram os telespectadores a serem sustentados na fidelidade do Todo-poderoso.

Meses mais tarde, em seu livreto *Coping with Grief* (Enfrentando a Dor), Evelyn lembrou àqueles que questionavam o amor de Deus: "Deus não *levou* minha filha embora. Ele *a aceitou*. Ele a recebeu quando o acidente tirou a vida dela."[280] A despeito da profundidade da dor que sentiam, para Oral e Evelyn Roberts, Deus permanecia Aquele que é fiel e verdadeiro.

"Meu Filho, Meu Filho!"

"*Ah, meu filho Absalão! Ah, Absalão, meu filho, meu filho!*", foi o grito do coração de Davi em 2 Samuel 19:4, quando seu filho o desafiou e escolheu uma vida de rebeldia. Quando o mesmo aconteceu com o filho mais velho dos Roberts, Ronald David Roberts, com que frequência palavras semelhantes devem ter saído dos lábios de Evelyn! A partir do momento em que Ronnie — como era conhecido na família — matriculou-se na Universidade de Stanford, sua vida nunca mais fora como seus pais haviam esperado.

Ronnie tinha muitos dons dados pelo Senhor, e Oral e Evelyn sempre haviam acreditado que Deus tinha grandes planos para ele. Quando criança, ele conseguia pregar e explicar a Palavra de Deus, e orava por cura para os necessitados. Oral o via como um "sucessor" de seu próprio ministério.

Contudo, Ronnie nunca viu as coisas da mesma maneira. Desde seus primeiros questionamentos em Stanford, a independência do rapaz e seu desejo de se manter afastado da presença de seu pai e do ministério cresceram. Inicialmente, Stanford fora ideia de Oral, porque Ronnie tinha um forte dom intelectual; e Evelyn apoiara a ideia porque eles estavam orgulhosos de seu primogênito e de seus dons.

Mais tarde, porém, Evelyn questionou os motivos de seus corações. Será que seu orgulho das capacidades do filho os levara a enviá-lo a um ambiente tão ímpio? Quanto da luta de Ronnie com a fé era culpa deles? Poucos meses após a entrada de Ronnie em Stanford, a universidade o colocou sob os cuidados de um psiquiatra, para ajudá-lo a acabar com a "confusão" em sua mente. Finalmente, ele deixou Stanford, mas não para voltar a seus pais ou ao modo de vida deles. Ele foi imediatamente para o exército, esperando envolver-se em assuntos estrangeiros. Ronnie tinha o dom de aprender outros idiomas e queria servir ao país. Ele se tornou fluente em vários idiomas e foi alocado na Divisão de Segurança do Exército dos Estados Unidos, mas ainda estava descontente com sua vida.

Pouco antes de ser dispensado do exército, Ronnie se casou com Carol Croskery, uma bela flautista da Orquestra Filarmônica da Virgínia. Na época, ele era fluente em seis idiomas e estava estudando para se tornar um diplomata no exterior. Pouco tempo depois, o casal se mudou para Los Angeles, para que Ronnie pudesse fazer um Ph.D. na Universidade de Southern California. Então, antes que ele terminasse o doutorado, Ronnie e Carol voltaram a Tulsa para que ele pudesse ensinar vários idiomas estrangeiros em uma escola pública com currículo diferenciado. Obviamente, a vida era instável para Ronnie e ele nunca tinha certeza do caminho que queria seguir.

Algo Está Muito Errado

Logo após Ronnie voltar a Tulsa para ensinar, Oral e Evelyn começaram a suspeitar que algo estava muito errado. Frequentemente, Ronnie dormia durante longos períodos do dia e, quando estava acordado, "simplesmente não era ele mesmo". Quando eles falavam com ele, seu filho brilhante parecia estar distraído e incerto do que estava acontecendo à sua volta. Certo dia, sua esposa Carol chegou à casa de Oral bastante perturbada. Ela havia encontrado uma grande conta de uma farmácia em que Ronnie vinha comprando medicamentos controlados, aparentemente de maneira ilegal.

Os Roberts ficaram chocados; eles sabiam muito pouco acerca do mundo da dependência de drogas. Ronnie confessou a seus pais e chorou por causa de seu vício, porque queria ser liberto. Ele passou um mês em um programa de reabilitação, mas nada parecia ajudar. Seus pais oravam e choravam com ele. Ronnie confessou seu pecado e se arrependeu diante do Senhor, mas, de alguma maneira, sua mente parecia cada vez mais distorcida e deprimida.

Finalmente, Carol decidiu que precisava deixar Ronnie pelo bem de seus dois filhos. Os corações de Oral e Evelyn ficaram partidos, mas eles ainda acreditavam que Deus conduziria Ronnie ao perfeito juízo. Frequentemente, Oral se repreendia por não compreender melhor as horríveis armadilhas da dependência de drogas. Talvez houvesse algo a ser feito para salvar Ronnie antes que sua mente se tornasse excessivamente danificada pelas drogas.

Após seu divórcio de Carol se tornar definitivo, Ronnie voltou mais uma vez à casa de seus pais para receber oração. Naquele momento, Oral não entendia totalmente o quanto a mente de Ronnie havia sido alterada pelas drogas. Ele e Evelyn oraram por Ronnie, o filho que havia sido tão sensível ao Senhor e à Sua Palavra. Oral impôs as mãos sobre ele e orou por sua libertação. Entristecido, Ronnie olhou para seu pai e perguntou: "Papai, você já soube de algum verdadeiro viciado em drogas que foi liberto?"[281] Oral garantiu a Ronnie que, em seus anos de ministério, soubera de muitos viciados libertos.

Ronnie saiu da casa dos pais ainda não convencido de sua libertação. Três semanas depois, no dia 9 de junho de 1982, Ronnie foi encontrado morto. Richard, filho de Oral, levou a notícia ao pai. "A polícia acaba de nos informar que Ronnie está morto", disse Richard entre soluços.[282] Quando Oral perguntou o que havia acontecido, Richard explicou que a polícia encontrara Ronnie caído sobre o volante de seu carro, morto por uma arma de fogo. A polícia acreditava em suicídio.

Arrasado, Oral gritou: "Mas apesar de estar usando drogas, Ronnie amava o Senhor. Ele não teria tirado a própria vida." Quando Oral contou a Evelyn, eles choraram e se abraçaram, tremendo, como se não houvesse amanhã. Suicídio! Como poderia Ronnie ter tirado a própria vida? Eles eram ministros de fé — como isso poderia estar acontecendo a eles? Suicídio era o fim mais cruel possível para a vida cheia de promessas de seu filho.

Mais uma vez, o Corpo de Cristo do mundo todo ofereceu suas condolências, seu apoio e seu amor. Mas, dessa vez, era muito mais difícil. Oral e Evelyn lutavam contra muitas emoções conflitantes. Evelyn se questionava: "Havia algo que poderíamos ter feito e não fizemos?"[283] Questões espirituais surgiram ao buscarem no passado, imaginando o que eles poderiam ter mudado.

Não é fácil lutar contra seus demônios quando você faz parte de uma família que vive sob a luz do holofote religioso nacional. Oral e Evelyn sabiam que a mente de Ronnie havia sido destruída pelos anos de dependência de drogas controladas — que ele perdera o controle de sua mente. De fato, o inferno de Ronnie fora uma combinação letal de dependência de drogas e álcool, depressão e uma luta quanto à sua orientação sexual. Nas famílias mais proeminentes, tais problemas são normalmente varridos para debaixo do tapete e tratados em particular. Mas a família Roberts estava enfrentando sua crise familiar nas manchetes dos jornais locais e nacionais.

O conforto do Senhor finalmente veio em uma visita de Kenneth Hagin e sua esposa Oretha. Eles visitaram a casa dos Roberts com uma mensagem que acreditavam vir diretamente do Senhor. A palavra era 1 Coríntios 5:5, que diz: "Entreguem esse homem a Satanás, para que o corpo seja destruído, e seu espírito seja salvo no dia do Senhor."

O encorajamento de Kenneth Hagin era confiante. Ele acreditava que o Senhor queria que os Roberts soubessem que Ronnie não fora para o inferno. Sua carne podia ter sido roubada por Satanás, mas seu espírito estava com o Senhor. O irmão Hagin lhes assegurou que, nos casos que ele conhecera de suicídio entre crentes, os indivíduos que haviam tirado suas próprias vidas não tinham a mente sã. A Palavra de Deus em 1 Coríntios, bem como o encorajamento do irmão Hagin, levara a Oral e a Evelyn a paz de espírito que eles vinham procurando. Após aquela noite, começou em seus corações o processo de cura pela horrível tragédia da morte de Ronnie.

Um Casamento se Dissolve

As décadas de 1960 e 1970 tinham visto o ministério de Granville Oral Roberts florescer. A universidade crescera de uma pequena ideia até uma instituição de ensino de destaque nacional, dentro e fora da comunidade cristã. Além disso, os bem-sucedidos programas de televisão e especiais para o horário nobre tinham dado a Oral um lugar de aceitação e destaque raramente visto entre pregadores que criam nos dons do Espírito Santo e os praticavam. O evangelismo realizado pelo ministério de Oral Roberts avançara além de seus sonhos. Mas quem poderia ter previsto as dolorosas provações da década de 1980?

Na verdade, tudo começou no fim da bem-sucedida década de 1970, apenas dois anos antes do suicídio de Ronnie, com o anúncio de outro tipo de morte — a morte do casamento de Richard e Patti Roberts.

O jovem casal se conhecera na Universidade Oral Roberts em meados da década de 1960 e se casara em 1968. Patti tinha um grande amor por Cristo. Ela era uma talentosa vocalista que, juntamente com outros cantores da UOR, acompanhara Oral em várias de suas viagens missionárias no exterior. Na época, Patti estava empolgada com o que o Senhor estava fazendo no ministério de Oral Roberts.

Richard, por outro lado, não tinha tanta certeza acerca de sua fé. Ele acabara de dedicar novamente sua vida ao Senhor, após vários anos de rebelião. Durante aquele tempo, ele usara seu dom de cantar para fazer apresentações em casas noturnas e bares. Ao finalmente retornar para o Senhor e para seu pai, Richard dedicou seus talentos e dons de canto a serem usados para a glória de Deus. Patti ficara empolgada por Richard querer tomar seu lugar de direito no ministério do pai, Oral Roberts.

Durante oito anos, de 1968 a 1976, o casal cantou e ministrou junto, tornando-se uma parte mais visível da esfera de influência pública de Oral Roberts. Os anos nos programas para o horário nobre trouxeram fama e fortuna ao jovem casal, e eles haviam se apresentado para o público cristão de toda a nação. Também experimentaram um estilo de vida muito diferente do vivido pelos graduados da Universidade Oral Roberts. Eles foram considerados celebridades por muitos cristãos e foram convidados para cantar em igrejas e concertos em todo o país. Com o sucesso dos especiais para o horário nobre, os produtores da NBC também os consideravam com algum respeito. Seu *status* como estrelas lhes dera a oportunidade de passarem tempo com pessoas famosas e desfrutarem dos luxos de uma casa agradável, um clube de campo, carros caros e uma segunda casa em Palm Springs, na Califórnia. Oral e Evelyn já haviam comprado uma casa em Palm Springs. O deserto dava a Oral algum alívio de suas alergias e lhes proporcionava um "refúgio" das exigências do ministério em crescimento.

Infelizmente, por trás dos rostos sorridentes e das apresentações musicais de mãos dadas desse jovem casal, havia dias de tensão e noites de briga. Havia pressões sobre os dois para manterem uma imagem de casamento perfeito aos olhos do público. No centro da tensão estava a crescente devoção de Richard ao ministério de seu pai e o crescente desejo de Patti de fugir da ofuscante presença de Oral em suas vidas.

Um Ministério para Si Mesma

No fim de 1976, Patti se demitiu de seu papel nos especiais de televisão de Oral Roberts e formou seu próprio ministério, o Patti Roberts International Outreach. Ela fez concertos solo para igrejas e programas cívicos, com o objetivo de ministrar internacionalmente. Richard encorajara sua esposa a encontrar seu lugar no ministério, e Patti falara cada vez mais acerca de sua busca por "realização pessoal" e "encontrar um sonho" só dela.[284] Em dado momento, Kathryn Kuhlman pediu a Richard e Patti para irem à casa dela, onde os aconselhou, e as coisas pareceram se normalizar durante algum tempo.

Em 1977, Patti levou sua equipe ministerial a Teerã para se apresentar e pregar o evangelho pela primeira vez. Grande parte da viagem foi financiada por Richard. Dois anos depois, na terceira viagem de Patty a Teerã, Richard a acompanhou na viagem, na esperança de obter uma melhor compreensão de seu ministério.

No fim, incapaz de manter o casamento durante mais tempo, Patti Roberts pediu divórcio de Richard alegando incompatibilidade. O casamento deles terminou em março de 1979. Muitos amigos próximos da família acreditavam que Patti se cansara de viver sob a sombra de Oral. Embora tivesse sido Patti quem convencera Richard a se unir ao ministério de seu pai, mais de dez anos antes, ela era agora a que queria que ele rompesse. Richard acreditava que servir no ministério de seu pai era o seu chamado de Deus e estava convencido de que era ali que ele deveria permanecer.

Ninguém dos que amavam o casal quis tomar partido ou culpar qualquer um deles. Toda a família Roberts estava de coração partido com o divórcio, sabendo que aquilo não estava nos planos de Deus para Seus filhos. Foi particularmente difícil para Oral compreender por que Deus lhe dera um relacionamento tão amoroso e estável com Evelyn. Eles eram verdadeiramente amantes um do outro em todos os sentidos da palavra, e permaneceram devotamente comprometidos com sua aliança de casamento, independentemente das circunstâncias que enfrentavam.

A despeito do número de casamentos que Oral e Evelyn Roberts haviam ajudado a salvar por meio de seu ministério e de seu sólido exemplo de um casamento temente a Deus, eles não puderam fazer o mesmo por Richard e Patti. Depois que o casamento acabou, Patti escreveu um livro intitulado *From Ashes to God* (Das Cinzas para Deus), no qual afirmou que seu desconforto com o estilo de vida luxuoso dos Roberts contribuiu para o declínio do casamento. Uma vez que Patti também havia partilhado desse estilo de vida, é difícil dizer que papel essa circunstância realmente desempenhou. No fim, ninguém além do Senhor e do casal envolvido sabe exatamente o que impediu aquele casamento de permanecer firme.

O Deus das Segundas Oportunidades

Após o divórcio, Richard permaneceu fiel ao ministério e se manteve na Palavra de Deus. Ele buscava o Senhor para curá-lo da dor de um casamento fracassado. Juntos, pai e filho oravam pelo papel que Richard deveria ter no ministério dali em diante. Como Oral lidaria com um filho divorciado na liderança de seu ministério?

Oral orou longa e intensamente ao Senhor acerca do papel contínuo de Richard no ministério. Alguns dos amigos de Oral pensavam que ele deveria afastar Richard durante alguns anos antes de permitir que ele retornasse ao ministério público. Todos os conselheiros e amigos de Oral prometeram unir-se a ele em oração para buscar a perfeita vontade de Deus na situação.

Enquanto orava sobre o divórcio devastador envolvendo o próprio filho, Oral começou a estudar a Palavra de Deus a respeito de graça e misericórdia. Deus não era o Deus que tomara o enganador Jacó e o transformara em Israel, o pai de uma grande nação? Deus não era o Deus de Pedro que, após ter negado Cristo três vezes, ainda foi chamado por Jesus para ser líder e apascentar Suas ovelhas? (Ver João 21:16-17). Deus era o Deus da misericórdia e da graça.

Em muitos círculos pentecostais e na própria universidade houve muitas pessoas que julgaram Richard inicialmente como impróprio para o ministério por ser um homem divorciado. Ele passou por um batismo de fogo ao ser perseguido por jornalistas e ver detalhes de seu casamento e divórcio se propagando nos jornais de circulação nacional. Patti foi a uma série de programas de entrevista para defender sua posição, fato que a família Roberts teve muita dificuldade de compreender. Por fim, Richard se voltou ao Senhor e buscou Seu conforto e Sua direção naquele momento difícil.

Nos primeiros meses após o divórcio, Richard passava seu tempo ministrando no campus da UOR quando tinha oportunidade. Aos poucos, ele começou a receber mais e mais convites para pregar e cantar em igrejas do sudoeste. Pessoas que haviam predito que Richard estaria totalmente fora do ministério ficaram surpresas ao ver o Senhor começa a se mover por intermédio dele no evangelismo. Pregar acerca do poder de cura de Deus se tornou uma parte distintiva da mensagem de Richard, e muitas igrejas o receberam como teriam recebido a seu pai! Deus estava transformando Richard Roberts e formando-o como Seu homem para fazer a Sua obra.

Lindsay Roberts

Se o divórcio de Richard era difícil para algumas pessoas entenderem ou aceitarem, um romance relâmpago seguido por um novo casamento dez meses mais tarde foi uma tensão ainda maior. Lindsay estudava na UOR para ser advogada, mas percebeu que queria se casar com Richard desde o dia em que se conheceram.

Em um tempo em que a liderança cristã era reservada apenas aos homens, seu casamento se tornou uma segunda chance de dar a

Oral um neto — um líder para tomar o manto na terceira geração. Richard já tinha duas filhas com Patti, Christine e Julie, mas havia a expectativa de um herdeiro homem para o legado de Oral.

Tudo parecia seguir conforme o planejado quando Lindsay ficou grávida e deu à luz um menino — Richard Oral Roberts. Essas esperanças foram logo frustradas, porém, quando o bebê morreu após menos de trinta e seis horas. Segundo Lindsay, uma enfermeira do hospital perguntou se ela continuaria a ser cristã. Lindsay disse: "Mais do que nunca."

Outro Tipo de Milagre

Em meados da década de 1970, quando a Universidade Oral Roberts crescia aos trancos e barrancos, Oral acreditava que era hora de expandir o programa de graduação para incluir uma Faculdade de Direito e uma Faculdade de Medicina. Um evangelista de cura ter qualquer interesse no campo da medicina era chocante para alguns. Todavia, Oral via aquilo como o plano de Deus para trazer a cura ao homem por inteiro: espírito, alma, corpo, mente e emoções. Ele acreditava que Deus poderia usar a oração e a mão da medicina em conjunto.

Um evangelista de cura ter qualquer interesse no campo da medicina era chocante para alguns. Todavia, Oral via aquilo como o plano de Deus para trazer a cura ao homem por inteiro: espírito, alma, corpo, mente e emoções.

Enquanto Oral orava acerca dos detalhes da Faculdade de Medicina, Deus mandou para a região de Tulsa um médico que se tornaria o parceiro de Oral nesse novo empreendimento.

O Dr. James Winslow era um cirurgião ortopédico que sabia muito pouco acerca do poder de Deus para curar. Pouco depois de se mudarem para Tulsa, a esposa de James, Sue, foi diagnosticada com câncer cervical avançado. Desejando uma resposta além da medicina, Sue começou a frequentar uma reunião de oração em uma igreja metodista, onde recebeu a salvação e o batismo do Espírito Santo. Ela começou a orar para que o poder de cura do Senhor fizesse "o impossível" em sua vida.

Cada vez que estava deitada no leito do hospital para receber os tratamentos de quimioterapia, ela orava fervorosamente: "Senhor, deixe *o Seu poder de cura* entrar em cada célula do meu corpo."[285] Quando os tratamentos foram concluídos, Sue estava completamente curada do câncer cervical, que nunca mais voltou ao seu corpo!

Nos meses seguintes, o departamento atlético da UOR pediu a James para prestar cuidados médicos ao time de basquetebol. Como resultado de seu acordo, Oral foi encaminhado a ele devido a uma dor no joelho. Assim começou uma amizade — e o início de um milagre.

Após conhecer James no campo de golfe e em longas conversas sobre medicina e cura, Oral compartilhou com ele seu desejo de abrir uma Faculdade de Medicina na UOR. Embora James ficasse surpreso com a ideia, ele acreditou que, o tempo todo, Deus o tivera em mente como o líder da nova faculdade de medicina.

Curando a Mão de um Cirurgião

Quando James Winslow conheceu Oral Roberts, muito mais aconteceria em sua vida do que apenas um novo caminho para sua carreira médica. James sempre frequentara a igreja e cria que Deus existia. Mas um relacionamento pessoal com Jesus não era algo em que ele tivesse se dedicado muito a pensar. Alguns meses depois de conhecer Oral Roberts, ele ficava naturalmente mais e mais curioso.

Em uma manhã de sábado em meados da década de 1970, James Winslow sofreu um acidente com seu cortador de grama, cortando a mão com as pás da ventoinha. A cirurgia ortopédica feita por seus colegas médicos não pareceu ter feito muito para corrigir a lesão, que o deixara com pouca sensibilidade nos dedos da mão direita. Seu futuro como cirurgião corria grande perigo.

James telefonou para Oral e, então, dirigiu até a casa dos Roberts lutando contra o medo de que sua carreira cirúrgica estivesse encerrada. James reconheceu sua grande necessidade do Senhor. Durante cinco horas, Oral compartilhou o plano de salvação com Jim e explicou o relacionamento pessoal que Jesus deseja ter com os Seus seguidores. Durante aquele tempo, James recebeu uma garantia de sua fé em Cristo e experimentou o batismo do Espírito Santo, com o falar em línguas.

Enquanto Oral orava pela mão de James, ele sentiu mais uma vez o poder de Deus percorrendo sua mão direita. Após o tempo de oração, James foi para casa para contar à esposa Sue o que acontecera. Eles continuaram a orar juntos, utilizando sua linguagem de oração e crendo na cura de James. Dentro de poucas semanas, a mão estava suficientemente curada para permitir que ele continuasse sua prática em cirurgia. James Winslow estava pronto para o próximo passo milagroso de Deus para sua vida.

O Grande Desafio Médico

Oral Roberts era apaixonado por sua visão de uma faculdade de medicina. Ele anunciou à sua equipe ministerial que queria que a Faculdade de Medicina abrisse em 1978, e nomeou James Winslow como reitor. Um grande obstáculo que Oral não havia previsto era que a comunidade médica tem um grande controle do que acontece dentro da medicina. Uma faculdade de medicina poderia dar aos jovens médicos três anos de formação médica, mas sem um programa de residência de três a sete anos para os alunos frequentarem após a faculdade, suas credenciais não seriam aceitas em lugar algum do país.

Qualquer faculdade de medicina precisava ter suas credenciais aceitas por um hospital para que os médicos pudessem receber o treinamento de residência de que necessitavam. A pergunta era: algum hospital aceitaria os alunos da Universidade Oral Roberts, com sua doutrina altamente controversa acerca da cura sobrenatural?

Após meses de negociações com os três hospitais da região de Tulsa, James Winslow não havia chegado a um acordo com qualquer deles para uma afiliação à faculdade de medicina da UOR. Oral, sempre determinado a seguir o que acreditava ser a ordem do Senhor, declarou que a faculdade de medicina iria abrir em dezembro de 1977, mesmo que as afiliações dos hospitais não estivessem garantidas. Um mês depois, a UOR deu as boas-vindas aos seus primeiros vinte alunos de medicina, que haviam ido àquela faculdade com fé em que os problemas seriam resolvidos com o tempo.

A Cidade da Fé

No dia 11 de fevereiro de 1977, um trágico acidente de avião tirou a vida de Rebecca e Marshall Nash. Enlutados, os Roberts foram para sua casa em Palm Springs para ter um tempo de privacidade e oração com Richard. Tentando lidar com a dor das mortes de Rebecca e Marshall, Oral passou muito tempo com o Senhor. Após alguns dias de oração, ele disse a Evelyn que o Senhor estava falando com ele novamente.

Oral escreveu estas palavras do Senhor em seu diário: "Você precisa construir um novo e diferente centro médico para Mim. As correntes de cura por meio da oração e da medicina precisam mesclar-se através do que Eu farei você construir..."[286] Oral recebeu uma visão para os prédios de um novo centro médico e de pesquisa. O Senhor lhe disse para chamá-lo de "Cidade da Fé". Ao voltar a Tulsa, Oral não compartilhou a palavra acerca da nova direção com James Winslow ou qualquer outra pessoa, durante seis meses. Ele estava esperando o tempo perfeito de Deus e permitindo que a ideia criasse raízes em sua própria mente.

A visão dada a Oral pelo Senhor no deserto de Palm Springs não era pequena. Ele vislumbrou três torres médicas — uma com sessenta andares, outra com trinta andares e a terceira com vinte andares de altura. Essas torres abrigariam médicos, clínicas, centro de diagnóstico, um hospital, centro de pesquisa e salas de parceiros de oração. Oral viu tudo detalhadamente e escreveu cada fase em seu diário.

Além disso, ele continuou a escrever as palavras que o Senhor disse a ele posteriormente. O centro médico devia usar "medicina, porém mais que medicina; oração, porém mais que oração... a atmosfera deve estar carregada de fé e esperança, onde o Meu amor que cura permeie todo o lugar".[287]

No dia 9 de setembro de 1977, Oral Roberts chocou Tulsa e grande parte da comunidade cristã com o anúncio de que estava construindo algo novo: dessa vez, era um centro médico chamado Cidade da Fé!

"Ele Vai Conseguir o Dinheiro Com Deus"

Quando alguém perguntou a Saul Yager, advogado judeu e amigo de longa data de Oral, onde Oral iria obter o dinheiro para construir algo tão grande quanto a Cidade da Fé, Saul respondeu enfaticamente: "Ele vai conseguir o dinheiro com Deus".[288]

Alguns dos outros membros da equipe de Oral não foram tão positivos. Os principais conselheiros questionaram repetidamente os detalhes da visão daquela expansão. Evelyn recorda: "Os homens do escritório foram [até Oral] um dia e disseram: 'Oral, você já fez tanto! Será que não pode voltar ao Senhor e verificar se não podemos parar aqui mesmo?'"[289] Alguns anos depois, eles se perguntariam se aquelas palavras de cautela não teriam vindo da parte do Senhor. Mas não havia como parar Oral e sua determinação de cumprir o que ele acreditava ser a direção de Deus.

Oral explicou o plano completo, como o Senhor lhe havia revelado, aos seus parceiros e apoiadores financeiros. Então, pediu-lhes para considerarem a possibilidade de semear naquela obra com fé na semente. Quando o dinheiro entrava, eles trabalhavam na construção das torres; nos meses em que o dinheiro era apertado e poucos fundos entravam, eles paravam de construir durante algum tempo. Os parceiros de Oral faziam doações como no passado, e muitos deles deram muito mais do que tinham dado antes.

Um homem com pouco envolvimento no ministério enviou um cheque de um milhão de dólares em um momento em que ele era extremamente necessário. Quando Oral lhe perguntou o motivo, ele respondeu simplesmente que Deus lhe dissera para fazê-lo.

Uma Batalha Permanente

A Cidade da Fé foi um campo de batalha desde o início. Todas as novas construções de hospitais tinham de ser aprovadas pela Comissão de Planejamento de Saúde de Oklahoma e precisava ser emitido um certificado de necessidade para a construção avançar. Setenta e oito por cento dos médicos de Tulsa votaram contra o novo hospital, alegando que ele prestaria serviços em duplicidade aos que já estavam disponíveis na cidade.

No fim, Oral convenceu a agência médica de que, da mesma maneira que sua universidade fora mal interpretada no início, mas se mostrara benéfica para Tulsa, o mesmo ocorreria com o Centro Médico. O certificado de necessidade foi emitido e a construção teve início. Ainda assim, as lutas no tribunal continuaram. O conflito seguinte foi referente a uma questão de separação entre Igreja e Estado, devido à filiação espiritual do hospital. Mesmo quando o hospital estava sendo construído, os dois lados lutavam com determinação para vencer.

Em abril de 1981, a decisão final havia sido tomada e a Cidade da Fé recebeu seu certificado oficial e final de necessidade. Seria bom se os problemas tivessem terminado com aquela decisão! O fardo financeiro de construir o complexo sem dívidas, à medida que o dinheiro era fornecido, colocou uma enorme pressão sobre todos e sobre tudo o que estava ligado a Oral Roberts.

A fim de manter a construção avançando, Oral tinha de fazer constantemente apelos especiais aos seus parceiros financeiros. Eles responderam de maneira surpreendente, disponibilizando trinta e oito milhões de dólares em apenas um ano. Em determinado mês, quando Oral falava acerca de seu desejo de ver a obra de Deus continuar na construção, seus apoiadores enviaram dezoito milhões de dólares em um período de trinta dias! Era uma quantidade astronômica de dinheiro provindo de um público crente. Mas a pressão sobre o restante da Associação Evangelística Oral Roberts foi igualmente enorme.

Um Jesus de 275 Metros

A crítica pública a Oral Roberts não era uma coisa incomum em seu ministério. No entanto, as inúmeras lutas na construção da Cidade da Fé levaram a um número maior do que o habitual de profecias estranhas proferidas por Oral, as quais foram duramente criticadas pelo público.

Em maio de 1980, quando o financiamento para a Cidade da Fé estava em baixa, Oral ficou olhando para as torres inacabadas diante dele. Ele relatou que, naquele momento, teve uma visão de Jesus: um Jesus de 275 metros de altura. Suas palavras foram: "Senti uma santa presença esmagadora à minha volta. Quando abri os olhos, lá estava ele... uns 275 metros de altura, olhando para mim... Ele era 90 metros mais alto do que a Cidade da Fé, que tinha 185 metros. Lá estava eu, face a face com Jesus Cristo, o Filho do Deus vivo."[290]

Oral descreveu Jesus levantando a Cidade da Fé na visão e, em seguida, dizendo-lhe que Ele encorajaria os parceiros de Oral a continuarem a apoiar financeiramente a obra, e que a Cidade da Fé seria concluída. Oral estava convencido de que deveria compartilhar a visão com seus parceiros.

A indignação dos críticos de Tulsa e de todo o país foi imediata. Alguns chamaram a visão de "blasfema" ou afirmaram que Oral havia "enlouquecido"; outros simplesmente o ridicularizaram. Oral respondeu às críticas dizendo que vira Jesus com seus olhos espirituais, não com os olhos físicos. Mais de meio milhão de parceiros de Oral acreditaram que o Senhor lhe aparecera e contribuíram com quase cinco milhões de dólares para completar a próxima fase da construção. Ainda assim, as dificuldades com a Cidade da Fé continuaram.

Excesso de Leitos Vazios

No dia 1º de novembro de 1981, a Cidade da Fé foi dedicada ao Senhor. Líderes religiosos e políticos de todo o país participaram do evento, e o presidente Ronald Reagan enviou uma carta de congratulações a Oral. Tudo parecia bem naquele dia glorioso.

Entretanto, rapidamente as coisas ficaram aquém das expectativas no complexo médico. O hospital não estava atraindo os pacientes de fora do estado, conforme originalmente projetado. Em 1983, o hospital estava um ano atrasado na estimativa planejada de leitos ocupados. Em 1984, apenas 130 leitos estavam ocupados. Naquele ano, foram demitidos 334 funcionários do ministério, incluindo uma quarta parte dos 907 funcionários do hospital.

A Cidade da Fé representava um custo financeiro de um milhão de dólares por mês para a Associação Evangelística Oral Roberts. E o hospital não era a única parte aquém das expectativas. Não havia dinheiro suficiente para financiar a conclusão do centro de pesquisa. Somente três andares tinham sido concluídos, e o equipamento não estava lá para a pesquisa de câncer que Oral prometera aos seus seguidores.

Foi em meio a esses muitos meses intensos de construção e espera em Deus que o filho de Oral, Ronnie, tirou a própria vida. Sentindo-se como se a vida estivesse desmoronando, Oral buscava o Senhor mais fortemente e procurava alguma mensagem positiva referente à pesquisa médica que poderia explicar a morte de Ronnie. Além disso, foi durante esse período de dor que Oral anunciou sua profecia acerca do câncer.

Oral acreditava que Deus lhe dissera: "Haverá algum tipo de grande avanço na prevenção do câncer até o final deste século. Estou profetizando uma grande cura vindo ao mundo."[291] A esperança de Oral era que, com o Espírito liderando, uma cura para o câncer poderia ser encontrada dentro dos muros da Cidade da Fé. Mas não seria assim.

"Deus Vai Me Levar para Casa!"

Em 1986, a Cidade da Fé estava aberta há cinco anos, mas a dívida e as lutas nunca haviam cessado. Juntamente com os administradores médicos e universitários, Oral cortara o máximo possível das despesas. Para decepção da equipe administrativa da UOR, isso incluíra cortes de melhorias para a Universidade Oral Roberts, a fim de permitir que todo o dinheiro estivesse disponível para fluir aos prédios médicos. A despeito de todos os esforços, em 1986 a Cidade da Fé tinha uma dívida de milhões de dólares, sem uma solução à vista.

Mais uma vez, Oral apresentou a necessidade ao Senhor e acreditou que Deus lhe dissera para apresentar aquela necessidade crítica aos parceiros. Mais uma vez, a mensagem de Oral foi suficientemente polêmica para colocar a mídia nacional em polvorosa. Aparecendo em seu programa de televisão de domingo à noite, o de maior audiência de todos os seus programas, Oral transmitiu a palavra que recebera do Senhor durante o seu tempo de oração:

"Eu lhe disse para levantar oito milhões de dólares para continuar a Minha obra médica. Você tem de 1º de janeiro a 31 de março para terminá-la. Se não o fizer, o seu trabalho está terminado e eu o chamarei para casa."[292]

Nessa época, Oral Roberts estava completando 69 anos de idade. Talvez ele estivesse cansado da luta para manter tudo o que ele acreditava que Deus o havia chamado a fazer. Ele admitiu que acolheu brevemente a ideia de ir para casa para estar com o Senhor, de encontrar um lugar de descanso. Todavia, Oral estava certo de que o Senhor lhe dissera essa palavra de orientação e exortação.

Naturalmente, Oral fez o anúncio em seu programa semanal de domingo à noite porque queria que os milhões de telespectadores compreendessem a gravidade da necessidade financeira. No dia seguinte, agências de notícias de todo o país e de outras partes do mundo informaram que Oral Roberts dissera que "Deus o mataria se ele não levantasse oito milhões de dólares imediatamente".[293]

Para um homem apaixonado como Oral, esse anúncio fazia todo sentido. Deus queria que Oral e todos os demais envolvidos com o ministério soubessem da seriedade do Senhor em relação à Sua obra. Alguns ouvintes receberam a mensagem como vinda do próprio Senhor. Os pentecostais, em particular, entenderam de forma diferente da grande imprensa. A maioria entendeu que isso significava que, se o esforço de angariação de fundos falhasse, o trabalho de Oral para o Senhor na Terra estaria completo e ele acabaria por ser chamado ao céu. Entretanto, outras pessoas, cristãs e não-cristãs, viram-na como mais uma jogada de angariação de fundos projetada para que Oral pudesse obter o dinheiro necessário para completar seu tão querido projeto.

Oral se comprometeu a passar os meses seguintes na Torre de Oração, orando para que a vontade de Deus fosse feita.

Oral se comprometeu a passar os meses seguintes na Torre de Oração, orando para que a vontade de Deus fosse feita. Ele prometeu ao Senhor que não deixaria a Torre de Oração até que o dinheiro tivesse sido levantado. Helicópteros com repórteres voavam ao redor da torre para mostrar onde Oral Roberts estava em retiro, transformando aquilo em uma história sensacionalista. Por outro lado, ministros carismáticos e amigos encorajadores chegaram à Torre de Oração para se unirem a ele em oração.

Oral estava determinado a ignorar o escárnio da mídia, crer em Deus e manter a fé, como fizera tantas vezes antes. À medida que as doações chegavam, o prazo de 31 de março se aproximava cada vez mais. Oral e Evelyn continuaram a transmitir seus programas de domingo à noite a partir do estúdio de televisão da Torre de Oração.

Certa noite de domingo em março, Oral entrou no ar e anunciou que só lhe faltava levantar um milhão e seiscentos mil dólares para atingir a meta. Evelyn, sentada na primeira fila da plateia, o interrompeu fora da câmera e lembrou-o de que o número real era de apenas um milhão e trezentos mil dólares. Pela provisão de Deus, um homem da Flórida que ainda não havia feito um compromisso com Cristo estava assistindo ao programa naquela noite. Ele decidiu que, se um homem de tão alto perfil permitia que sua esposa o corrigisse em rede nacional, não deveria ser de todo mau. Ele decidiu que seria aquele que daria o restante do dinheiro e telefonou para o programa. Em sua primeira tentativa, a pessoa que recebeu o telefonema pensou que ele estava brincando e desligou na cara dele! Felizmente para Oral Roberts, o homem foi persistente e voltou a ligar uma segunda vez. Dessa vez, a chamada foi ouvida até o fim.

Quando chegou a Tulsa com um cheque de um milhão e trezentos mil dólares, o cavalheiro revelou que possuía várias pistas de corrida de cães bem-sucedidas. Sem ficar intimidado pela maneira como ele ganhara seu dinheiro, Oral perguntou se ele conhecia o Senhor. Admitindo que não, aquele homem sedento segurou a mão de Oral e repetiu a oração do pecador feita por ele. A palavra do Senhor se cumprira e uma nova alma entrara no Reino de Deus!

Escândalos Atingem a Igreja

Embora a Cidade da Fé tivesse um breve renovo de capital, as despesas ainda eram exorbitantes. Então, um escândalo abalou o Corpo de Cristo e mudou as finanças de todos os ministérios que tinham programas de tevê no ar.

Em 1986, Jim Bakker, do ministério PTL, foi acusado de ter um caso de adultério e, em seguida, foi indiciado por fraude como resultado dos métodos que usara na angariação de fundos para a construção de um centro de férias e retiro cristão. Mais tarde naquele mesmo ano, Jimmy Swaggart, um conhecido televangelista das Assembleias de Deus, foi acusado de repetidas visitas a uma prostituta. Logo após as acusações virem à tona, ele confessou a veracidade das afirmações.

As infidelidades de dois homens de Deus com destacados ministérios televisivos, e a exposição à mídia nacional que eles atraíram, sacudiram o Corpo de Cristo e criaram desconfiança nos corações de milhares de apoiadores de seus ministérios e de outros ministérios. As contribuições para a Associação Evangelística Oral Roberts caíram drasticamente como resultado disso. Muitas igrejas dos Estados Unidos foram afetadas da mesma maneira.

Infelizmente, o custo de funcionamento da Faculdade de Medicina, da Faculdade de Odontologia e da Cidade da Fé não havia diminuído em nada — e assim, o fardo e a tensão das dívidas continuaram.

"Não É Possível Acrescentar Mais"

Sofrendo de um grande estresse emocional, Oral Roberts fechou a Faculdade de Odontologia em 1987, enquanto ainda lutava para manter vivo o restante do sonho médico. Ao longo do ano seguinte, a *American Medical Association* retomou sua intensa avaliação da Faculdade de Medicina, exigindo mudanças adicionais e dispendiosas para prorrogar a homologação. E as despesas das outras áreas médicas continuavam a subir. Finalmente, em 1989, com o coração partido, Oral Roberts chegou à conclusão de que a Faculdade de Medicina e a Cidade da Fé teriam de fechar, ou todo o seu ministério estaria em risco.

O sonho de fundir oração e medicina parecia ter sido destruído. Oral, um homem que lutava como um leão quando acreditava estar certo, sentia como se tivesse entrado em seu próprio Getsêmani. Ele chorou lágrimas de angústia pela perda, enquanto seus inimigos médicos denunciavam: "Você odiaria admitir, mas quase tudo que aconteceu era totalmente previsível."[294] Essas palavras foram ditas por C. T. Thompson, executivo do St. Francis Hospital, de Tulsa, e franco oponente da Cidade da Fé desde o início.

Embora o maior sonho de Oral não tivesse sido realizado conforme ele esperava, ele recebeu o incentivo de fontes inesperadas. O Dr. Harry Jonas, da *American Medical Association*, garantiu a Oral que ele havia "transformado para sempre a medicina e o modo como o mundo médico olha para ela... essa ideia de combinar medicina com oração, visando o homem em sua totalidade, é uma ideia cujo tempo chegou... o fato é que a ideia é maior do que você."[295]

Um ano antes, David Wilkerson, do ministério Word Challenge, de Nova York, entregara a Oral uma palavra de que a Cidade da Fé iria fechar, mas que Deus estava satisfeito com Oral. Wilkerson declarou na ocasião: "Você estabeleceu o ponto que Deus gostaria que tivesse sido estabelecido. O mundo sabe disso, a Igreja sabe disso, e você está prestes a fechar essas instituições." Wilkerson continuou: "Oral, você já fez o que Deus queria que você fizesse. Acabou o lugar em si, mas o conceito foi lançado, e você pode não pode adicionar mais nada a ele."[296]

Problemas no Palácio

Em uma visão retrospectiva, penso que teria sido melhor para Oral seguir o padrão bíblico do rei Davi e do rei Salomão na construção do templo. Foi Davi quem reuniu todo o material, mas foi Salomão quem finalmente construiu o templo. De semelhante maneira, Oral provavelmente deveria ter deixado seu filho Richard construir o hospital. Se o tivesse feito, acredito que Richard ainda estaria lá hoje. Mas Oral foi inflexível em que nenhuma dívida seria deixada para trás quando ele saísse do ministério.

No final, uma crítica à liderança de Oral seria que ele não utilizou seus filhos de modo eficaz. Richard era o segundo na linha e tinha o ônus de assumir tudo o que seu pai havia construído. A filha de Oral, Roberta, se tornou uma advogada brilhante, com uma carreira jurídica de sucesso. Seria interessante imaginar o que teria acontecido se Roberta tivesse assumido a UOR, permitindo que Richard continuasse o ministério. Isso teria sido quase impossível, porém, devido à incapacidade de Oral de permitir às mulheres um lugar na liderança — problema que continua a assolar outros líderes cristãos.

Oral e Evelyn Roberts em 1997

Seguindo o padrão, Richard tomou posse como presidente da UOR em 1993. Oral e Evelyn se mudaram para a Califórnia logo após Richard assumir o cargo. Oral acreditava que, enquanto vivesse em Tulsa, Richard nunca seria capaz de liderar adequadamente. As pessoas sempre procurariam Oral para saber o que fazer. Ocupar o lugar de Oral acabou sendo difícil para Richard desde o início. Diferentemente das origens humildes de seu pai, Richard fora "criado no palácio" da fama e das celebridades. Ele não se identificava com o público geral de maneira eficaz. Logo se desenvolveram problemas em seu relacionamento com os professores e alunos.

Em novembro de 2007, Richard renunciou à presidência da UOR após ser citado em uma ação judicial alegando uso indevido de fundos e recursos da universidade para fins políticos e pessoais. A despeito de residir na Califórnia, Oral continuava em seu papel de presidente interino, enquanto o pastor Billy Joe Daugherty, da região de Tulsa, foi nomeado executivo para assumir as funções administrativas de presidente. Em 2009, Oral entregou a liderança da universidade ao seu novo presidente, Mark Rutland.

Califórnia

Diferentemente de Tulsa, viver em Newport, Califórnia, permitiu a Oral e Evelyn levarem uma vida modesta. Problemas de saúde também levaram a uma diminuição das atividades de Oral. Ele foi submetido a alguns procedimentos de angioplastia; o último quase o matou na mesa de cirurgia. Os médicos estavam prontos para deixá-lo morrer, mas Oral se recuperou.

Enquanto Oral vivia na Califórnia, consegui encontrar-me com ele em várias ocasiões. Certa vez, quando ele estava visitando uma igreja de Irvine, Califórnia, perguntei-lhe se ele tinha uma piada favorita sobre Oral Roberts. Após anos de ministério, angariação de fundos e até mesmo alguma controvérsia, certamente não faltavam piadas sobre Oral Roberts. Ele me perguntou qual era a minha. Contei-lhe a história na qual Oral Roberts e Billy Graham morreram. Infelizmente, o céu ainda não estava preparado para eles, então eles tiveram de esperar no inferno. Não demorou muito para que o diabo suplicasse ao céu para que eles saíssem. Descobriu-se que Billy Graham estava salvando a todos, e Oral Roberts estava angariando dinheiro para o ar-condicionado.

Oral sorriu e disse que a sua favorita era a história que dizia que ele não podia jogar golfe. Cada vez que ele tentava, os buracos cicatrizavam.

Em 2005, a amada esposa de Oral, Evelyn, morreu em decorrência de complicações de pneumonia, aos oitenta e oito anos. Atualmente, demasiados casamentos de pastores terminam em escândalo ou divórcio. Outros casais ministeriais se contentam em desenvolver ministérios totalmente separados. Evelyn era uma mulher forte, mas também uma combinação perfeita para a personalidade de Oral. Frequentemente, ela se sentava na primeira fila nas aparições dele e o corrigia em voz alta se ele cometesse um erro em suas histórias, como fizera com a quantidade de angariação de fundos para o Centro Médico. Oral e Evelyn ministraram juntos e se amaram até o fim.

A Morte de uma Lenda

No dia 15 de dezembro de 2009, Oral Roberts morreu aos noventa e um anos de idade. Acerca de seu falecimento, Pat Robertson disse:

> Estou triste com o falecimento do meu querido amigo Oral Roberts. Ele foi um pioneiro no evangelismo de cura e na educação cristã. Ele inspirou uma geração de jovens a seguir sua liderança no ministério carismático. Fomos amigos durante mais de 50 anos e sentirei falta dele. Minha solidariedade aos filhos que ele deixa.[297]

O governador de Oklahoma, Brad Henry, declarou:

> Oklahoma e a nação perderam um homem de Deus verdadeiramente notável. A influência e o impacto da Oral Roberts e seu ministério são incomensuráveis. Sua fé, compaixão e caridade deixaram um legado que será sentido por várias gera-

ções vindouras. Nossos pensamentos e orações estão com a família e os entes queridos do Reverendo Roberts neste momento difícil.[298]

"Ele me ensinou a amar e me ensinou a perdoar. Ele orava por aqueles que se opunham a ele."

Cinco dias depois, quase quatro mil pessoas encheram o Centro Mabee, no campus da UOR, para um culto memorial. Pat Robertson abriu o culto com uma oração ao Senhor: "Tu nos enviaste um homem que conhecemos e amamos, e que andou com Deus e nunca desistiu do toque comum. Eu sei que Tu quebraste o molde de Oral."[299]

A filha de Oral, Roberta, falou de lembranças de seu pai: "Quando ele estava orando por alguém, ele estava focado em uma única coisa, que era a necessidade da pessoa com quem ele estava naquele momento." Richard também elogiou seu pai, dizendo: "Ele me ensinou a amar e me ensinou a perdoar. Ele orava por aqueles que se opunham a ele".[300]

Várias outras figuras de destaque do Cristianismo também prestaram suas últimas homenagens:

> Sempre terei como valiosa a última conversa que tive com seu pai. Tenho certeza de que ele ouviu as palavras: "Muito bem, servo bom e fiel".[301] — Billy Graham

> Hoje celebramos a ida para casa de um verdadeiro homem de Deus.[302] — Benny Hinn

> Ele foi um pai espiritual para milhões de pessoas do mundo todo. Ele abriu a porta para todos nós, que agora estamos na televisão cristã.[303] — Paul Crouch

> Seu legado continuará a dar frutos. Ele era um verdadeiro homem de Deus.[304] — David Yonggi Cho

Um tributo em vídeo apresentou comentários dos ex-presidentes George H. W. Bush e Jimmy Carter, bem como de Jerry Lewis, Roy Clark, do lendário treinador de basquete universitário Eddie Sutton, e outros.

Finalmente, falou Marilyn Hickey, professora de Bíblia de Denver, Colorado, lembrando ao público que Oral Roberts fora um dos primeiros a "explodir o mundo" com a mensagem de cura de Deus e, por isso, Roberts pagara um alto preço. "Agora", disse ela, "você pode ir por todo o mundo e encontrar a mensagem de cura". Mais tarde, Hickey disse: "Eu amo o que Oral disse: 'O jogo não termina até eu vencer.' Ele venceu. Oral foi para o céu com muitas vitórias. Uma delas é a UOR. Essa é uma das coisas mais importantes que aprendi com Oral Roberts. Ele não acreditava em perder."[305]

Após seu discurso, Hickey incentivou todos os presentes a colocarem as mãos sobre qualquer parte de seus corpos que estivesse doente enquanto ela orava por cura. Então, o culto terminou com uma chamada à salvação — uma homenagem adequada e honrosa a um homem que passou a vida levando a mensagem de cura e salvação de Deus a um mundo enfermo e moribundo.

CAPÍTULO QUATRO

NOTAS FINAIS

[178] David Edwin Harrell Jr., *Oral Roberts: An American Life* (Bloomington, IN: Indiana University Press, 1985), 25.
[179] Ibid., 26.
[180] Oral Roberts, *Expect a Miracle, My Life and Ministry* (Nashville, TN: Thomas Nelson Publishers, 1998), 37.
[181] Harrell, *An American Life*, 28.
[182] Oral Roberts, *Expect a Miracle,* 34.
[183] Harrell, *An American Life*, 30.
[184] Oral Roberts, *Expect a Miracle,* 13.
[185] Ibid., 43.
[186] Ibid., 15.
[187] Ibid.
[188] Ibid., 18.
[189] Ibid., 19.
[190] Ibid., 28.
[191] Ibid.
[192] Ibid., 29.
[193] Ibid., 45.
[194] Ibid., 46.
[195] Harrell, *An American Life*, 5.
[196] Ibid.
[197] Ibid., 49.
[198] Ibid., 50.
[199] Oral Roberts, *My Story* (Tulsa and New York: Summit Book Company, 1961), 35.
[200] Oral Roberts, *Expect a Miracle,* 51.
[201] Oral Roberts, *My Story,* 43.
[202] Ibid.
[203] Oral Roberts, *When You See the Invisible, You Can Do the Impossible* (Shippensburg, PA: Destiny Image, 2005), 91.
[204] Harrell, *An American Life*, 46.
[205] Ibid.
[206] Oral Roberts, *Expect a Miracle*, 50.
[207] Oral Roberts, *Expect a Miracle*, 53.
[208] Harrell, *An American Life*, 65.
[209] Ibid., 66.
[210] Oral Roberts, *Expect a Miracle,* 74–75.
[211] Ibid., 77.
[212] Ibid., 78.
[213] Ibid.

[214] Ibid., 89.
[215] Ibid., 90.
[216] Ibid.
[217] Ibid., 93.
[218] Ibid., 84–85.
[219] Ibid., 106.
[220] Ibid., 91.
[221] Ibid., 94.
[222] Ibid.
[223] Oral Roberts, *My Story*, 153.
[224] Oral Roberts, *Expect a Miracle*, 98.
[225] Oral Roberts, *Still Doing the Impossible: When You See the Invisible, You Can Do the Impossible* (Shippensburg, PA: Destiny Image, 2002), 72.
[226] Oral Roberts, *Expect a Miracle*, 103.
[227] Ibid.
[228] Ibid., 108.
[229] Oral Roberts, *My Story*, 133.
[230] Ibid.
[231] Oral Roberts, *Expect a Miracle*, 125.
[232] Ibid., 128.
[233] Ibid.
[234] Ibid.
[235] Harrell, *An American Life*, 179.
[236] Oral Roberts, *Expect a Miracle*, 130.
[237] Ibid., 149.
[238] Ibid., 113.
[239] Ibid., 114.
[240] Ibid., 117.
[241] Ibid., 124.
[242] Oral Roberts, *Still Doing the Impossible*, 167.
[243] Ibid., 167–168.
[244] Oral Roberts, *A Daily Guide to Miracles* (Grand Rapids, MI: Fleming H. Revell Company, 1978), 35.
[245] Evelyn Roberts, *Evelyn Roberts' Miracle Life Stories* (Tulsa, OK: Roberts Ministries, 1998), 70.
[246] Evelyn Roberts, *Miracle Life Stories*, 70.
[247] Harrell, *An American Life*, 75.
[248] Oral Roberts, *Still Doing the Impossible*, 192.
[249] Oral Roberts, *Miracle Life Stories*, 40.
[250] Ibid., 41.
[251] Ibid.
[252] Ibid., 42.
[253] Ibid.
[254] Harrell, *An American Life*, 206.
[255] Ibid., 207.
[256] Ibid.
[257] Oral Roberts, *Expect a Miracle*, 165.
[258] Ibid., 166.
[259] Ibid.

[260] Ibid., 170.
[261] Ibid., 171.
[262] Harrell, *An American Life*, 121.
[263] Ibid., 219.
[264] Ibid., 220.
[265] Oral Roberts, *Expect a Miracle*, 165.
[266] Harrell, *An American Life*, 221.
[267] Ibid., 223.
[268] Ibid., 225.
[269] Ibid., 229.
[270] Ibid.
[271] Ibid., 230.
[272] Ibid., 294.
[273] Ibid., 299.
[274] Ibid., 262.
[275] Ibid., 272.
[276] Ibid., 303.
[277] Oral Roberts, *Expect a Miracle*, 197.
[278] Ibid., 198.
[279] Harrell, *An American Life*, 331.
[280] Ibid., 332.
[281] Oral Roberts, *Expect a Miracle*, 208.
[282] Ibid.
[283] Harrell, *An American Life*, 340.
[284] Ibid., 341.
[285] Oral Roberts, *Expect a Miracle*, 256.
[286] Harrell, *An American Life*, 334.
[287] Oral Roberts, *Expect a Miracle*, 273.
[288] Oral Roberts, *Expect a Miracle*, 281.
[289] Harrell, *An American Life*, 381.
[290] Ibid., 405.
[291] Ibid., 392.
[292] Oral Roberts, *Expect a Miracle*, 289.
[293] Ibid., 290.
[294] Harrell, *An American Life*, 391.
[295] Oral Roberts, *Expect a Miracle*, 301.
[296] Ibid., 299.
[297] http://www.cbn.com/cbnnews/us/2009/December/Oral-Roberts-Hospitalized-After-Fall/.
[298] ttp://www.tulsaworld.com/ourlives/article.aspx?subjectid=58&article id=20091215_58_0_TheRev592630.
[299] http://www.tulsaworld.com/news/article.aspx?subjectid=19&article id=20091221_11_0_tablet688063.
[300] Ibid.
[301] Ibid.
[302] Ibid.
[303] Ibid.
[304] Ibid.
[305] Ibid.

CAPÍTULO CINCO

CHARLES E FRANCES HUNTER

"SE NÓS PODEMOS, VOCÊ TAMBÉM PODE!"

“SE NÓS PODEMOS, VOCÊ TAMBÉM PODE!”

Quando Deus fala uma palavra nova, frequentemente o ouvinte é pego de surpresa. Contudo, fazer coisas novas é a especialidade de Deus. Em fevereiro de 1973, em El Paso, Texas, Deus fez uma coisa nova na vida e no ministério de Charles e Frances Hunter. Eles estavam realizando cultos de avivamento em uma igreja local e estavam sentados na frente, junto com o pastor.

— Deus acaba de falar com você? — perguntaram Frances e Charles um ao outro, com os olhos arregalados de surpresa.

— Sim, Ele falou! — responderam os dois simultaneamente.

— O que Ele disse? — um perguntou um ao outro.

— Ele disse para anunciar um culto de milagres para terça-feira à noite! — disse Charles.

— Sim, foi isso o que Ele disse a mim também! — completou Frances.

Subindo ao púlpito, Charles olhou para os rostos ansiosos no lotado culto de domingo à noite.

— Deus acaba de falar a nós dois que haverá um culto de milagres na terça-feira à noite! Podemos fazer isso, pastor? — perguntou Charles.

O pastor Bob Lewis acenou com a cabeça afirmativamente.

— Jesus passará por esta igreja na noite da terça-feira para curar os enfermos. Saia e diga aos seus amigos para trazerem os doentes, os coxos e aleijados, e Ele vai curá-los![306]

Essa não foi uma declaração casual para os Hunters. Na verdade, eles nunca tinham realizado um culto de milagre antes, ou se sentido direcionados a anunciar um. Em muitas igrejas de todo o país, eles haviam pregado acerca do milagre da salvação por meio de Jesus Cristo. Aqueles que tinham sede de mais de Deus eram então levados ao glorioso batismo no Espírito Santo. Mas, nessa noite, na igreja Southern Baptist, em El Paso, Charles e Frances ouviram Deus falar aos seus corações e descobriram que Ele queria fazer mais. Eles se moveram com fé de que Deus realizaria curas e milagres.

E os milagres começaram naquela mesma noite. O pastor Lewis e sua família estavam sedentos de mais de Deus. Após o culto de domingo à noite, Charles e Frances perguntaram a Bob, sua esposa e sua filha mais nova se eles gostariam de receber o batismo no Espírito Santo. A família Lewis entrou no quarto de hotel dos Hunters e orou ansiosamente, e o Espírito Santo desceu sobre eles como no dia de Pentecostes. Juntos, eles começaram a louvar a Deus em uma nova língua.

Na manhã seguinte, a filha de vinte anos dos Lewis viu a emoção nos rostos de seus pais e declarou: "Eu também quero ser batizada no Espírito Santo."

Eles lhe explicaram o dom de Deus e oraram, e também ela foi cheia com o Espírito Santo. Entretanto, seu filho Bob Jr. não estava tão animado. Ele chegou a chamar sua família de "santos roladores". Mas Deus ainda não havia encerrado o assunto com ele!

Um Dia Milagroso

O culto da manhã de terça-feira estava cheio de pessoas esperando ansiosamente o que Deus faria ali naquela noite. Mas Deus não ia esperar até a noite. Ele estava pronto para mover-se imediatamente. Uma jovem mulher chamada Mary entrara no culto logo cedo, cheia de lágrimas, raiva e profundas necessidades. Bob Jr. e sua irmã a levaram a outra sala para orar enquanto o culto começava. Pouco tempo depois, Bob Jr. caminhou até o púlpito com uma boa notícia: Mary havia aceitado Jesus como seu Salvador.

Ele gaguejou durante toda a declaração, como gaguejara toda a sua vida. Charles caminhou até o microfone e disse:

— Bob, Jesus gostaria de curar sua gagueira. Tudo bem?

Ansiosamente, Bob respondeu:

— Tudo bem!

Charles orou por ele, dizendo:

— Pai, vasculha toda a vida de Bob e apaga de sua memória qualquer coisa negativa que causou a gagueira e, em nome de Jesus, cura-o.

— Agora, Bob — disse Frances — vá até o microfone e leia a Palavra de Deus.

Abrindo a Bíblia ao meio, ele leu quatro versículos *sem gaguejar*! O culto da manhã explodiu em aplausos ao Senhor!

Naquela noite, Bob Jr. compartilhou seu testemunho diante da multidão entusiasmada sem um único deslize ou gagueira. Uma salva de palmas jubilosas irrompeu da congregação porque Bob fora curado pelo poder de Deus quando Jesus passou por ali.

Todos estavam maravilhados. Eles já haviam visto a cura de um menino a quem conheciam havia anos. Então, uma menina de onze anos caminhou até o altar em lágrimas. Quando Frances lhe perguntou o que estava errado, ela disse que era surda e agora conseguia ouvir! Ela disse que estava chorando porque podia ouvir a música tão bonita e tão alta. Sua mãe, que estava trabalhando no berçário, entrou correndo no santuário, louvando ao Senhor por aquele milagre. Sua filha era surda de um ouvido e tinha pouca audição no outro, desde o nascimento. Alguns dias depois, naquela mesma semana, a menina procurou um médico e fez um teste audiométrico, que confirmou que os dois ouvidos estavam perfeitamente normais!

Enquanto a congregação louvava o Senhor por Sua fidelidade, as coisas começaram a se mover cada vez mais rapidamente.

O milagre mais surpreendente de todos foi quando a garota que antes era surda levou à frente uma amiga, que insistia em também ter acabado de ser curada. Perguntando à criança, os Hunters descobriram que ela havia nascido com paralisia cerebral!

Frances olhou para a menina com os olhos cheios de fé e perguntou:

— Querida, como você sabe que foi curada?

A criança respondeu com fé:

— Jesus me tocou... Eu o senti.

Charles se abaixou, levantou a pequena até a plataforma e lhe perguntou:

— Você consegue andar?

Cautelosamente, ela deu um passo.

— Você consegue correr e pular como o homem que foi curado na história da Bíblia?

Em poucos minutos, ela estava andando e pulando à frente da igreja![307]

Dois dias depois, o pastor Lewis chamou os Hunters para lhes dizer que as pernas da garotinha haviam se endireitado e ela estava brincando alegremente no parquinho da escola com seus amigos. Os Hunters descobriram que aquela garota dissera à mãe antes do culto de milagres: "Tire o meu aparelho. Vou deixar também as minhas muletas em casa, porque nunca mais precisarei disso novamente."[308] Louvado seja o Senhor pela fé de uma criancinha!

Marcados para o Seu Propósito

Frances Hunter se referia frequentemente a si mesma como uma "mulher marcada". Ela — e Charles — fora marcada por Deus para os Seus surpreendentes propósitos! Ela era realmente uma mulher que tinha uma marca indelével queimada pelo fogo de Deus. Frances disse: "Eu sou uma mulher marcada porque, onde quer que eu vá, a marca vai comigo e tudo que faço evidencia essa marca que há em mim... Quando Deus coloca um selo em você, ele é feito com tinta indelével e você não consegue tirá-lo."[309]

Frances e Charles Hunter

Frances e Charles Hunter haviam sido marcados por Deus para levar multidões ao conhecimento salvífico de Jesus Cristo e do dom poderoso do Seu Espírito Santo. Eles haviam sido marcados para a cura — para eles mesmos serem curados e para levarem cura em nome de Jesus a incontáveis pessoas ao redor do planeta. Os "Felizes Hunters", como eram conhecidos devido ao seu alegre ministério, haviam também sido marcados para se casarem. Eles glorificavam a Deus por meio de sua amorosa devoção um ao outro por onde quer que viajassem.

Como dois dos generais de Deus, os Hunters serviram a um propósito poderoso para levar a mensagem de cura de Deus às nações. Antes deles, as pessoas que desejavam cura procuravam aqueles que eram especialmente "dotados", incluindo Kathryn Kuhlman, Oral Roberts, William Branham e A. A. Allen. Esses servos tementes a Deus haviam verdadeiramente recebido dons de cura do Espírito Santo.

Mas, em Seu plano eterno, Deus estava pronto para uma mudança de foco. Ele usou os Hunters para transformar o curso do ministério de cura, fazendo com que as pessoas percebessem que crentes comuns podem ser usados para curar enfermos. Se os Hunters podiam curar, os idosos também poderiam, assim como os jovens e os adultos.

Essa transformação tinha uma importância surpreendente. Ela era um grande mover de Deus, uma mudança de doutrina em toda a cultura do Cristianismo do Evangelho Pleno. Você compreende a dimensão da importância do que essas duas pessoas totalmente entregues a Deus fizeram, mudando a mentalidade de todo um grupo religioso que hoje inclui 660 milhões de pentecostais no mundo todo?

Eu ministrei em mais de cem países. Quando estou em comunhão com outros irmãos e irmãs em Cristo no mundo todo,

Deus estava pronto para uma mudança de foco. Ele usou os Hunters para transformar o curso do ministério de cura, fazendo com que as pessoas percebessem que crentes comuns podem ser usados para curar enfermos.

frequentemente conversamos acerca de ministérios de cura. O nome de Oral Roberts é lembrado, o nome de A. A. Allen é lembrado, mas, em seguida, as pessoas sempre dizem: "Mas Frances e Charles ensinaram a toda a nossa igreja como nós mesmos podemos fazê-lo por meio do poder do Espírito Santo que habita em nós!" Mas como essas duas pessoas comuns do século 20 se tornaram parte dos generais de Deus e tiveram um tremendo impacto sobre a igreja cristã do mundo todo?

Um Choro Sai da Caixa de Sapatos

Um pequeno choro saiu da caixa de sapatos marrom desgastada, que antes ficava em cima do velho armário do quarto. A parteira assustada se virou, tirando os olhos de sua paciente, para olhar o rosto amassado do bebê de novecentos gramas que agitava os bracinhos. Aquela pequena deveria ter morrido. No entanto, o choro fraco ficava mais forte a cada minuto. Essa foi a entrada de Frances Eileen Fuller no mundo, no dia 8 de maio de 1916.

Sua mãe entrara em trabalho de parto dois meses antes do fim da gestação. Foi dolorosamente difícil e a parteira se empenhou para salvar a vida da mãe, Dessie Fuller. Certamente não havia esperança para a pequena bebê, então a parteira colocara seu pequeno corpo em uma caixa de sapatos para ser enterrado mais tarde. Mas, desde aquele primeiro sopro de vida, Frances estava destinada a fazer muito além do possível! Ela encarava cada situação e cada obstáculo com determinação e alegria, pois tinha sido abençoada por Deus com a disposição para superar adversidades.

Alguns anos ainda se passariam até que Frances percebesse que seu sucesso vinha de um Deus que a amava e a chamara para Si.

Frances teve uma infância difícil em Chicago, Illinois. Sua mãe foi acometida por tuberculose e passou longos períodos em um sanatório durante quase dez anos, antes de morrer. Os Fuller passavam necessidades com frequência, mas o amor de Fred Fuller por suas filhas, Frances e sua irmã mais velha Kathleen, mantinha a vida emocionante. Fred era um maravilhoso contador de histórias e trabalhador empenhado, e sua perspectiva acerca da vida mantinha as meninas esperançosas e seguras. Eles frequentavam a igreja regularmente, embora ninguém compartilhasse a mensagem pessoal de Jesus Cristo com eles. Os Fuller se mudavam atrás de trabalho e, finalmente, se estabeleceram em St. Louis, Missouri. Ainda assim, Frances cresceu feliz e determinada a fazer de sua vida algo especial. Em algum lugar de seu íntimo, ela desconhecia as palavras *não posso*.

Superando as Possibilidades

Durante o ensino médio, Frances se determinou a ser a datilógrafa mais rápida da cidade de St. Louis. Com muito treino, ela atingiu seu objetivo de cento e vinte e cinco palavras por minuto. No auge da Grande Depressão, quando havia poucas oportunidades de trabalho, ela conseguiu um excelente emprego na companhia telefônica Southwestern Bell e avançou rapidamente em diferentes cargos na empresa, ano após ano. Aos vinte e poucos anos de idade, Frances e várias amigas decidiram dar-se de presente um período de férias no oeste. Elas viajaram para um hotel fazenda em Colorado, onde Frances conheceu um jovem contador bonito chamado Larry Steder, de sua cidade natal em Chicago.

Frances e seu primeiro filho, Tom, em 1945

Após vários meses se revezando nas visitas um ao outro entre Chicago e St. Louis, Frances e Larry ficaram noivos. Seus planos para o casamento foram interrompidos pelo ataque a Pearl Harbor e a Segunda Guerra

Mundial, porque Larry correu para se alistar na Marinha. Quando descobriram que ele ainda permaneceria nos Estados Unidos durante um bom tempo, o jovem casal decidiu ir em frente com seus planos de casamento. Eles viveram em uma base naval em Nova York e, depois, em São Francisco, até o fim da guerra, quando Larry foi enviado para Okinawa. Frances voltou a Chicago para ficar perto de sua sogra enquanto Larry estava fora. Frances estava grávida, e um bonito bebê de olhos castanhos, ao qual eles deram o nome de Tom, nasceu em setembro de 1945. Pouco depois, Larry foi dispensado da Marinha e voltou para sua jovem esposa e para o filho recém-nascido. A família estabeleceu empolgada seu primeiro lar em um subúrbio de Chicago. O coração de Frances transbordava de felicidade.

Anos Dolorosos

Ainda hoje *câncer* é uma palavra feia de se ouvir, mas era uma verdadeira sentença de morte no fim da década de 1940, quando Larry Steder recebeu o diagnóstico de câncer no cérebro. Isso foi apenas dois anos após o fim da guerra, e o jovem casal ficou arrasado com a notícia. Larry lutou contra a doença durante mais dois anos, enquanto Frances mantinha a família com seu trabalho como consultora de cosméticos independente. Bem-sucedida como sempre, ela foi capaz de sustentá-los enquanto Larry lutava contra a doença internado em um hospital de veteranos. Mas Larry perdeu a batalha e, quando morreu, Frances ficou viúva aos trinta e três anos.

E a viuvez se tornou outro desafio a superar.

Lutando contra uma tristeza esmagadora, a mãe de Larry se mudou de Chicago para a Flórida, para estar mais perto de seu outro filho. Assim como no relato do Antigo Testamento, em que Rute seguiu a sogra Noemi para permanecer perto dela, Frances se mudou para a Flórida junto com o pequeno Tom, para lhes dar um senso de família e para manter Tom perto de sua avó. Aquela foi também uma maneira de ajudar a aliviar a dor de perder o marido.

Sempre a alegria da festa, Frances passou a preencher os meses vazios após a morte de Larry com ocasiões sociais — oportunidades para compartilhar algumas bebidas e risadas com os vizinhos na Flórida. Pouco tempo depois, ela conheceu um construtor de sucesso, Walter Gardner. Ele logo declarou seu amor por Frances e seu precioso filho Tom. Arrebatada pela conversa agradável de Walter, Frances fez a única coisa impulsiva de sua vida, que logo se revelou desastrosa.

Pouco tempo depois de Frances e Walter se casarem, ela descobriu que ele era alcoólatra e muitas vezes se tornava violento. Ele a enganara com sua personalidade falsamente agradável para convencê-la a casar-se com ele, mas nunca demonstrou a ela ou a Tom um mínimo do amor que declarara sentir. Depois de cinco anos sofrendo com os abusos do marido, chegando a ter a própria vida ameaçada em certas ocasiões, Frances se divorciou de Walter e obteve uma ordem judicial para sua proteção.

Um grande presente do casamento foi o nascimento de sua filha Joan, que se tornou a menina dos olhos da mãe e uma fonte de bênção para Frances ao longo de sua vida.

A Vida Começa aos Quarenta e Nove

Com dois filhos para sustentar, Frances voltou a explorar suas habilidades de digitação. O que começou como um serviço de secretariado evoluiu rapidamente para uma gráfica completa, com dezenas de clientes satisfeitos. Tudo que Frances Gardner tocava virava ouro. A vida se tornou fácil, à exceção da voz dentro dela que dizia ainda faltar algo.

Esses foram os anos em que Frances se tornou uma "pecadora incontrolável". Durante dez anos, ela fumou cinco maços de cigarros por dia, bebeu todas as noites e era a alegria de todas as festas com suas piadas de mau gosto e sua linguagem vulgar. Frances pensava que dirigia a própria vida!

Contudo, toda semana, um jovem pastor chamado Peter Slagle ia à sua gráfica e lhe falava acerca das coisas incríveis que estavam acontecendo em sua igreja. Ele nunca pressionou Frances, mas, pacientemente, lhe mostrou o amor de Cristo e a emoção em sua própria vida. Ela ficou intrigada, mas também estava com medo de seguir seu coração, então o escutou durante quatro anos sem nunca tomar uma atitude.

Certa noite, já tarde, quando Frances estava dirigindo do novo apartamento de seu filho para casa, seu carro foi atingido na traseira por outro veículo. Tudo parecia estar bem até três meses depois, quando ela descobriu uma perda visual no olho esquerdo. O medo da cirurgia a deixou desesperada e, como muitas pessoas em pânico, ela clamou a Deus por Sua ajuda. Ela fez uma oração e pediu a Deus para protegê-la da dor da cirurgia.

Deitada em um leito de hospital na noite anterior à cirurgia, Frances vivenciou um milagre. Ela estivera lendo um versículo do Salmo 23 para as enfermeiras alguns minutos antes, tentando parecer espiritual. Após elas saírem, ela voltou ao salmo para terminar a leitura e descobriu que as duas páginas estavam completamente em branco — apagadas! *Para onde foi a tinta?* — imaginava ela. De repente, ela viu uma mão escrever as palavras "Frances Gardner, eu a amo" em vermelho ao longo das páginas em branco. "Deus molhara o dedo no sangue vermelho brilhante de Jesus e escrevera uma mensagem muito especial só para mim", escreveu Frances acerca do evento.[310]

Tomada de comoção pelo amor de Deus por ela, Frances gritou: "Deus, esqueça aquela oração, porque eu não me importo mais com o quanto essa cirurgia doerá amanhã. Eu prometo que quando sair deste hospital, passarei o resto da minha vida buscando o que eu posso fazer por Ti, e não o que Tu podes fazer por mim."[311] Frances estava em choque, mas sabia que Deus deixara claro que Ele a amava pessoalmente e, com aquela mensagem, Ele capturara sua total atenção.

Quando Frances estava suficientemente bem e restabelecida, ela fez o caminho mais curto até a igreja do pastor Slagle. Era uma igreja da congregação não pentecostal *Igreja de Deus*, (diferente da denominação pentecostal cujo nome também é Igreja de Deus). Era uma igreja que buscava a santidade e onde povo amava e servia ao Senhor. Frances ouviu uma mensagem sobre nascer de novo, um conceito que ela realmente não entendeu, mas ainda assim frequentou a igreja todos os domingos durante quase nove meses. Todas as semanas, ela chorava durante todo o hino de encerramento que dizia "Assim como Eu Sou", mas ainda se recusava a entregar-se totalmente ao Senhor.

Deus enviou outro jovem cristão à gráfica de Frances, dessa vez para fazer cópias do folheto *As Quatro Leis Espirituais*, uma publicação da Campus Crusade for Christ, impressa para distribuição. Após o curioso questionamento de Frances sobre o material, Ed Waxer explicou a ela os quatro passos bíblicos para a salvação e ressaltou a necessidade de ela ter um Salvador pessoal. No domingo seguinte, 8 de fevereiro de 1966, Frances Gardner caminhou até o altar da igreja do pastor Slagle como uma "pecadora incontrolável" e entregou sua vida a Cristo. Naquela manhã, aos quarenta e nove anos, Frances nasceu de novo. Ela pronunciou as palavras capazes de transformar vidas: "Deus, eu farei um trato contigo. Eu Te darei tudo de mim... Em troca de tudo de Ti."[312] E ela nunca invalidou esse compromisso pelo restante de sua longa vida que honrou a Deus.

Uma Notória Ganhadora de Almas

No domingo seguinte àquele em que Frances foi ao altar, a frequência na igreja do pastor Slagle quase dobrou. Frances levou vinte novas pessoas à igreja naquela manhã para ouvirem sobre a graça salvífica de Jesus. Mais tarde, ela observou: "Tenho sido uma ganhadora de almas desde o dia em que fui salva, mesmo que não soubesse o que estava fazendo!"[313] Amigos devotados e estranhos curiosos a acompanharam à igreja naquela manhã para ouvir o que poderoso Deus de Frances tinha a dizer.

À medida que os meses passavam, Frances buscava novas maneiras de servir ao Senhor na igreja. Seu amor entusiasmado por Cristo era um farol para muitos adolescentes; por isso, ela iniciou um grupo de jovens chamado Alpha/Ômega, no qual muitos jovens foram levados ao Senhor, incluindo sua filha Joan.

Frances compartilhou com entusiasmo: "Quando Jesus entrou em minha vida, Ele abriu minha boca e eu nunca mais a fechei!"[314] Ela testemunhava com confiança aos amigos em festas, onde não mais bebia, e eles a ouviam com espanto enquanto suas bebidas se mantinham intocadas.

Dois anos e muitas oportunidades de testemunho depois, ela escreveu seu primeiro livro, *God Is Fabulous* (Deus É Fabuloso), para apresentar ao mundo um Deus pessoal, empolgante e desejoso de dar vidas incríveis aos Seus filhos. Frances sabia que seu chamado era para ser uma encorajadora — "alguém para lembrar as pessoas de que Jesus Cristo é o homem mais empolgante que já viveu!"[315] Nesse livro, Frances compartilhou sua paixão por levar outros a Cristo. Ela proclamou em alto e bom som: "Não há emoção no mundo que se compare a levar alguém a Jesus!"[316] O pequeno livro vendeu rapidamente e Frances recebeu um convite para ser a primeira mulher a palestrar na reunião nacional de acampamento de 1968 da denominação não pentecostal das Igrejas de Deus (COG).

Ela se apresentou a um público de cinco mil pessoas e falou do fundo de seu coração sobre um Deus que a libertara de fumar cem cigarros por dia, beber fileiras de martinis e viver de maneira pecaminosa.

Na tarde da convenção, Frances orou em silêncio: "Deus, deixa o Teu Espírito Santo se mover neste auditório como nunca antes!"[317] Depois, ela se apresentou a um público de cinco mil pessoas e falou do fundo de seu coração sobre um Deus que a libertara de fumar cem cigarros por dia, beber fileiras de martinis e viver de maneira pecaminosa. Ele era um Deus que a amava e vivia diariamente em seu coração, que lhe deu a oportunidade de levar outros a Ele, e que seria seu Salvador e Redentor pelo resto da vida.

Frances terminou sua mensagem com os olhos fechados e uma oração simples: "Deus, que eu possa ser a mulher que Tu me chamaste a ser. Que eu possa falar o que Tu me disseste para falar."[318] Ao abrir os olhos, ela ficou espantada ao ver mais de metade da congregação quase correndo em direção ao altar para receber oração, alguns para encontrar Jesus pela primeira vez, outros para se arrepender de seus corações endurecidos ao longo dos anos. Os líderes da igreja pediram que as pessoas parassem de avançar, já que não havia mais espaço à frente. Impactada pela reação e insegura quanto à próxima etapa, Frances saiu da plataforma e, calmamente, deixou o prédio pela porta dos fundos. Enquanto isso, um líder da denominação que costumava ser um homem impassível, saiu correndo da reunião com um entusiasmo incomum, gritando que o Espírito Santo descera no auditório.

Aonde essa vida nova e excitante estava levando Frances Gardner? Em última análise, ela estava em uma rota de colisão, estabelecida por Deus, com um homem com o nome de Charles Hunter.

Em Todo o País

Na manhã de 23 de julho de 1920, Charles Edward Hunter nasceu em Palo Pinto, Texas, como o quinto dos seis filhos de James e Minnie Hunter. Assim como Frances, ele nasceu em uma família pobre, mas as semelhanças terminavam aí. Em vez de crescer em um ambiente urbano, rodeado por carências e doenças, Charles foi criado em fazendas do sudoeste, rodeado pela beleza da Criação de Deus, onde a terra sempre produzia o suficiente para suprir as necessidades básicas da família.

Quando Charles ainda era criança, um pastor batista itinerante chegou à pequena cidade onde sua família morava e compartilhou a poderosa mensagem da salvação de Deus por meio de Jesus Cristo. Os pais de Charles entregaram suas vidas ao chamado de Deus naquele dia e sentiram Sua paz e presença sobrenaturais.

Os Hunters trabalhavam diligentemente como agricultores de pêssego em uma propriedade rural do Texas, enquanto seus filhos cresciam e seguiam em frente na vida. Desde o começo de sua adolescência, Charles sabia que queria ser contador — e de sucesso! Ele chegou a afirmar que, algum dia, o prefeito de Houston seria um de seus clientes. Quando adolescente, Charles foi à frente até o altar da igreja para aceitar Jesus Cristo em sua vida, enquanto seus pais assistiam com grande alegria. Aos dezoito anos, ele liderava grupos de jovens e estudos bíblicos. Deus era uma parte de sua vida, mas uma parte relativamente pequena. O centro de sua vida ainda era ele mesmo.[319]

Charles Hunter na Força Aérea dos Estados Unidos, 1944

Quando começou a Segunda Guerra Mundial, Charles se alistou no Army Air Corps, que mais tarde se tornou a Força Aérea dos Estados Unidos. Ele se alistou como soldado e serviu apenas vinte e um meses antes de ser dispensado. Durante aquele tempo, ele foi promovido a capitão e poderia ter feito carreira na Força Aérea. Mas seu sonho era voltar para casa e estabelecer sua própria empresa de contabilidade.[320]

Vida em Ritmo Lento

Um a um, os sonhos de vida de Charles foram cumpridos. Ele e seu melhor amigo, Leonard Helvering, começaram uma empresa de contabilidade, e seu primeiro cliente foi, de fato, o prefeito de Houston! Charles era um homem simples e trabalhador, que pretendia ser bem-sucedido em todas as áreas de sua vida. Com sua primeira esposa, Jeanne, teve um um casamento sólido e amoroso durante vinte e sete anos, embora não tivessem tido filhos.

Ao longo de seus anos de casados, Charles e Jeanne Hunter frequentavam a igreja semanalmente, sem faltar. A fidelidade deles se tornou um motivo de orgulho para Charles, que às vezes se via julgando aqueles que não frequentavam a igreja tão fielmente. Ele serviu à igreja de muitas maneiras — como diácono, porteiro, tesoureiro, membro do conselho, e até mesmo membro do coro. Ele e Jeanne sempre apoiavam os projetos da igreja e entregavam seus dízimos consistentemente. Para todos que os conheciam, eles eram pilares máximos da igreja.

Entretanto, ao refletir sobre aquela época, Charles disse que, espiritualmente falando, ele era uma "ameixa seca".[321] Percebendo quão seca era sua vida em Cristo, Charles e Jeanne decidiram frequentar outra igreja da região. Eles sentiram a presença de Deus na igreja e nos corações dos crentes dali.

No ano de 1968, perto da Páscoa, Charles se uniu a um grupo de homens da congregação que se reuniam para orar semanalmente. Certa manhã, Charles sentiu um forte anseio por mais de Cristo. Sem um convite especial do pastor ou de uma chamada ao altar, Charles foi até o altar da igreja, curvou-se humildemente diante do Senhor e lhe disse: "Leva *toda* a minha vida e faze-me espiritualmente o que *Tu* queres que eu seja. Tira tudo da vida de Jeanne espiritualmente e faze-a a pessoa que Tu queres que ela seja."[322]

Uma Fonte Inesgotável

Para Charles e Jeanne, tudo mudou. Charles comparou sua nova vida em Jesus à energia de uma fonte inesgotável, disponível para nós quando damos a Deus a liberdade de usar as nossas vidas para a Sua glória. Ele e Jeanne foram capazes de ministrar aos outros de maneira poderosa, orar juntos na presença do Senhor e impactar outras pessoas para Jesus. Foi o momento mais gratificante que passaram juntos.

A notícia devastadora veio poucos meses mais tarde. Após uma série de exames e uma preocupante consulta ao médico, eles descobriram que Jeanne tinha câncer de ovário. A massa em seu abdome inferior estava crescendo e seu estado era terminal. Essa não era a direção que a vida deles deveria ter! Jeanne lutou com o Senhor durante vários dias.

Buscando ao Senhor por Sua força e conforto, Jeanne sentiu o medo passar. O pastor deles veio orar com ela, e ela abandonou seus medos para sempre. Durante aqueles seis meses finais da vida de Jeanne, com Charles sempre ao seu lado, sua fé e seu testemunho se mantiveram fortes e abençoaram as pessoas à sua volta. Mais tarde, Charles escreveu sobre essa época preciosa com a esposa no livro *A Tribute to God* (Um Tributo a Deus): "Ela atingiu uma fé em Deus — uma fé muito maior do que eu já vira — e se aproximou da eternidade com uma convicção tão ardente e positiva, que não havia absolutamente qualquer espaço para dúvida de que ela era pessoal e literalmente uma filha de Deus dirigindo-se com alegria à sua morada eterna."[323]

No dia 29 de maio de 1969, Jeanne partiu para Jesus. Charles sempre se lembrou de sua primeira esposa como uma preciosa filha de Deus que compartilhou anos de felicidade com ele, e seu tempo de luto também foi repleto de júbilo por ela agora estar com Jesus. Nos meses seguintes à morte de Jeanne, Charles se lançou mais vigorosamente ao compartilhar o evangelho de Jesus, junto com outras pessoas de sua congregação da Igreja de Deus.

Um Encontro com o Destino Divino

Desde a poderosa reunião de acampamento da Igreja de Deus, onde Frances levara uma mensagem memorável acompanhada de uma visível manifestação da parte de Deus, sua fama se espalhou por toda a denominação e ela recebeu uma chuva de convites para falar em muitas diferentes igrejas e escolas bíblicas. Certo pastor que participara da reunião de acampamento de 1968 voltou a Houston e compartilhou com seu irmão Charles acerca dos acontecimentos marcantes que haviam ocorrido. Ele também entregou a Charles o novo livro da famosa oradora, *God Is Fabulous*.

Charles Hunter leu o livro de capa a capa e ficou determinado a encontrar aquela dedicada serva de Jesus.

Ao longo dos dias que se seguiram, Charles Hunter leu o livro de capa a capa e ficou determinado a encontrar aquela dedicada serva de Jesus. Quando soube que, em breve, Frances visitaria Houston para falar em uma faculdade cristã e em várias igrejas, ele ligou para seu escritório na Flórida e a convidou para ficar em sua casa enquanto estivesse ministrando em Houston. Ele explicou que, naturalmente, ele ficaria em outro lugar, mas Frances interpretou mal a oferta e desligou o telefone na cara "daquele velho sujo".

Ao chegar a Houston, Frances ficou chocada ao ver que o nome de Charles aparecia como o líder de uma das reuniões que ela ministraria. Ela se determinou a cumprimentá-lo com frieza, mas, quando finalmente o conheceu, manter uma fachada fria foi impossível. Quando apertaram as mãos, ela sentiu a eletricidade do Espírito Santo fluindo entre eles! Conhecê-lo ao longo dos dois dias seguintes a convenceu de que estava errada acerca das intenções dele.

Charles também fora designado para levar Frances de carro ao encontro de jovens de sua igreja. Após a palestra, ele se ofereceu para levá-la ao seu compromisso seguinte — visitar seus amigos da Campus Crusade for Christ. Ele acabou indo com ela, e os dois ficaram acordados até tarde da noite, compartilhando com esses amigos histórias de Deus movendo-se entre o Seu povo. Quando Charles finalmente levou Frances de volta ao hotel, os dois estavam relutantes em terminar a noite. Então, sentaram-se no carro e continuaram a conversar, depois passaram mais uma hora orando pelas necessidades dos outros. Durante esse tempo, Charles deu a Frances quase vinte e sete de seus cartões de visita, para o caso de ela precisar entrar em contato com ele.[324]

Cartas de Amor Por Intermédio de Jesus

Assim que voltou à Flórida, Frances enviou a Charles uma carta de agradecimento por sua ajuda durante a viagem e pela doação que ele fizera ao seu ministério. No dia seguinte, ela se sentiu compelida a escrever-lhe outra carta, convidando-o para um culto de

"Festa para o Senhor" em sua igreja, na véspera do ano-novo. Assim começou uma dinâmica correspondência contínua entre Charles Hunter e Frances Gardner. Eles escreviam animadamente acerca de seu amor por Jesus Cristo, e de todas as coisas que Ele estava fazendo em suas vidas e por meio desse amor. Depois de algumas semanas, o foco das cartas mudou para uma crescente admiração e amor entre ambos.

Suas correspondências eram repletas de profissões de fé de que Deus estava no controle de seus destinos, porque eles haviam rendido suas vidas inteiras a Ele. Charles começou a falar com fé acerca dos planos de Deus para eles desde o início, escrevendo: "Eu sei que Deus tem um propósito bem definido para sua chegada em minha vida, e estou muito feliz e ficarei aguardando, pronto para correr com Ele quando Ele disser 'vá'!"[325] Quando eles estavam refletindo sobre sua missão em comum de levar outros a Jesus, Charles escreveu: "Você 'entusiasma' as pessoas e faz com que elas aceitem a Cristo. Eu 'entusiasmo' as pessoas e as pressiono constantemente por nada menos do que o compromisso TOTAL de suas vidas. Talvez Ele queira que eu a siga e fale adicionalmente àquelas sementes que caem em terra boa e rica, e [veja] suas vidas florescerem."[326]

A declaração de Charles se comprovou profética, porque, nas décadas que se seguiram, o que ele havia imaginado foi exatamente o que viria a acontecer. Os dois ministrariam juntos, com Frances abrindo o caminho compartilhando o plano da salvação e falando acerca do poder do Espírito Santo, enquanto Charles falava depois dela, ajudando os que criam a receberem o batismo no Espírito Santo. Foi uma combinação ministerial feita no céu!

Um Minuto Após a Meia-noite

Depois de seis semanas de correspondência, era óbvio para Frances e Charles que eles estavam apaixonados e queriam se casar. Mas seu primeiro desejo era glorificar o Senhor, então eles continuaram a orar por Sua orientação. Com o calendário ministerial de Frances lotado, durante dois anos não haveria fim de semana disponível para um casamento; e, uma vez que ela e Charles eram dedicados a manter Deus em primeiro lugar em tudo, nenhum deles queria que ela cancelasse um compromisso. O que fazer?

Certa noite, em meados de dezembro, apenas dez dias antes da chegada programada de Charles à Flórida para a visita de Natal, Frances clamou ao Senhor: "Deus, eu não sei quando Charles e eu poderemos nos casar, mas *Tu* o sabes; então, vou Te pedir para revelá-lo a mim e confirmar a Charles exatamente quando devemos nos casar!"[327]

Em poucos dias, Deus falou ao coração de Frances: "O ano de 1969 foi de Jeanne, 1970 é seu — comece-o logo no primeiro minuto, na Festa para o Senhor."[328] Frances ficou atordoada, porque recebeu essa mensagem no dia 19 de dezembro — apenas onze dias antes de sua data do casamento, segundo o Senhor — e Charles ainda não sabia!

Frances escreveu a ele imediatamente, explicando que Deus lhe dera a data, então agora ele precisava pedir uma confirmação. Poucos dias antes, ela havia escrito estas palavras: "O bom senso me diz que coisas como esta simplesmente não acontecem. Elas não funcionam. É impossível e, mesmo assim, nunca tive mais certeza de qualquer coisa em minha vida do que tenho acerca da mão de Deus em nosso relacionamento."[329]

Logo, Charles telefonou para Frances e leu para ela um trecho de uma carta que ele havia escrito, dizendo: "Sinto-me totalmente confiante de que sua resposta é também a mesma data exata e horário exato, por isso meu coração está quase saltando para fora do meu peito! Será na Festa para o Senhor, na véspera do ano-novo, à meia-noite — para iniciar o fabuloso ano de 1970."[330] Eles se maravilharam com a fidelidade de Deus e planejaram seu casamento com empolgação.

Charles e Frances cortam seu bolo de casamento no dia 1º de janeiro de 1970

A despeito de certa dificuldade na obtenção de uma licença de casamento em tão pouco tempo, a cerimônia correu conforme planejado. Frances se trocou, colocando um vestido de noiva, logo após a Festa para o Senhor. E assim nasceu a dinâmica equipe ministerial de Charles e Frances Hunter! Poucas semanas antes do casamento, antes da confirmação de Deus, Charles havia escrito a Frances: "Nunca podemos olhar de modo egoísta para as nossas bênçãos quando o principal propósito [de Deus] em nos unir como parceiros é fazer uma colheita de almas para Ele e glorificá-lo por nosso serviço totalmente dedicado ao Senhor pelo resto de nossas vidas. UAU PARA DEUS!"[331] "Uau para Deus" é provavelmente o que Frances e Charles disseram quando o Senhor realmente os uniu como parceiros no ministério e no casamento.

A Vida Começa com Jesus

Deus aproximara Frances e Charles porque os dois o amavam e os dois se amavam. Mas nos primeiros meses de seu casamento, o amor e o ministério não se deram bem juntos. Frances viajou intensamente para ministrar sem Charles, o que era muito mais difícil para ele do que imaginara que seria, mesmo que ele tivesse a companhia da filha de Frances, Joan, com quem eles constituíram um lar em Houston.

Finalmente, Charles foi se distanciando cada vez mais de sua prática contábil para viajar com Frances quase em tempo integral. Quando era possível, Joan, que acabara de completar dezesseis anos, ia com eles. Charles tinha um amor de pai por Joan desde o início e a adotou legalmente como sua própria filha pouco depois de casar-se com Frances.

No início de seus dias de viagens juntos, Charles considerou seu trabalho como um silencioso apoio amoroso ao ministério de Frances. Em cada evento, ele a acompanhava até a plataforma e ficava atrás dela para orar enquanto ela pregava. Eles continuaram a escrever livros, por vezes juntos e, outras vezes, separadamente. O Senhor estava tocando milhares de vidas para Jesus, por isso eles ouviam crescentes relatos acerca de um tremendo mover do Espírito Santo varrendo a nação. Inicialmente assustados com um movimento contra o qual haviam sido advertidos, eles evitavam as novas reuniões "carismáticas".

Cristãos bem-intencionados deram aos Hunters livros como *Eles Falam em Outras Línguas*, de John e Elizabeth Sherrill, e *Uma Nova Canção*, de Pat Boone. Às vezes, eles ficavam intrigados com a mensagem, outras vezes ficavam irritados; mas, em meio a tudo aquilo, o casal orava para que Deus lhe concedesse discernimento.

No início de 1971, os Hunters voaram a Pittsburgh para pregar durante vários dias. Em uma rara noite em que sua agenda estava vazia, eles participaram de uma reunião da Conferência Carismática na Primeira Igreja Presbiteriana, no centro de Pittsburgh, onde Kathryn Kuhlman ministrava ocasionalmente. Eles estavam curiosos acerca do culto carismático daquela noite, mas se sentaram no fundo da igreja "por via das dúvidas", caso precisassem sair rapidamente do local.

Desde o início, Frances observou como os louvores eram diferentes de qualquer coisa que ela já ouvira. Enquanto a congregação cantava "Amazing Grace", Frances pensou: *Eles não cantam como cantamos em nossa igreja*. De repente, a congregação começou a cantar uma bela harmonia de sons em línguas. Assustada, Frances se virou para Charles e perguntou: "O que é isso? Seja o que for, certamente é bonito, não é?"[332] Enquanto o pastor presbiteriano falava, Frances estava certa de que nunca ouvira tanto poder em uma mensagem. Mas quando houve uma chamada do altar àqueles que queriam receber o batismo no Espírito Santo, Charles e Frances fugiram de lá e correram um quarteirão rua abaixo antes de pararem para falar acerca do que tinham acabado de testemunhar.[333]

A Unção de Kathryn Kuhlman

Na manhã seguinte à de sua visita à reunião carismática, os Hunters voltaram à Primeira Igreja Presbiteriana, dessa vez para participar de um culto de cura de Kathryn Kuhlman. Sua curiosidade acerca do poder do Espírito Santo de Deus estava crescendo. Ao se aproximarem da igreja, eles se depararam com uma multidão de pessoas fazendo fila do lado de fora à espera de um assento — e todos os assentos já estavam ocupados. Bem ao lado deles estava um homem segurando sua filha nos braços. Todo o corpo dela estava coberto de nódulos.

Pouco depois de sua chegada, um porteiro começou a chamar os nomes dos Hunters. A Srta. Kuhlman soubera que eles estavam do lado de fora e sabia que Frances era uma autora bem conhecida, por isso enviou alguém para acompanhá-los até os assentos reservados perto das primeiras filas. Charles e Frances estavam ansiosos por ver Deus se mover naquela igreja e gratos pelo Senhor haver proporcionado assentos com uma boa visão de tudo que estava acontecendo.

O louvor e a adoração na abertura do culto foram gloriosos. A Srta. Kuhlman saiu para a plataforma para cantar "Grandioso És Tu" com o coro e a congregação. A presença do Espírito Santo era forte no santuário. E então começaram os relatos de cura. A Srta. Kuhlman não impunha as mãos sobre os enfermos durante essas reuniões. Ela apenas esperava enquanto o Espírito de Deus se movia pelo auditório e curava várias pessoas. Ela as convidava a irem à frente, até a plataforma, para testemunharem acerca de como e quando Deus as curara.[334]

Kathryn Kuhlman fluía no dom do Espírito Santo denominado "palavra de conhecimento". Ela costumava apontar para uma parte do auditório onde acreditava estar ocorrendo uma cura. Poderia ser uma mulher cuja audição fora restaurada ou um homem que agora conseguia andar sem o aparelho ortopédico. Naquela manhã, a Srta. Kuhlman anunciou que uma menininha, com câncer e nódulos em todo o corpo, estava sendo curada pelo poder de Deus naquele momento. Para grande espanto e alegria dos Hunters, a menina que tinham visto do lado de fora da igreja veio saltitante pelo corredor, parecendo perfeitamente saudável, sem um único nódulo em seu corpo! Todos os presentes, incluindo os Hunters, começaram a louvar a Deus espontaneamente.

Essa foi também a primeira vez em que Charles e Frances viram alguém "sob o poder", uma experiência também denominada "cair no Espírito". Frequentemente, quando uma pessoa era tocada pelo Espírito Santo de Deus, ele caía para trás pelo poder da Sua presença. Muitos crentes o compararam ao incidente com Jesus e os guardas que vieram prendê-lo no jardim do Getsêmani. Quando os guardas perguntaram a Jesus o Seu nome e Ele respondeu: "Sou Eu", os guardas caíram de costas no chão em Sua presença (ver João 18:4-6).

Kathryn Kuhlman fluía no dom do Espírito Santo denominado "palavra de conhecimento". Ela costumava apontar para uma parte do auditório onde acreditava estar ocorrendo uma cura.

A atmosfera espiritual das reuniões de Kathryn Kuhlman era sempre tranquila e reverente. Kathryn afirmava que isso era por respeito ao Espírito Santo. Ela caminhava pela sala e as pessoas se levantavam quando ela passava. Para algumas, ela estendia a mão e simplesmente dizia: "Abençoe esta pessoa, Jesus" ou "Abençoa-o, Senhor", e aqueles indivíduos caíam suavemente no chão sob o poder do Espírito Santo de Deus. Enquanto eles ficavam ali deitados na presença do Senhor, muitos eram curados de doenças físicas, emocionais e mentais. Muitas pessoas caíam no Espírito quando se aproximavam da plataforma, ou mesmo no lugar em que estavam.

Isso ainda era uma coisa nova para os Hunters naquela época, e Frances permaneceu cética. *Bem, ela é uma mulher tão pequena; ela não vai me derrubar!* — pensou ela. Mas quando a Srta. Kuhlman se aproximou e pediu a Frances para entrar no corredor, ela simplesmente disse as palavras: "Jesus, abençoa a minha irmã", e Frances flutuou para o chão, envolvida pela presença do Espírito Santo. Anos mais tarde, Frances compartilhou: "Não sei se ela chegou a me tocar. Eu estava no chão e sentia o poder do Espírito Santo me inundando. Nunca mais questionei o poder do Espírito

Santo. Aquilo realmente mudou minha vida para sempre; é algo que mexe com você."[335]

Frances e Charles se tornaram amigos de Kathryn Kuhlman e ficaram envolvidos com seu ministério durante os cinco anos seguintes, até Kathryn morrer em 1976. Frances insistiu: "Nós vimos mais poder em seus cultos do que jamais vimos desde então. Era a escolha de Deus. Era o Seu poder e Ele o concedia como queria."[336]

Deus Ainda Busca por Nós!

Após sua primeira visita à Srta. Kuhlman, os Hunters ainda não entendiam muito acerca do batismo no Espírito Santo, mas, como disse Frances em meio a risos, "Deus ainda estava nos buscando".[337] No verão de 1971, os Hunters participaram da Convenção da Associação Internacional dos Livreiros Cristãos, em Denver. Seu estande ficava bem em frente ao de George Otis, autor de *High Adventure* (Grande Aventura), seu testemunho pessoal, e *You Shall Receive* (Vocês Receberão), um livro sobre o batismo no Espírito Santo. George estava cheio de entusiasmo e uma vibrante alegria no Senhor. Ele e Charles se deram bem imediatamente, porque tinham origens semelhantes. George fora um empresário bem-sucedido e gerente geral da Learjet quando se entregou a Cristo e deixou tudo para trás a fim de difundir o evangelho no mundo todo. Nesse período da década de 1970, ele foi um instrumento poderoso em conduzir muitas pessoas ao batismo no Espírito Santo, incluindo Pat e Shirley Boone.[338]

Algumas semanas mais tarde, viajando a Houston para pregar, George ficou na casa dos Hunters. Naquela época, Charles e Frances estavam convencidos de que o batismo no Espírito Santo era o próximo passo a darem em sua caminhada com Cristo. Eles só não sabiam como recebê-lo. Quando George foi embora, deu-lhes uma fita cassete de uma de suas ministrações de ensino. Os Hunters se deitaram naquela noite ouvindo as passagens do livro de Atos que descreviam o batismo no Espírito Santo.

Na gravação, quando George incentivava seus ouvintes a levantarem as mãos para receber, os Hunters levantaram as mãos e convidaram Jesus a batizá-los com o Espírito Santo. Eles não receberam suas línguas de oração naquela noite, mas logo no dia seguinte, em momentos diferentes, eles receberam com empolgação uma nova linguagem a ser usada para louvar ao seu Senhor.

O Fluir do Poder de Deus

A partir do momento em que os Hunters receberam o batismo no Espírito Santo, tudo mudou em seu ministério. Toda vez que impunham as mãos sobre alguém para orar ou falavam uma mensagem da Bíblia, eles sentiam o poder de Deus fluindo por meio deles, diferentemente de tudo que já haviam sentido antes.

Mas a primeira coisa que aconteceu não foi exatamente positiva. Após receber o batismo, eles telefonaram para George Otis, no Alasca, para dar-lhe a boa notícia. Embora George estivesse tão distante, a notícia se espalhou como fogo e, no dia seguinte, cristãos de todo o país estavam cientes de sua nova experiência. Um pastor da denominação Igreja de Deus (não pentecostal) telefonou para perguntar a Frances se a notícia referente ao "batismo no Espírito Santo" era verdadeira. Quando ela admitiu que sim, ele cancelou seu próximo compromisso de pregação porque estava certo de que o "espírito errado" estaria presente na reunião. Antes de terminar a semana, todas as palestras dos Hunters em igrejas dessa denominação foram canceladas. No entanto, em seu lugar, Deus abriu aos Hunters uma porta larga para ministrarem o Seu poder a milhares de pessoas.

Charles e Frances estavam convencidos de que o batismo no Espírito Santo era o próximo passo a darem em sua caminhada com Cristo. Eles só não sabiam como recebê-lo.

Na década de 1960, Demos Shakarian, de Los Angeles, iniciara a Full Gospel Businessmen's Fellowship International — no Brasil, chamada de Associação de Homens de Negócio do Evangelho Pleno (ADHO-NEP), com capítulos em todo o país. Era uma organização que incentivava os homens a compartilharem sua fé e aprenderem mais acerca do mover de Deus na Terra nos dias de hoje. Havia grupos da ADHONEP em quase todas as cidades. Frances foi a primeira mulher a falar em uma reunião deles. O primeiro convite aos Hunters foi para falar em uma convenção da ADHONEP em Seattle, Washington, onde Frances fez um convite a todos que desejavam o batismo no Espírito Santo. Então, Charles ministrou o batismo aos que vieram à frente. Mais de quinhentas pessoas receberam o batismo naquela noite, e a notícia se espalhou rapidamente por toda a organização. Convites de capítulos da ADHONEP de todo o país chegavam à sede do ministério dos Hunters em Houston. Oportunidades empolgantes de compartilhar a mensagem de salvação, poder e cura de Deus se multiplicavam para eles.

O Poderoso Avivamento Carismático

Frances se referia ao dilúvio carismático do Espírito Santo como um avivamento "masculino", porque, diferentemente de muitos outros avivamentos e movimentos da igreja, ele não afetava primariamente as mulheres. Em vez disso, homens de todas as classes socioeconômicas estavam buscando o poder de Deus representado no Espírito Santo.[339] Homens estavam descobrindo que Jesus era o Homem mais poderoso do mundo e eles estavam submetendo suas vidas a Ele.

Todas as denominações foram tocadas por esse amplo movimento do Espírito de Deus. Todos, desde metodistas até católicos, estavam com fome do Espírito Santo de Deus! Em uma reunião interdenominacional em Wichita, Kansas, Charles pediu a todos os membros do clero que desejavam uma unção especial do Espírito Santo para virem à frente a fim de receber oração. Quase setenta e cinco pastores e suas esposas foram à frente, chorando e orando na expectativa de receberem um toque do Espírito de Deus. "Eles estavam ali

— metodistas, presbiterianos, nazarenos, irmãos, menonitas, assembleianos, quadrangulares, batistas, congregacionais, cristãos, amigos, pastores interdenominacionais e muitos outros —, todos querendo tudo que Deus tinha para eles. Foi um belo espetáculo ver cada pastor e sua esposa caírem sob o poder de Deus!"[340]

Para os Hunters, a beleza do movimento carismático estava também nos rostos e nas vidas dos jovens. A década de 1960 fora uma década desmoralizante para a nação, especialmente para os jovens. Procurando por respostas, muitos foram levados ao batismo no Espírito Santo e ao poder de Deus, porque criam que isso poderia realmente transformar suas vidas. Eles se dirigiam em massa às reuniões e eram libertados da cultura das drogas e da rebelião que os rodeava, encontrando sua real esperança de transformação somente em Jesus Cristo.

Um jovem que participou de uma reunião liderada pelos Hunters foi, inicialmente, cínico acerca do "emocionalismo" à sua volta. Porém, quando viu diante de seus olhos um amigo íntimo ser curado de uma lesão nas costas, ele clamou ao Senhor para salvá-lo. Esse jovem aceitou a Cristo, caiu no Espírito e foi liberto de uma vida de drogas, álcool, crime e bruxaria ao estar na presença de Deus.

Radiante de alegria por fazer parte daquilo que Deus estava fazendo, Frances declarou:

> Isso é o que o Espírito Santo está fazendo hoje ao varrer o mundo! Ele está atraindo as pessoas a um verdadeiro relacionamento de amor com Jesus! E à medida que os corações estão se abrindo, Deus está derramando Seu Espírito cada vez mais. Estamos começando a cumprir o propósito para o qual fomos colocados nesta Terra — para termos comunhão com Deus! Estamos nos apaixonando por Jesus![341]

Marcados para a Cura

Mesmo antes de receber o batismo no Espírito Santo, Frances Hunter sabia ter sido marcada por Deus para a cura — tanto para ser

Frances Hunter sabia ter sido marcada por Deus para a cura — tanto para ser curada quanto para levar cura a outros, em nome de Jesus.

curada quanto para levar cura a outros, em nome de Jesus. Embora inicialmente ela frequentasse uma igreja que não cria que a cura divina ainda acontecia na atualidade, ela experimentou o poder de cura de Deus em seu próprio corpo várias vezes. Quando se rendeu a Jesus, no inverno de 1966, ela fazia um tratamento de doença de Addison, uma rara disfunção das glândulas endócrinas que afetara gravemente sua tireoide. Frances foi instruída a tomar uma grande dosagem de esteroides diariamente, pelo resto de sua vida. Não levar a sério o tratamento da doença poderia ser fatal.

Então, Frances aceitou Jesus Cristo como seu Salvador, e todo o seu mundo se transformou em um universo de oportunidades desafiadoras centradas em Deus. Em seu entusiasmo recém-descoberto, Frances simplesmente se esqueceu de tomar a medicação. Os sintomas da doença haviam desaparecido sem que ela percebesse! Isso pode parecer estranho para alguns, mas não para uma mulher que se movia pela vida tão intensamente quanto Frances Hunter. Seis meses mais tarde, ao perceber que havia se esquecido de seus remédios, sua primeira reação foi de pânico. Ela morreria? Silenciosamente, o Senhor falou ao espírito dela, dizendo: "*Eu cuidei da doença. Você está curada*!" Uma consulta médica confirmou que, sem sombra de dúvida, sua tireoide estava normal e seu corpo completamente livre da doença de Addison.[342]

A segunda e a terceira curas de Frances vieram nos dois anos seguintes. Ela estava tendo problemas com o olho direito, que era o seu olho "bom". Quando ela começou a ver as coisas embaçadas, seu oftalmologista insistiu em que, sem cirurgia, ela ficaria cega daquele olho. Mas se ele fizesse a cirurgia, os dois olhos seriam afetados e ela ficaria sem ver durante dois meses ao longo do processo de recuperação. O medo brotou em Frances e ela clamou ao Senhor para tocá-la com Sua mão de cura. Certo dia, enquanto Frances estava sentada no salão de beleza, Jesus fez exatamente isso. Ela fechou os olhos durante um momento e acordou sem qualquer problema na visão. Frances nunca voltou a ter problemas com aquele olho.[343]

Frances foi curada pela terceira vez um ano mais tarde, quando quebrou o pé assistindo a um show de Gene Cotton em Nova York. Gene era um jovem amigo cristão e Frances o estava ajudando a gerenciar sua nova carreira musical. O hospital de Nova York identificou que seu pé estava quebrado em três lugares. Com dor, mas recusando tratamento, Frances insistiu em voltar à Flórida para consultar seu médico particular. Enquanto ela e Gene se dirigiam rapidamente ao aeroporto para pegar o voo do fim da noite, ela clamou ao Senhor por cura. Quando Frances entrou no avião, Gene percebeu que ela estava mancando com o pé errado. "A dor se foi", respondeu Frances. Uma visita ao hospital local na manhã seguinte revelou que seu pé não estava quebrado.[344] A igreja que Frances frequentava na época podia não acreditar em cura divina, mas ela se tornara uma crente firme nessa verdade!

Sinais e Maravilhas se Seguirão

"Fé é muito mais saber que você ouviu Deus corretamente do que apenas crer em milagres."[345] Os Hunters estavam certos de que Deus lhes falara acerca de cura para as multidões. Desde aquele primeiro culto de milagres de que participaram com o pastor Bob Lewis em El Paso, Texas, até seus últimos dias na Terra, os Hunters creram que Deus lhes falara uma palavra de cura.

Eles sabiam que, nos ministérios de cura anteriores, as pessoas buscavam pessoas especiais que tinham a unção de cura, como Oral Roberts e Kathryn Kuhlman. Mas quando os Hunters receberam o batismo no Espírito Santo, Marcos 16:17-18 se tornou uma parte central de seu ministério:

> *Estes sinais acompanharão os que crerem: em meu nome expulsarão demônios; falarão novas línguas; pegarão em ser-*

pentes; e, se beberem algum veneno mortal, não lhes fará mal nenhum; imporão as mãos sobre os doentes, e estes ficarão curados.

Essa era uma palavra para crentes comuns, incentivando-os a confiarem no poder de cura de Jesus Cristo. Os sinais do ministério de Jesus os seguiriam.

Muitos milagres de cura seguiram os Hunters ao longo dos anos e tocaram muitas pessoas, incluindo um homem chamado "Stoney" Henry. Quando conheceu os Hunters, ele tinha um tumor maligno na bexiga que os médicos haviam tentado combater com quimioterapia. O tumor tinha progredido do estágio um para o estágio dois, e não havia sinais de remissão. Stoney leu os testemunhos de outros que haviam sido milagrosamente curados de câncer e de outras doenças. Ele foi convidado a participar de uma reunião da ADHONEP para ver o que Deus podia fazer, e Charles e Frances Hunter foram os oradores naquela reunião específica.

Após pregar acerca do poder de Deus de salvar, batizar e curar, Charles convidou as pessoas a irem à frente para receber oração em qualquer uma dessas áreas. Stoney foi à frente, é claro — ele precisava de oração por tudo aquilo! Sem a certeza de ter sido salvo, ele entregou seu coração a Cristo. Quando Charles e Frances impuseram as mãos sobre ele, ele recebeu o batismo no Espírito Santo com uma nova língua que fluía lindamente. Eles lhe impuseram as mãos novamente e repreenderam o câncer, em nome de Jesus. Stoney saiu da reunião com grande alegria, crendo que, para Deus, todas as coisas são possíveis. Duas idas ao Anderson Hospital, em Houston, ao longo dos três meses seguintes confirmaram o poder do Espírito Santo naquela noite — Stoney fora totalmente curado![346]

Milagres e Mais Milagres

Perto do fim de um culto de milagres em uma igreja do Evangelho Quadrangular no centro-oeste, Frances caminhou até uma mulher sentada em uma cadeira de rodas, orou por sua cura e, em seguida, impôs as mãos sobre ela e disse simplesmente: "Jesus, abençoa esta mulher!" Quando se virou para continuar andando, Frances ouviu a congregação exclamar de surpresa. A mulher, incapacitada por uma artrite reumatoide durante doze anos, levantou-se da cadeira de rodas e começou a andar. Vários meses depois, os Hunters telefonaram para a mulher e ela lhes disse: "Tudo que eu vi foi Jesus me dizendo para levantar-me, e eu não estava disposta a desobedecer a Ele!" Ela fora totalmente curada![347]

A mulher, incapacitada por uma artrite reumatoide durante doze anos, levantou-se da cadeira de rodas e começou a andar.

Os Hunters tinham acabado de realizar uma cerimônia de casamento no Melodyland Christian Center, em Anaheim, Califórnia, quando notaram uma adolescente que mancava. Uma de suas pernas era curvada e rígida. Quando Charles lhe perguntou o que estava errado, ela respondeu: "Eu nasci assim. Os tendões da minha perna não cresceram corretamente." Os Hunters tinham poucos minutos para chegar ao seu próximo seminário, mas impuseram as

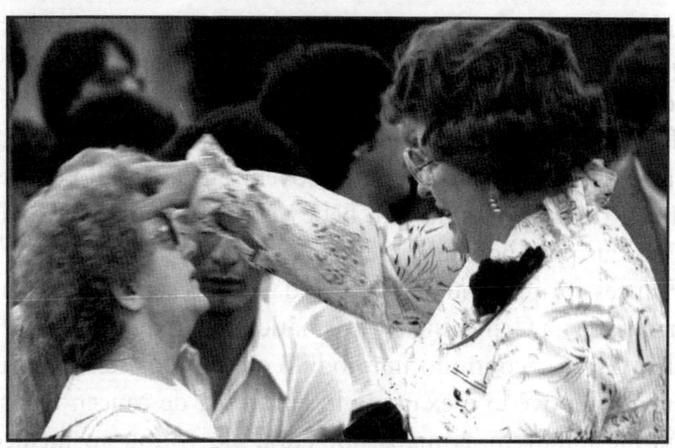

Frances Hunter ministra cura

mãos sobre a menina e disseram: "Jesus, toque esta menina." Então, saíram para a reunião.

Pouco tempo depois, eles estavam em outra reunião na Califórnia quando Mike Esses, um dos pastores associados da igreja de Melodyland, aproximou-se do microfone e compartilhou a boa notícia do poder de cura de Deus na vida daquela garota, dizendo: "Eu sou professor de escola dominical dessa jovem. Foi uma cura instantânea e total, e sua perna está normal."[348]

Quando estavam a caminho para ministrarem em um culto da ADHONEP, em Atlanta, Georgia, Charles e Frances estavam lendo passagens da Bíblia acerca de cura. Frances leu, no nono capítulo de Marcos, acerca da cura de um menino possuído por um "espírito mudo e surdo" (Marcos 9:25). Eles logo perceberam que Deus estava preparando seus corações para a reunião, porque a terceira pessoa que foi à frente para receber cura naquele dia era um homem de trinta e cinco anos, surdo-mudo. Ele trabalhava em uma empresa de engenharia e fora convidado para ir à reunião pelo chefe.

Impondo as mãos sobre ele, Frances repetiu as palavras de Jesus, dizendo: "Espírito mudo e surdo, eu ordeno que o deixe, em nome de Jesus" (ver Marcos 9:25). O homem continuou apontando para suas orelhas e olhando para Frances. Ela sussurrou em seu ouvido: "Louvado seja o Senhor!" Lentamente, ele falou as primeiras palavras de sua vida — "Louvado" e "Amém" — com uma voz arrastada, mas com um enorme sorriso no rosto! Todos perceberam que aquele homem teria de aprender a falar, mas certamente ele era capaz de ouvir. Lágrimas rolaram!

Três semanas depois, os Hunters receberam uma carta do chefe daquele homem, relatando que o jovem ouvia o rádio constantemente e "tagarelava como um bebê" enquanto aprendia a falar. Glória a Deus por Sua fidelidade!

Frances foi profundamente tocada pelo testemunho de uma mulher, curada na Conferência Carismática de Pittsburgh, em 1973. A mulher havia encontrado um nódulo em um dos seios; seu médico queria removê-lo e examiná-lo em busca de câncer. Após os Hunters lhe imporem as mãos por cura, ela voltou ao médico e descobriu que todos os sinais do nódulo tinham desaparecido! Ele insistiu em fazer radiografias para ter certeza, e elas confirmaram que ela estava completamente curada. A mulher compartilhou alegremente: "A coisa que talvez tenha me tocado mais é que Jesus teve tempo para mim naquela noite movimentada, quando centenas se aglomeravam em busca de cura. Aquilo foi, para mim, uma certeza necessária de que sou valiosa para Ele, e eu o louvo e agradeço por esse fato surpreendente."[349]

Cobrindo o Planeta com Cura

No início de 1980, Frances teve uma visão do mundo com faixas de ouro líquido correndo sobre ele. Pessoas de todas as nações estavam de pé sobre as faixas de ouro em toda a Terra. Ela compartilhou sua visão com Charles e ficou claro para eles que o Senhor estava lhes dizendo para expandirem para o mundo a mensagem de salvação e cura por meio de Cristo. Mas em vez de se limitarem a impor as mãos pessoalmente sobre os enfermos onde quer que fossem, eles receberam uma comissão revolucionária para ensinar às nações como curar, para que os crentes pudessem impor suas mãos sobre os enfermos e vê-los recuperar-se. O Senhor os instruiu a se multiplicarem ensinando às massas.

Em vez de se limitarem a impor as mãos pessoalmente sobre os enfermos onde quer que fossem, os Hunters receberam uma comissão revolucionária para ensinar às nações como curar, para que os crentes pudessem impor suas mãos sobre os enfermos e vê-los recuperar-se.

Como eles alcançariam milhões de pessoas com a mensagem de cura de Deus? A tecnologia se tornou a resposta de Deus à sua necessidade. O advento das fitas de vídeo e do aparelho de videocassete possibilitou ensinar milhares de pessoas a quem os Hunters nunca conheceriam pessoalmente. Charles e Frances criaram uma série em vídeo intitulada *Curando os Enfermos*, e compartilharam tudo que o Senhor lhes havia revelado acerca de cura ao longo da última década.

Havia dois ensinamentos fundamentais que os Hunters queriam transmitir. Primeiro — após um estudo minucioso dos Evangelhos, eles haviam descoberto que Jesus não orava e pedia ao Seu Pai para curar os enfermos. Em vez disso, Jesus tocava a pessoa enferma, falava uma palavra de cura ou ordenava que a doença fosse embora. A ouvidos surdos, Jesus disse: "Abra-se" (Marcos 7:34); ao leproso, Jesus o tocou e disse: "Seja purificado" (Marcos 1:41); ao homem com a mão atrofiada, Jesus disse: "Estenda a mão" (Lucas 6:10). Era o toque ou a palavra falada que trazia a cura.

O segundo ensinamento fundamental bíblico para curar que os Hunters descobriram era dizer às pessoas para fazerem algo que antes elas eram incapazes de fazer. "Levante-se, pegue a sua maca e ande" (Marcos 2: 9), disse Jesus ao paralítico curado. "Em nome de Jesus Cristo, o Nazareno, ande" (Atos 3:6) foi o comando de Pedro e João ao homem na porta Formosa. Os enfermos teriam de dar um passo de fé por si mesmos, e Aquele que cura os encontraria ali! Imediatamente após estar concluída e pronta para distribuição, a série de vídeos estava a caminho de França, Peru, Bolívia e vários países da África e da Ásia. E cultos de milagres se espalharam por todos os Estados Unidos e pelo exterior, à medida que equipes de cura eram treinadas em países ao redor do mundo.

Explosões de Cura

Como você chamaria uma reunião na qual milhares de pessoas iam à frente para serem batizadas no Espírito Santo e receber cura? Charles e Frances chamariam isso de uma "Explosão de Cura".

Em 1984, Russ Bixler, presidente da TV Cristã Canal 40, de Pittsburgh, Pensilvânia, convidou os Hunters a realizarem um seminário de cura que seria transmitido pela televisão, seguido por um culto de milagres no grande complexo desportivo então conhecido como Civic Arena, no centro de Pittsburgh. Com sua capacidade para mais de dez mil pessoas sentadas, a arena era um local muito maior do que qualquer outro em que os Hunters haviam ministrado. Deus estava abrindo ainda mais as portas para que Suas mensagens fossem compartilhadas!

Essa era a oportunidade perfeita para colocar em prática os ensinamentos de *Curando os Enfermos*. Charles e Frances não queriam que o culto de milagres se focasse neles, mas em Jesus Cristo e Seu Espírito Santo. Os Hunters divulgaram às igrejas da região de Pittsburgh uma chamada aos fiéis que quisessem ser treinados para curar enfermos. Após assistir aos vídeos, os participantes receberiam três dias de ministração pessoal dos Hunters. Durante o culto de milagres, os Hunters estariam transmitindo o ministério de cura a crentes comuns, que tinham o mesmo poder do Espírito Santo habitando em seu interior! Inicialmente, Frances imaginara uma equipe de cura de cento e vinte pessoas; porém, mais de mil cristãos se voluntariaram para o treinamento. Havia um tremendo desejo de ver o poder de Deus se mover entre os enfermos e curá-los.

Após o tempo de louvor e adoração, Frances abriu o culto com a mensagem do evangelho da salvação em Jesus Cristo. Ninguém sairia da arena sem uma oportunidade de render-se a um Cristo vivo e amoroso. Depois, Charles ministrou o batismo no Espírito Santo aos que desejavam receber de Deus esse dom de poder. Mais de cinco mil pessoas foram à frente para receber; a maioria falava em outras línguas e glorificava a Deus em sua nova linguagem de oração.

Por fim, as equipes de cura se dirigiram à frente da arena, onde se encontrariam com qualquer pessoa que quisesse receber oração para receber cura. Dezenas de pessoas deram testemunhos de curas — ouvidos surdos foram abertos, olhos cegos repentinamente conseguiam ver, coxos andavam. Médicos estavam presentes, juntamente com as equipes de cura, para certificarem que as curas haviam acontecido de fato.[350] A multidão saiu maravilhada da arena. A mensagem do amor e do poder de Deus que acabaram de ouvir não permaneceria limitada pelas paredes da arena. Essa mensagem seria levada adiante nos lábios de pessoas que haviam sentido a presença do Senhor e acreditado no que a Palavra diz acerca de Jesus Cristo ter vindo para dar-lhes uma vida abundante (ver João 10:10).

Uma Verdadeira Explosão

Charles em uma Explosão de Cura internacional

Durante cinco anos, por meio de mais de cento e cinquenta Explosões de Cura, Deus se moveu em Seu surpreendente poder à medida que os Hunters se rendiam à Sua vontade. Algumas das maiores arenas dos Estados Unidos ficaram cheias de alegres crentes que buscavam o amor e o poder de Deus em suas vidas. Milhares responderam tornando-se parte das equipes de cura — crentes prontos para serem exatamente como os primeiros discípulos de Jesus, que foram enviados aos pares e viam o poder de Deus se movendo por meio de suas próprias mãos.

As Explosões de Cura foram realizadas também em outros países, com multidões de quarenta a sessenta mil pessoas em países como Peru, Filipinas, Colômbia e África do Sul. Em cada uma dessas nações, devido à necessidade de Deus ser ainda maior e a crença em Seu poder, ainda mais forte do que nos Estados Unidos, ainda mais milagres aconteceram. Frances falou frequentemente acerca da Explosão de Cura na cidade de Bogotá, na Colômbia, onde eles viram mais cadeiras de rodas do que jamais haviam visto. Enquanto as equipes de cura saíam para orar, Frances olhava para as necessidades prementes e pensava: *Deus, se Tu não estiveres nisso, estamos*

Frances em uma Explosão de Cura internacional

perdidos! Mas Deus estava naquilo e, naquele dia, mais de cem pessoas saíram de suas cadeiras de rodas ou deixaram cair suas muletas e foram embora andando curadas.[351]

No fim da década de 1980, Charles e Frances Hunter ministraram o batismo no Espírito Santo a mais pessoas do que qualquer outro havia ministrado antes — ou ministrou depois.[352] Eles nunca realizaram uma reunião sem dar aos crentes sedentos uma oportunidade de se renderem totalmente ao Espírito do Deus vivo.

Censo Evangelístico Mundial

No início da década de 1990, Charles e Frances já estavam na casa dos setenta anos, e a tensão das viagens internacionais estava impondo seu preço. Quando eles oraram ao Senhor acerca da próxima fase de seu ministério, Charles recebeu uma resposta incomum de Deus: "Façam um censo mundial."[353] Os Hunters ficaram intrigados e incertos do que exatamente o Senhor lhes estava pedindo para fazer.

Algumas semanas mais tarde, Deus falou a Frances em seu tempo de oração devocional, orientando-a a voltar a Honduras e organizar um evento em que as igrejas da região compartilhariam o evangelho com cada um dos cidadãos da nação durante um período de duas semanas. Charles era um homem muito metódico, então, para dar conta da tarefa, ele usou o formato básico do Censo dos Estados Unidos para dividir a nação de Honduras em diferentes seções e, em seguida, em segmentos ainda menores. Cada equipe de duas pessoas seria responsável por trinta e cinco casas para visitar e compartilhar o evangelho do Senhor Jesus Cristo. Quem sabe quantas pessoas professariam sua fé em Cristo após ouvir a Palavra?

Ao fim de duas semanas, mais de dois milhões dos cinco milhões de cidadãos de Honduras haviam feito uma profissão de fé em Jesus! Cada novo cristão foi convidado a participar de um grupo de células da igreja, onde poderia aprender mais acerca de Deus e crescer na fé. Igrejas de todo o país também apresentaram um surpreendente crescimento nos anos seguintes.

O sucesso do censo em Honduras, porém, não foi igualado nos Estados Unidos. Quando os Hunters tentaram executar o plano nesse país, em 1992, o tamanho da nação era tal que os fundos eram insuficientes para cobrir os custos do evangelismo em grande escala, e eles acabaram fazendo dívidas e pouco progresso. Embora o plano não tivesse funcionado como esperado, o casal entregou suas dificuldades financeiras ao Senhor e Ele trouxe o acréscimo necessário para honrá-las. Destemidos, eles continuaram a buscar o Senhor para receberem novos meios de compartilhar o evangelho.

Uma Nova Ferramenta de Testemunho

Os Hunters nunca estiveram prontos para se aposentar, e Deus nunca deixou de dar-lhes novas ideias acerca de novos meios para alcançar os perdidos. No fim da década de 1990, alguém — que depois os Hunters acreditaram ser um anjo — compartilhou com eles uma surpreendente ferramenta de testemunho. Aquele irmão cristão se aproximava de alguém em sua rotina diária — uma balconista em uma loja, por exemplo — e dizia: "Posso fazer-lhe uma pergunta?" Se recebesse uma resposta afirmativa, ele prosseguia e dizia algo como: "Você sabia que existem dois tipos de balconistas — os salvos e os que estão prestes a ser salvos? Qual deles é você?" O resultado era uma confissão de que a pessoa já era salva ou que, talvez, estava prestes a sê-lo. Se a pessoa admitia estar no último grupo — os que estavam prestes a ser salvos —, ouvia a pergunta se queria aceitar Cristo como seu Senhor e Salvador. Se sua resposta fosse afirmativa, ela era convidada a fazer uma oração de conversão ao Senhor e, em seguida, a visitar uma igreja local ou encontrar um lugar de comunhão cristã para crescer na fé.

Os Hunters viram nessa técnica uma grande vantagem. Assim que ouviu falar acerca dessa revolucionária ferramenta de testemunho, Frances começou a usá-la. Com sua maneira carinhosa e franca, ela fazia as perguntas a todos que encontrava, e muitas pessoas responderam que queriam conhecer a Cristo. Aconteceu vezes seguidas! Animada, ela e Charles escreveram um livreto chamado

There Are Two Kinds of... (Há Dois Tipos de...), que foi traduzido para vários idiomas e distribuído no mundo todo para seus amigos cristãos internacionais e outros ministérios.

Os Hunters haviam sido fundamentais para a salvação de muito mais de 200 milhões de crentes no mundo todo.

Nas Filipinas, uma rede de pastores usou a nova ferramenta de testemunho e as diretrizes do Censo Mundial para testemunhar a toda a população das Ilhas Filipinas. Dezenas de milhares de pessoas aceitaram o Senhor e foram acolhidas em igrejas de todas as denominações em todo o arquipélago. Em 2000, crentes de uma centena de países estavam seguindo o plano dos Hunters para alcançar suas nações inteiras para Jesus. Quando o número de pessoas que se tornaram salvas foi relatado, elas cresceram de dezenas de milhares para mais de milhões! Aquele era um plano para alcançar os perdidos do mundo com uma visita pessoal a cada familiar, que eles acreditavam ser muito mais eficaz do que a tecnologia de maneira isolada. O Censo Evangelístico Mundial estava em operação! Os Hunters louvaram muito a Deus por Sua orientação sobrenatural!

Relatou-se que, até 2009, mais de um bilhão de pessoas haviam recebido a salvação por meio do Censo Evangelístico Mundial.[354] Quando os críticos questionaram a enorme quantidade relatada de profissões de fé, a equipe ministerial dos Hunters buscou confirmação na Palavra de Deus. Na parábola do semeador (ver Mateus 13:19-23), a semente da Palavra de Deus foi semeada em muitos diferentes tipos de solo. Um quarto das pessoas que receberam a Palavra eram "solo fértil", que abraçavam a Palavra e se tornavam cristãos saudáveis e vibrantes. Com base apenas nesses números, concluiu-se que os Hunters haviam sido fundamentais para a salvação de muito mais de 200 milhões de crentes no mundo todo.

Desde o início, ganhar almas estava no centro da caminhada cristã de Charles e Frances. Enquanto eles caminhavam para o fim de seu tempo na Terra, "Deus foi capaz de usá-los para ganhar milhões de almas porque *eles foram fiéis para ganhar uma*".[355]

Os Anos Finais

No dia 2 de outubro de 2004, o estádio Houston Astrodome explodiu em louvor e adoração ao começar a 172ª Explosão de Cura. Ela foi a concretização de uma visão que Frances tivera anos antes, de que, algum dia, ela e Charles ministrariam no estádio de sua cidade. Frances tinha oitenta e oito anos de idade e Charles, oitenta e quatro. E a visão se cumpriu na hora certa, porque aquele seria o evento final no Astrodome antes que ele fosse fechado para reforma.

Charles e Frances Hunter ministram no Astrodome

Cheia de alegria, Frances pegou o microfone, como fizera tantas vezes antes, e louvou a Deus pela oportunidade de honrá-lo mais uma vez com outros crentes em Cristo. Ela garantiu às pessoas presentes que era desejo de Jesus batizar os crentes com o poder do Espírito Santo. Lentamente, Charles se juntou a ela no microfone. Ele orou, como fizera inúmeras vezes antes, por todos os que tinham ido ali buscando ser cheios do Espírito Santo. Ele encorajou os membros da congregação a pedirem a Jesus para batizá-los no Espírito, do mesmo modo como haviam pedido a Ele para salvá-los de seus pecados. Milhares oraram para receber o batismo no Espírito Santo. Então, Frances clamou ao Senhor para que se movesse fielmente entre eles com o Seu poder de cura, e membros da equipe de cura de todas as partes do estádio foram à frente para ministrar aos necessitados. Curas foram relatadas naquele dia e durante semanas depois, e o nome do Senhor foi glorificado.

Nunca Termina Totalmente

Dois anos mais tarde, quando Frances havia completado seu aniversário de 90 anos, o Senhor se moveu em seu coração mais uma vez. Frances creu que eles deveriam estabelecer um Dia Nacional de Cura, quando igrejas de todas as denominações que desejassem participar poderiam abrir suas portas simultaneamente para os enfermos receberem cura. A data escolhida por eles foi 28 de outubro de 2006. Nos meses que antecederam o evento, os Hunters pediram a amigos e a outros ministérios para divulgar a notícia, incluindo emissoras de televisão e revistas cristãs. Eles distribuíram materiais acerca do poder de Deus para curar a todas as igrejas que o solicitaram.

O prefeito de Houston declarou que o dia seria chamado de "Dia Charles e Frances Hunter", e Frances passou vinte minutos ao telefone recebendo um elogio da Casa Branca e do então presidente George W. Bush por planejar o Dia de Cura. Ministérios de outras nações telefonavam para a sede do ministério dos Hunters e perguntavam se poderiam unir-se a esse momento de oração por cura.

Em 28 de outubro, linhas telefônicas foram abertas para receber os relatos de cura que começaram a chegar de todo o

Charles e Frances com membros de sua família na Explosão de Cura

país. Um homem do Texas foi curado em sua cadeira de rodas e começou a andar. Alguém de New Jersey tinha um tumor no pulso e ele desapareceu. Um piloto de helicóptero que havia sido ferido em um acidente há quatro anos foi curado, salvo e cheio do Espírito Santo naquela tarde.[356]

Os Hunters comemoraram um vitorioso dia de cura, salvação e glória a um Deus que estava se movendo entre o Seu povo. Quando o dia chegou ao fim, Frances declarou que o próximo Dia de Cura seria quase um ano depois, em 22 de setembro de 2007. Mas, dessa vez, ele seria chamado de "Dia Mundial da Cura" e incluiria irmãos e irmãs em Cristo do mundo todo. Não havia tarefa grande demais para Deus, então não havia nada impossível na imaginação dessa mulher que o servia. Como outros observaram, "Frances era uma das poucas pessoas com mais de noventa anos de idade que continuava a fazer planos para um futuro imprevisível."[357] Sua filha Joan Hunter continua a liderar esse evento atualmente.

Uma Entrevista Pessoal

Tive o prazer de entrevistar Frances quando ela tinha 90 anos de vida. Ela ainda era uma "bola de fogo" que compartilhava com incrível clareza as verdades que havia aprendido enquanto trabalhava para fazer avançar o Reino de Deus. Durante nosso tempo juntos, Frances relatou muitas das histórias que compartilhei com você, leitor. Ela tinha uma compreensão incomumente clara do propósito de Deus em seu ministério e me contou suas convicções mais profundas:

> Deus me chamou para ser uma exortadora. Nunca esqueci minha vocação. Se estou nos Estados Unidos ou no exterior, lembro ao povo que Jesus é o Homem mais empolgante que já viveu. Até hoje, aos noventa anos de idade, eu acho que essa é a minha maior unção. Também fui chamada para falar sobre cura, sim, mas levar pessoas a saberem que Jesus está vivo e que Ele vive dentro de nós é minha unção maior. Quando aprendi a verdade de que Jesus vive dentro de mim, disse em

> voz alta para Ele: "Eu fechei a porta e a tranquei, Jesus; agora, você nunca poderá sair!" Desde que eu fui salva nunca quis algo que não fosse Jesus. Em um único segundo, perdi todo o interesse pelo mundo![358]

Enquanto conversávamos, Frances observou que sua visão de caminhar com Cristo era praticamente igual à de quarenta anos antes:

> A vida cristã é a vida mais empolgante do mundo. Há apenas duas coisas que você precisa fazer. Número um, fazer o que Deus lhe diz para fazer. Número dois, não fazer o que Ele lhe diz para não fazer. Ora, esse é todo o segredo. É simples assim.
>
> Para mim, viver a vida cristã não é um monte de altos e baixos. Penso ser necessária uma entrega total a Jesus e que nada mais importe. Charles e eu não *conversamos* acerca de qualquer outra coisa; nós não *fazemos* qualquer outra coisa; e, desde que fui salva, nunca *tive* qualquer outra coisa.[359]

Os Felizes Hunters

Como Charles e Frances vieram a ser conhecidos como os "Felizes Hunters"? Certa vez, Frances explicou assim: "Charles e eu estamos sempre felizes e entusiasmados porque encontramos o segredo da vida. O SEGREDO DA VIDA É *DAR*. Nós demos nossas vidas inteiras a Deus, nós DAMOS um ao outro, DAMOS às pessoas com quem partilhamos nossa fé, estamos constantemente dando de nós mesmos de algum modo, por isso, estamos SEMPRE felizes."[360] Uma atitude de doação lhes permitiu compartilhar sua fé como fizeram, e também lhes deu um casamento feliz e gratificante.

"Penso que tivemos a vida mais equilibrada do mundo", compartilhou Frances comigo durante a entrevista. "Charles e eu tivemos um casamento incrível. Um casamento cheio de amor, amor, amor. Até hoje, Charles me diz muitas vezes por dia que me ama."

Os Felizes Hunters

Quando Charles pediu Frances em casamento em dezembro de 1969, sua resposta foi extraída da Palavra de Deus: "Aonde fores irei, onde ficares ficarei! O teu povo será o meu povo e o teu Deus será o meu Deus" (Rute 1:16).

Os anos passavam rápido e, em 2006, após Charles ser submetido a uma cirurgia da coluna, os médicos o colocaram em um hospital de reabilitação. Frances riu ao me dizer: "Então, eu me instalei naquele hospital. Ele não fica sem mim, de modo algum. Onde ele se hospeda, eu me hospedo!" Quando eles colocaram Charles em uma casa de repouso, Frances se mudou com ele. "Eu não me importo", ela exclamou. "Onde quer que ele se hospede, eu me hospedarei." Ela continuou: "Penso que é incrível eu ter noventa anos de idade. Nós somos as pessoas mais velhas do lar de idosos e, ainda assim, somos as mais jovens, porque somos os únicos aqui que ainda trabalham! Ninguém mais tem um propósito na vida; nós ainda temos um propósito — divulgar o evangelho de Jesus Cristo!"[361]

O Legado dos Hunters

Preciosa é aos olhos do Senhor a morte dos seus santos.

Salmos 116:15, ARA

Em uma manhã de terça-feira, 14 de julho de 2009, Frances Eileen Hunter foi para o céu. Ela finalmente encontrou face a face o Jesus a quem amava. Seu coração generoso e compassivo simplesmente se desgastou aos noventa e três anos. Até os últimos dias de sua vida, ela se sentou em sua escrivaninha, e chegou inclusive a planejar o próximo Dia Mundial de Cura para setembro de 2009.

Ao longo dos anos, sua filha, Joan Hunter Murrell, frequentemente trabalhara ao lado dos pais no ministério. Ela também estabeleceu seu próprio ministério evangelístico de cura e passou um bom tempo ministrando no exterior. Com a morte de sua mãe, Joan se tornou a líder dos Ministérios Hunter, no Texas. Frances e Charles se agradavam muito de Joan ter um poderoso chamado de Deus em sua própria vida e tinham um desejo genuíno de apoiá-la, e também à próxima geração de ministros. "Você tem de dar espaço à geração mais jovem", comentou Frances comigo. "Fred Price Jr., Joel Osteen, Matthew Hagee, Gordon Robertson, minha filha Joan. Deus está se movendo por meio da próxima geração como sempre fez, como foi com Elias e Eliseu. Nós temos de dar espaço a eles."

Em 22 de junho de 2010, onze meses após Frances partir com Jesus, Charles morreu pacificamente enquanto dormia. Nunca distante de Frances em seus quase quarenta anos de casamento e ministério juntos, Charles estava pronto para se juntar à sua amada no céu.

Embora os membros da família e a comunidade cristã lamentassem o falecimento desses dois santos dinâmicos, eles se alegravam por estarem junto ao Senhor. Eles deixaram para Jesus um legado inigualável em seu impacto sobre o mundo. Logo após seu casamento, Charles havia escrito uma carta a Frances em que declarava: "Você e eu... [somos] um em Cristo, e um feito de dois levados a um só espírito, um só corpo e uma só alma, direta e inteiramente por Deus; e assim, atuando como 'um', serviremos a Deus e anunciaremos Cristo Jesus todos os dias para o resto de nossas vidas juntos."[362] E foi exatamente isso o que eles fizeram.

"Deus disse, nós cremos, e isso encerra o assunto!" Muitas vezes em seu ministério, essa declaração foi repetida por Charles e

Frances Hunter, dois crentes comuns que tinham uma fé inabalável em um Deus extraordinário. No início de sua caminhada com Ele, os Hunters não tinham ideia de que Ele os usaria para levar Sua mensagem de salvação, de poder do Espírito Santo e de cura aos quatro cantos da Terra. E por que Ele os usaria? Porque eles haviam sido marcados por Deus para os Seus propósitos.

CAPÍTULO CINCO

NOTAS FINAIS

[306] Charles e Frances Hunter, *Since Jesus Passed By* (Kingwood, TX: Hunter Books, 1973), 26.
[307] Hunter e Hunter, *Since Jesus Passed By*, 41.
[308] Ibid.
[309] Frances Hunter, *God Is Fabulous* [ed. revisada.] (Kingwood, TX: Hunter Books, 1998), 101, 102.
[310] Frances Hunter, *God Is Fabulous*, 19.
[311] Ibid.
[312] Ibid., 30.
[313] Frances Hunter, entrevista com o autor, Houston, TX, 2006.
[314] Frances Hunter, *God Is Fabulous*, 63.
[315] Frances Hunter, entrevista com o autor.
[316] Frances Hunter, *God Is Fabulous*, 69.
[317] Frances Hunter, entrevista com o autor.
[318] Richard e Brenda Young, *Messengers of Healing* (New Kensington, PA: Whitaker
House, 2009), 79.
[319] Young and Young, Messengers, 55–61.
[320] Ibid., 62.
[321] Ibid., 63.
[322] Charles Hunter, *Follow Me*! (Kingwood, TX: Hunter Books, 1975), 42.
[323] Charles Hunter, *A Tribute to God* (Kingwood, TX: Hunter Books, n.d.), 46.
[324] Frances Hunter, *How to Pick a Perfect Husband or Wife* (Kingwood, TX: Hunter Books, 1973), 5.
[325] Frances Hunter, How to Pick, 21.
[326] Ibid., 32.
[327] Ibid., 141.
[328] Ibid., 142.
[329] Ibid., 132.
[330] Ibid., 144.
[331] Ibid., 115.
[332] Frances Hunter, entrevista com o autor.
[333] Ibid.
[334] Young e Young, *Messengers*, 110.
[335] Frances Hunter, entrevista com o autor.
[336] Ibid.
[337] Ibid.
[338] Ibid.
[339] Ibid.
[340] Hunter e Hunter, *Since Jesus Passed By*, 139–140.

[341] Ibid., 139.
[342] Young e Young, *Messengers*, 48–49.
[343] Ibid., 73.
[344] Ibid., 77–78.
[345] Charles Hunter, *Follow Me!*, 54.
[346] Hunter e Hunter, *Since Jesus Passed By*, 105–106.
[347] Ibid., 115.
[348] Ibid.
[349] Ibid., 136.
[350] Young e Young, *Messengers*, 146.
[351] Frances Hunter, entrevista com o autor.
[352] Ibid.
[353] Young e Young, *Messengers*, 163.
[354] Ibid., 176.
[355] Ibid., 180.
[356] Ibid., 195–196.
[357] Ibid., 201.
[358] Frances Hunter, entrevista com o autor.
[359] Ibid.
[360] Hunter e Hunter, *Since Jesus Passed By*, 73.
[361] Frances Hunter, entrevista com o autor.
[362] Frances Hunter, *How to Pick*, 161.

BIBLIOGRAFIA

F. F. Bosworth

Barnes III, Roscoe. *F. F. Bosworth: The Man behind Christ the Healer*. Newcastle upon Tyne, England: Cambridge Scholars Publishing, 2009.

Blomgren Jr., Oscar. "Man of God, Fred F. Bosworth," Part IV: Bosworth Begins His Work. *Herald of Faith* (June 1964).

Bosworth, F. F. *Bosworth's Life Story: The Life Story of F. F. Bosworth, as Told by Himself in the Alliance Tabernacle, Toronto*. Toronto: Alliance Book Room, n.d.

— *Christ the Healer*. New Kensington, PA: Whitaker House, 2000.

— *Christ the Healer*. Grand Rapids, MI: Chosen Books, 2000. (Inclui um nono capítulo escrito por Bob Bosworth, filho de F. F., com detalhes acerca do último ano de ministério de Bosworth e sua morte.)

Perkins, Eunice M. *Joybringer Bosworth: His Life's Story*. 1921.

Sumrall, Lester. *Pioneers of Faith*. South Bend, IN: LeSea Publishing, 1995.

George Jeffreys

Boulton, Ernest C. W. *George Jeffreys: A Ministry of the Miraculous*. London: Elim Publishing Company, 1928.

Cartwright, Desmond. *The Great Evangelists: The Remarkable Lives of George and Stephen Jeffreys*. Hants, England: Marshall Pickering, 1986.

Edsor, Albert W. *George Jeffreys Man of God*. London: Ludgate Press Limited, 1964.

Hudson, David Neil. "A Schism and Its Aftermath: An Historical Analysis of Denominational Discerption in the Elim Pentecostal Church, 1939–1940." Ph.D. diss., King's College, 1999.

Hywel-Davies, Jack. *The Kensington Temple Story*. East Sussex, England: Monarch Books, 1998.

Jeffreys, George. *Healing Rays*. London: Elim Publishing Company, 1932.

Lester Sumrall

Sumrall, Lester. *Adventuring with Christ*. South Bend, IN: LeSea Publishing, 1988.

— *Bitten by Devils*. South Bend, IN: LeSea Publishing, 1987.

— *Demons: The Answer Book*. New Kensington, PA: Whitaker House, 1979.

— *Faith Can Change Your World*. South Bend, IN: LeSea Publishing, 1999.

— *Legacy of Faith*. South Bend, IN: LeSea Publishing, 1993.

— *Lester Sumrall's Short Stories*. South Bend, IN: LeSea Publishing, 2005.

— *The Life Story of Lester Sumrall*. Green Forest, AR: New Leaf Press, 1993.

— *Pioneers of Faith*. South Bend, IN: LeSea Publishing, 1995.

Oral Roberts

Harrell Jr., David Edwin. *Oral Roberts: An American Life*. Bloomington, IN: Indiana University Press, 1985.

Roberts, Evelyn. *Evelyn Roberts' Miracle Life Stories*. Tulsa, OK: Roberts Ministries, 1998.

Roberts, Oral. *A Daily Guide to Miracles*. Grand Rapids, MI: Fleming H. Revell Company, 1978.

— *Expect a Miracle, My Life and Ministry*. Nashville, TN: Thomas Nelson Publishers, 1998.

— *My Story*. Tulsa, OK, and New York, NY: Summit Book Company, 1961.

— *Still Doing the Impossible: When You See the Invisible, You Can Do the Impossible*. Shippensburg, PA: Destiny Image, 2002.

— *When You See the Invisible, You Can Do the Impossible*. Shippensburg, PA: Destiny Image, 2005.

Charles e Frances Hunter

Hunter, Charles. *A Tribute to God*. Kingwood, TX: Hunter Books, n.d.

— *Follow Me!* Kingwood, TX: Hunter Books, 1975.

Hunter, Charles and Frances. *Since Jesus Passed By*. Kingwood, TX: Hunter Books, 1973.

Hunter, Frances. *God Is Fabulous* [revised ed.]. Kingwood, TX: Hunter Books, 1998.

— *How to Pick a Perfect Husband or Wife*. Kingwood, TX: Hunter Books, 1973.

Young, Richard and Brenda. *Messengers of Healing*. New Kensington, PA: Whitaker House, 2009.

SOBRE O AUTOR

Roberts Liardon nasceu em Tulsa, Oklahoma. Ele foi o primeiro bebê do sexo masculino nascido na Universidade Oral Roberts. Por essa razão, ele recebeu seu nome em honra do fundador da universidade. Até o momento, seus livros tiveram mais de sete milhões de exemplares vendidos em todo o mundo, suas obras foram traduzidas em mais de cinquenta idiomas e ele é internacionalmente conhecido, tendo ministrado em mais de cem países. Autor de cinquenta e quatro livros, Roberts continua a ter uma voz que fala a esta geração de crentes, atingindo aqueles que são ansiosos por ler uma mensagem relevante que leve o coração mais para perto de Deus.

A carreira de Roberts no ministério começou em 1979, quando fez seu primeiro discurso público aos treze anos de idade. Aos dezessete, ele havia publicado seu primeiro livro, *I Saw Heaven* (Eu Vi o Céu), que vendeu mais de um milhão e meio de exemplares.

Depois, Deus inspirou Roberts a escrever e produzir uma série de livros e vídeos intitulada "Generais de Deus", que narra a vida de alguns dos pioneiros do Cristianismo pentecostal e líderes carismáticos. Os livros incluíram *Generais de Deus: Por que Tiveram Sucesso e Por Que Alguns Falharam*, *Generais de Deus: Os Reformadores Estrondosos* e *Generais de Deus: Os Avivalistas*. Essa série de sucesso estabeleceu Roberts como um dos líderes dos historiadores da igreja protestante, manto que ele usa até hoje.

Por duas vezes, Roberts foi eleito Jovem de Destaque dos Estados Unidos. Ele teve a oportunidade de ser recebido por presidentes, reis e outros líderes políticos e religiosos, incluindo o ex-presidente Ronald Reagan, a ex-primeira-ministra Margaret Thatcher e o Dr. Billy Graham. Também foi homenageado pelo ex-presidente George W. Bush e sua esposa Laura por seu empenho e contribuições à comunidade.

Em 1990, aos vinte e cinco anos, Roberts Liardon se mudou para o sul da Califórnia, onde fundou uma das maiores igrejas cristãs e escolas bíblicas em Orange County. O Embassy Christian Center se tornaria uma base para sua obra apostólica, que incluía assistência aos pobres e necessitados do sul da Califórnia e do mundo todo. A partir desse ministério, ele estabeleceu, financiou e enviou quase quinhentos homens e mulheres a várias nações do globo. Ao longo dos anos, essas equipes missionárias humanitárias forneceram alimentos, roupas e ensinamentos espirituais aos necessitados.

Desde 2000, Roberts tem trabalhado para cumprir uma exigente agenda de palestras, além de escrever novos livros e atuar como mentor de uma nova geração de líderes mundiais para atuarem como agentes de mudança na igreja e na sociedade. Ele continua a administrar e expandir sua sede internacional em Sarasota, Flórida, e tem um escritório em Londres, Inglaterra.

Informações de contato:
Escritório nos Estados Unidos:
Roberts Liardon
P.O. Box 2989
Sarasota, Florida 34230
E-mail: Info1@robertsliardon.org
www.robertsliardon.org

Escritório no Reino Unido/Europa:
Roberts Liardon
22 Notting Hill Gate
Suite 125
London, UK W11 3JE

BELLO
CONFIRA NOSSAS PROMOÇÕES